'Een prachtig geschreven familiegeschiedenis, die je laat voelen hoe het was om zwart te zijn in het Amerika van een halve eeuw geleden. Hard én vol liefde.' – Jannetje Koele-wijn, auteur van *De hemel bestaat niet*

'Ayana Mathis bedrijft sociale geschiedenis in romanvorm met de zeggingskracht van een goede blues.' – Marja Vuijs-je, auteur van *Ons kamp*

'Met haar zintuiglijke proza sleurt Ayana Mathis je het verhaal binnen. Ontroerend en intiem portret van een Afro-Amerikaanse familie op drift. Zo complex is moeder-liefde...' – Christine Otten

'Een gelaagd en diepgaand verhaal over de meedogenloze liefde van een moeder voor haar kinderen – en over hoe dat mis kan gaan. Een universeel, troostrijk verhaal.' – *The Boston Globe*

'Mathis schetst het lot van de twaalf kinderen en kleinkin-deren van Hattie gedurende de twintigste eeuw, en legt te-gelijkertijd de stemmen en dagelijkse beslommeringen van al haar personages minutieus vast. En dit allemaal met een voor een 39-jarige schrijfster verbijsterende zelfverzekerd-heid: het is een meeslepend boek dat voorbestemd is een geheide bestseller te worden.' – *The Sunday Times*

'Een intens gevoelige roman.' – *The New York Times Book Review*

'Een roman zoals haar hoofdpersonage: ingetogen, maar onvergetelijk.' – *The Guardian*

'Deze frisse, krachtige debuutroman maakt het leven van Hatties kinderen tot een epische vertelling van Amerika in de twintigste eeuw. Stoer, oprecht en schitterend ingetogen geschreven.' – *The Times*

'Een echte pageturner.' – *The Chicago Tribune*

'Op de valreep een van de beste boeken van 2012.' – *The Washington Post*

'Een indrukwekkend debuut. Het is teder, rauw en onverschrokken.' – *The Daily Mail*

Ayana Mathis

DE TWAALF STAMMEN VAN HATTIE

Roman

Vertaald door
Harm Damsma en Niek Miedema

Uitgeverij Atlas Contact
Amsterdam/Antwerpen

De vertalers ontvingen voor deze vertaling een werkbeurs van het Nederlands Letterenfonds

© 2012 Ayana Mathis
© 2013 Nederlandse vertaling Harm Damsma en Niek Miedema
Oorspronkelijke titel *The Twelve Tribes of Hattie*
Oorspronkelijke uitgave Alfred A. Knopf, New York
Omslagontwerp Nanja Toebak
Omslagbeeld © Valentino Sani/Arcangel Images
Foto van de auteur Elena Seibert
Typografie binnenwerk Perfect Service, Schoonhoven
Drukkerij Bariet, Steenwijk

ISBN 978 90 254 4141 8
D/2013/0108/747
NUR 302

www.atlascontact.nl

Voor mijn moeder, en voor opa en oma

Toen bent u allemaal bij me gekomen en u zei: 'We willen mannen vooruitsturen om het land te verkennen. Dan kunnen zij ons verslag uitbrengen en ons vertellen welke route we moeten nemen en langs welke steden we komen. Ik vond dat een goed voorstel en koos twaalf mannen uit, één per stam.

Deuteronomium 1: 22-23

Het huis, dichtgeklapt als een zakhorloge,
die opeengepakte harten die daarbinnen ademen...
ze had dat nooit zelf kunnen bedenken.

Rita Dove in *Obedience*

Philadelphia en Jubilee

1925

'Philadelphia en Jubilee!' riep August uit toen Hattie hem vertelde hoe ze hun tweeling wilde noemen. 'Je kan je kinderen toch niet van zulke idiote namen geven?'

Als Hatties moeder nog had geleefd, zou ze het met August eens zijn geweest. Ze zou hebben gezegd dat Hattie ordinaire namen had gekozen, 'plat en protserig' zou zij ze hebben genoemd. Maar zij was er niet meer en Hattie wilde haar kinderen namen meegeven die niet al op een grafzerk in een familieperk in Georgia stonden gebeiteld, dus gaf zij ze namen mee vol belofte en hoop, namen die vooruitreikten, niet achteromkeken.

De tweeling werd in juni geboren, in de eerste zomer dat Hattie en August man en vrouw waren. Ze hadden een huis gehuurd in Wayne Street. Het was klein, maar stond in een prima buurt en was, volgens August, enkel een voor-zolang-huis. 'Tot we ons eigen huis gaan kopen,' zei Hattie. 'Tot we het contract gaan tekenen,' beaamde August.

Eind juni wemelde het in de bomen en op de daken van Wayne Street van de roodborstjes. In de hele buurt klonk vogelgetjilp. Het gekwetter suste de tweeling in slaap en maakte Hattie zo vrolijk dat ze de hele tijd liep te giechelen. Het regende elke ochtend, maar tegen de middag klaarde het altijd op en was het gras op het piepkleine gazonnetje van Hattie en August zo groen als bij de schepping. De vrouwen in de buurt bakten graag vroeg, en tegen het middaguur rook de hele straat dan ook naar de aardbeientaarten die op de vensterbanken stonden af te koelen. Hattie en haar tweeling zaten met z'n drietjes te doezelen in de schaduw op de veranda. Volgende zomer zouden Philadelphia en Jubilee al kunnen lopen. Dan zouden ze om de veranda heen scharrelen als lieve, brabbelende ouwe mannetjes.

Hattie Shepherd keek naar haar twee zuigelingen in hun biezen mandjes. De tweeling was nu zeven maanden. Ze ademden makkelijker als ze rechtop zaten, dus had ze kussentjes achter hun rug gezet. Ze waren nog maar net stil. Het was een onrustige nacht geweest. Van longontsteking kon je genezen, al ging dat niet vanzelf. Maar toch liever dat dan de bof, de griep, of de pleuris. En ook liever een longontsteking dan cholera of roodvonk. Hattie zat op de vloer van de badkamer met haar rug tegen de toiletpot en haar benen recht voor zich uit. Het raam was beslagen en de condens vormde druppeltjes die over de ruiten en de witte houten kozijnen omlaagliepen, en een plasje vormden in het kuiltje in de tegel achter de toiletpot. Hattie had urenlang de warmwaterkraan laten lopen. August was de halve nacht in de kelder bezig geweest de boiler bij te vullen met kolen. Hij had Hattie en de kleintjes niet alleen thuis willen laten en was die dag niet gaan werken. Goed, maar... een dag niet gewerkt was een dag niets verdiend, en het kolenhok begon al aardig leeg te raken. Hattie stelde hem gerust: nu de nacht voorbij is, knappen de kinderen wel weer op.

De vorige dag was de dokter langs geweest en had dampbaden aangeraden. Hij had een kleine dosering *ipecac-siroop* voorgeschreven en gewaarschuwd tegen achterlijke plattelandsmiddeltjes als warme mosterdkompressen, al kon Vicks Vaporub er wel weer mee door. Hij had de ipecac met een heldere, olieachtige vloeistof verdund, Hattie twee kleine druppelaars gegeven en haar voorgedaan hoe ze met haar vinger de tongetjes van de zuigelingen omlaag kon houden zodat het medicijn rechtstreeks in hun keelgat zou lopen. August had drie dollar betaald voor het consult en de dokter was de deur nog niet uit of hij was begonnen mosterdkompressen te maken. Longontsteking.

Ergens in de buurt loeide een sirene zo doordringend dat het net was of hij voor hun deur afging. Hattie kwam moeizaam overeind van haar plekje op de grond en veegde een rondje schoon op het beslagen badkamerraam. Niets te zien, behalve de als tanden in een gebit aaneengesloten witte rijtjeshuizen aan de overkant en de grijze ijsplekken op het trottoir, en de op sterven na dode jonge boompjes in de bevroren vierkante stukjes aarde die hun waren toegemeten. Hier en daar straalde lamplicht uit een bovenraam. Sommige mannen uit de buurt werkten, net als August, in de haven; andere brachten melk rond of bestelden de post. Er waren ook schoolmeesters bij, en nog een hele zwik anderen over wie Hattie niets wist. In heel Philadelphia stonden de mensen op in de bijtende kou om het vuur in de ketels in hun kelders op te stoken. Die ontberingen hadden ze gemeen.

Van onder aan de hemel walmde een gruizige dageraad op. Hattie sloot haar ogen en dacht terug aan de zonsopgangen uit haar jeugd. Ze werd voortdurend door dit soort beelden bestookt; haar herinneringen aan Georgia werden met elke dag die ze in Philadelphia woonde intenser en dwingender. Toen ze een meisje was klonk iedere dag in de blauw kleurende dageraad de werksirene over de velden, de huizen en de zwarte gombomen. Vanuit haar bed zag Hattie de dagloners over de weg sjokken die langs haar huis liep. De trageren, zoals de zwangere vrouwen, de zieken en kreupelen, degenen die te oud waren voor de katoenpluk en degenen met baby's in een doek op hun rug, kwamen altijd na de eerste sirene voorbij. De sirene joeg ze op als een zweep. Somber de weg en somber hun gezichten. De wachtende witte velden openden zich en de plukkers verspreidden zich over die velden als sprinkhanen.

Hatties zuigelingen knipperden zwakjes met hun ogen en ze kietelde hen allebei onder de kin. Het was al weer bijna tijd om de mosterdkompressen te vervangen. De stoom wolkte op van het hete water in de badkuip. Ze gooide er nog een handje eucalyptus bij. In Georgia stond een eucalyptusboom in het bos tegenover Hatties huis, maar in winters Philadelphia was het moeilijk geweest aan eucalyptus te komen.

Drie dagen eerder was het hoesten van de zuigelingen verergerd. Hattie had haar jas aangetrokken en was naar de Penn Fruit gegaan om daar op de groenteafdeling te vragen waar ze eucalyptus zou kunnen krijgen. Ze werd doorgestuurd naar een huis een paar straten verderop. Hattie woonde nog maar net in Germantown en was al snel verdwaald in de wirwar van straten. Toen ze eindelijk, blauw van de kou, haar bestemming bereikt had, moest ze een vrouw vijftien dollarcent betalen voor een zak met iets wat ze in Georgia gratis en voor niks had kunnen krijgen. 'Gossie, jij bent ook nog maar net droog achter de oren!' zei de vrouw van de eucalyptus. 'Hoe oud ben je, meiske?' Hatties haren waren recht overeind gaan staan bij die vraag, maar ze had geantwoord dat ze zeventien was en had er, omdat ze niet wilde dat de vrouw haar voor de zoveelste pas aangekomen armoedzaaier uit het Zuiden zou houden, aan toegevoegd dat ze getrouwd was, dat haar man voor elektricien leerde, en dat ze net een huis in Wayne Street hadden betrokken. 'Nou, dat klinkt goed, liefie. Waar woont je familie?' Hattie had met haar ogen geknipperd en iets weggeslikt: 'In Georgia, mevrouw.'

'Heb je hier niemand?'

'Alleen mijn zus, mevrouw.' Ze zei er niet bij dat haar moeder een jaar geleden was overleden, tijdens haar zwangerschap. De klap van haar dood, en van het feit dat ze nu wees was en dat het Noorden nog vreemd voor haar was, had Hatties jongste zus, Pearl, naar Georgia teruggedreven. Haar oudere zus Marion was ook teruggegaan, al had zij gezegd dat ze terug zou komen zodra ze was bevallen van haar kind en de winter voorbij was. Hattie wist niet of ze dat ook echt zou doen. De vrouw had Hattie scherp opgenomen. 'Ik loop wel even met je mee om naar de kleintjes te kijken,' had ze gezegd. Maar Hattie had het aanbod afgeslagen. Dat was dom van haar geweest, ze was te trots en eigenwijs geweest om toe te geven dat ze hulp nodig had. Ze was alleen naar huis gegaan, met de zak eucalyptus stevig tegen zich aan gedrukt.

De winterkou was als een vuur om haar heen, dat alles

van haar af brandde behalve de wil haar kinderen beter te maken. Haar vingers verstijfden tot klauwen rond de omgekrulde rand van de bruine papieren zak. Ze stormde uiterst helder van geest het huis in Wayne Street binnen. Ze had het gevoel dat ze bij haar kindertjes naar binnen kon kijken, door hun huid en vlees heen, tot diep in hun ribbenkastjes, waar hun vermoeide longen zaten.

Hattie zette Philadelphia en Jubilee dichter bij de badkuip. De extra eucalyptus was te veel, en de zuigelingen knepen hun ogen dicht tegen de mentholmist. Jubilee balde een vuistje en bracht haar handje omhoog alsof ze in haar oogjes wilde wrijven, maar ze was er te zwak voor en het zakte weer terug naast haar lijfje. Hattie ging op haar knieën zitten en kuste haar vuistje. Ze tilde het slappe armpje van haar dochter op – zo licht als een vogelbotje – en veegde met haar handje de tranen bij het kind weg, zoals Jubilee zelf zou hebben gedaan als ze er de kracht voor had gehad. 'Goed zo,' zei Hattie. 'Knap hoor, je hebt het helemaal zelf gedaan.' Jubilee keek haar moeder aan en lachte. Opnieuw bracht Hattie Jubilees handje naar haar wazige oogje. Het kind dacht dat het een kiekeboe-spelletje was en toonde een mat lachje, lusteloos, zacht en snotterig, maar toch, een lachje. Ook Hattie lachte, omdat haar kleine meisje zo flink was en van zo goede wil. Ziek als ze was, was ze toch nog een zonnetje. Ze had een kuiltje in een van haar wangen. Haar broertje Philadelphia had er twee. Ze leken totaal niet op elkaar. Jubilee had het zwarte haar van August, terwijl Philadelphia net als Hattie melkbleek was en lichtbruin haar had.

Philadelphia haalde zwoegend adem. Hattie tilde hem

uit de mand en zette hem op de rand van de badkuip, waar de meeste stoom was. Het jongetje hing als een zoutzak in haar armen. Zijn hoofdje viel alle kanten op en zijn armpjes hingen slap langs zijn lijf. Hattie schudde hem zachtjes door elkaar om hem weer bij zijn positieven te brengen. Hij had sinds de voorgaande avond niks meer gegeten en beide kinderen hadden 's nachts zo vreselijk gehoest dat ze het beetje groentebouillon dat Hattie bij ze had weten binnen te krijgen weer hadden uitgebraakt. Ze duwde met haar vinger het ooglid van haar zoontje omhoog en zag zijn oogbal heen en weer rollen in de kas. Hattie wist niet of hij bewusteloos was of sliep, en als hij bewusteloos was, zou hij misschien niet... zou hij misschien niet...

Ze duwde opnieuw tegen het ooglid. Ditmaal deed hij zijn oog open – goed zo, mannetje! – en krulde zijn lip op zoals wanneer ze hem geprakte erwtjes voerde, of wanneer hij iets rook wat hem niet aanstond. Want meneer was kieskeurig.

De helderheid van de badkamer, met zijn witte badkuip, witte muren en witte tegels was overweldigend. Philadelphia hoestte, één eindeloze ademstoot die zijn lijfje door elkaar schudde. Hattie pakte het warme blik mosterd van de radiator en smeerde het spul op zijn borstkas. Zijn ribben voelden aan als twijgjes. Bij de geringste druk zouden ze knappen en in zijn borstholte vallen. Hij was, ze waren allebei, zo dik geweest toen ze nog gezond waren. Philadelphia tilde zijn hoofd op, maar was zo uitgeput dat hij het weer terug liet vallen. Zijn kin stootte tegen Hatties schouder zoals toen hij nog een pasgeboren baby was en nog moest leren zijn hoofd omhoog te houden.

Hattie liep rondjes door de kleine badkamer en wreef Philadelphia tussen zijn schouderbladen. Wanneer hij het benauwd had, schopte hij in een reflex tegen haar buik. Wanneer hij gewoon ademhaalde ontspande zijn voetje zich. De vloer was glibberig. Ze zong onzinteksten, ta ta ta, pom, pom, ta ta. Ze kon van geen enkel liedje op de woorden komen.

Het water droop van de ramen en kranen, en langs de muur achter het houten plaatje om de lichtschakelaar. De hele badkamer droop als een bos in Georgia na een stortbui. In de muur zoemde iets, toen siste het, en daarna viel de lamp aan het plafond uit. De hele badkamer was gehuld in een blauwige mist. O god, dacht Hattie, ook dat nog. Ze zocht met haar hoofd steun tegen de deurpost en deed haar ogen dicht. Ze had al drie nachten niet geslapen. Ineens overviel haar, als een flauwte, een herinnering: Hattie die met haar moeder en zusjes 's ochtends heel vroeg door het bos liep. Mama voorop met twee grote reistassen en de drie meisjes erachteraan met hun vluchtkoffertjes. Door de vroege ochtendnevel en het kreupelhout vonden ze hun weg naar de stad, al bleven hun rokken regelmatig aan een tak haken. Ze slopen als dieven door het bos om een vroege trein te nemen, weg uit Georgia. Hatties vader was nog geen twee dagen dood, maar op datzelfde moment waren de blanken al bezig het naambordje van de deur van zijn smederij te halen en er hun eigen bordje op te hangen. 'God sta ons bij,' had mama gezegd toen de eerste sirene opklonk uit de velden.

Philadelphia's voetje drukte tegen Hatties navel, waardoor ze wakker schrok en weer terug was in de badkamer bij haar kinderen, geschrokken en boos op zichzelf omdat haar gedachten waren afgedwaald. Ze begonnen allebei te huilen. Ze hapten naar adem en rilden samen. De ziekte werd sterker, eerst bij het ene kind en toen bij het andere, om vervolgens, alsof ze speciaal op die gelegenheid had gewacht om de genadeklap uit te delen, als een gevorkte bliksemschicht toe te slaan. Heb meelij, Heer. Heb meelij.

Hatties kleintjes brandden fel, hun koorts piekte, hun beentjes trappelden, hun wangetjes werden rood als de zon. Hattie nam het flesje ipecac uit het medicijnkastje en gaf hun wat van het spul. Ze hoestten zo hard dat ze het niet konden doorslikken, zodat het medicijn opzij uit hun mond liep. Hattie veegde hun gezichtjes schoon, gaf ze nog meer ipecac en masseerde hun hijgende borstkasjes. Haar handen bewogen zich bekwaam van taak naar taak. Haar handen werkten snel en vaardig, ook al zat Hattie tegelijkertijd te huilen en te smeken.

Wat brandden haar kindertjes! En wat wilden ze graag blijven leven! Wanneer zulke gedachten zich hadden opgedrongen, had Hattie wel eens gedacht dat de zieltjes van haar kinderen vingerhoedjes mist waren, ijl en ongrijpbaar. Ze was nog maar een meisje, en pas zeventien jaar langer op aarde dan haar kinderen. Hattie ervoer hen als verlengstukken van zichzelf en hield van hen omdat ze van haar waren, en omdat ze weerloos waren en haar nodig hadden. Maar als ze nu naar haar kindertjes keek, zag ze dat het leven in hen gespierd en krachtig was en zich niet uit hen wilde laten verdrijven. 'Vecht,' spoorde Hattie hen aan. 'Zó,' zei ze, en blies de lucht haar eigen longen in en uit, uit een soort solidariteit, om te laten zien dat het kon. 'Zó,' zei ze nog eens.

Hattie zat in kleermakerszit op de grond met Jubilee op de ene knie en Philadelphia op de andere. Ze klopte op hun ruggetjes om het slijm omhoog en naar buiten te krijgen. De voetjes van de kinderen kruisten elkaar in de driehoek tussen Hatties benen. Hun energie nam af en ze hingen slap tegen haar dijen aan. Al werd ze honderd, dan nog zou Hattie, zo duidelijk als ze nu haar kinderen weggezakt zag zitten, het lichaam van haar vader zien dat in de hoek van de smederij was neergevallen en de twee blanke mannen uit de stad die zijn zaak uit liepen zonder zelfs maar voldoende schuldbesef om hun pas te versnellen of hun vuurwapens te verbergen. Hattie had dat gezien en ze kon het nooit meer ongezien maken.

In Georgia had de dominee het Noorden een Nieuw Jeruzalem genoemd. De gemeente vond hem een verrader van de zaak van de zuidelijke neger. De volgende dag had hij de trein genomen naar Chicago. Ook anderen waren vertrokken, verdwenen uit hun winkels of van de katoenvelden. Hun plekken in de kerkbanken waren nog bezet bij de dienst van zondag, maar leeg bij de gebedsbijeenkomst op woensdag. Al die uit het Zuiden ontsnapte zielen gloeiden tegelijkertijd van verwachting in de barre winters van de steden in het Noorden. Hattie wist dat haar kinderen het gingen halen. Al waren ze klein en al hadden ze het zwaar, Philadelphia en Jubilee hoorden al bij die lichtende zielen, bij de geboorte van een nieuw land.

Tweeëndertig uur nadat Hattie met haar moeder en zusjes door het bos van Georgia naar het station was geslopen, na tweeëndertig uur op harde banken in het tumult van de negercoupé, werd Hattie uit een lichte slaap gewekt door het bulderende stemgeluid van de conducteur: 'Broad Street Station, Philadelphia!' Hattie klauterde de trein uit, met de modder van Georgia nog aan de zoom van haar rok, de gedroomde stad Philadelphia nog rond als een knikker in haar mond en de angst ervoor als een naald in haar borst. Hattie, mama, Pearl en Marion bestegen de trappen bij het perron naar de grote stationshal. Ondanks de middagzon was het er halfdonker. Het gewelfde dak vormde een koepel. Op de dakspanten koerden duiven. Hattie was toen nog maar vijftien en mager als een lat. Ze bleef met haar moeder en zusjes aan de rand van de menigte staan, gevieren wachtend op een luwte in de passagiersstroom, zodat ook zij door konden lopen naar de brede, dubbele deuren aan de andere kant van het station. Hattie waagde zich in de drukte. Mama riep: 'Kom terug! Je raakt ons kwijt tussen al die mensen. Je raakt ons kwijt!' Hattie keek geschrokken om. Ze had gedacht dat haar moeder vlak achter haar liep. Maar het was zo druk dat ze niet terug kon en ze werd meegevoerd met de mensenstroom. Ze bereikte de brede deuren en werd een trottoir op geduwd dat over de hele lengte van het station liep.

Buiten wemelde het van de mensen, meer dan Hattie er ooit bij elkaar had gezien. De zon stond hoog aan de hemel. De lucht hing vol uitlaatgassen, en ze rook ook de teerlucht van pas gelegd asfalt en de weeïge geur van rottend vuilnis. Wielen ratelden over de keien, motoren bromden, krantenjongens riepen luidkeels wat de koppen waren. Aan de overkant, op de hoek van de straat, stond een man in vuile kleren met zijn armen langs zijn lijf en de handpalmen naar boven gekeerd een lied te jammeren. Hattie onderdrukte de neiging haar handen voor haar oren te slaan om het razende stadsrumoer te temperen. Ze rook de afwezigheid van bomen voordat die haar opviel. Alles was groter in Philadelphia, dat klopte, en er was ook meer van alles, te veel van alles. Maar Hattie zag in dit tumult niet het beloofde land. Het was, vond ze, gewoon Atlanta, maar dan groter. Ze zou er wel uit de voeten kunnen. Maar terwijl ze zich opgewassen verklaarde tegen de stad, knikten onder haar rok tegelijkertijd haar knieën, en stond het zweet haar op de rug. In de paar tellen die ze daar op het trottoir stond waren er al honderd mensen voorbij gelopen, maar niet haar moeder of zusjes. Hatties ogen deden zeer van het ingespannen kijken naar alle gezichten van de voorbijgangers.

Haar blik viel op een kar aan het eind van het trottoir. Hattie had nog nooit de kar van een bloemenman gezien. Op een krukje ernaast zat een blanke man met opgestroopte mouwen en een schuin naar voren op zijn hoofd staande pet tegen de zon. Hattie zette haar schoudertas op de stoep en veegde haar bezwete handen af aan haar rok. Er kwam een negerin op de kar af gelopen. Ze wees op een bos bloemen. De blanke man ging staan – hij weifelde niet, zijn lichaam verstrakte niet en hij nam geen dreigende houding aan – en haalde de bos uit een emmer. Voor hij ze in papier wikkelde schudde hij voorzichtig het water van de stelen. De negerin overhandigde hem zijn geld. Hadden hun handen elkaar geraakt?

Toen de vrouw haar wisselgeld aanpakte en in haar portemonnee wilde doen, stootte ze drie van de uitgestalde bossen bloemen om. Vazen en bloemen vielen van de kar en kletterden op de stoep. Hattie verstijfde, in afwachting van de onvermijdelijke uitbarsting. Ze verwachtte dat de andere negers zo snel mogelijk afstand zouden nemen van het doelwit van het geweld dat nu onvermijdelijk zou volgen. Ze verwachtte dat weldra het moment zou komen waarop ze haar ogen zou moeten afwenden van de vrouw en van wat er ook maar voor gruwelijks zou gaan plaatsvinden. De bloemenman bukte zich om de rommel op te ruimen. De negerin maakte een verontschuldigend gebaar en haalde haar portemonnee weer tevoorschijn, vermoedelijk om de schade die ze had veroorzaakt te vergoeden. Binnen een paar minuten was alles geregeld en vervolgde de vrouw haar weg met haar neus in de vers verpakte ruiker alsof er niets was gebeurd.

Hattie keek nog eens goed naar de mensen op straat. De negers stapten niet de goot in om de blanken voorbij te laten en ze staarden niet stug naar hun eigen voeten. Vier negermeisjes liepen langs, tieners van Hatties eigen leeftijd, die met elkaar liepen te kletsen. Gewoon meiden die druk in gesprek waren, giechelig en ontspannen, zoals in de steden van Georgia alleen de blanke meisjes op straat rondliepen. Hattie boog zich naar voren om ze met haar blik te kunnen volgen. Eindelijk kwamen haar moeder en zusjes het station uit en voegden zich bij haar. 'Mama,' zei Hattie, 'ik ga nooit meer terug. Nooit meer.'

Philadelphia tuimelde voorover en sloeg met zijn voorhoofd tegen de schouder van Jubilee voordat Hattie hem kon opvangen. Zijn ademhaling was een hees, nattig gefluit. Zijn handjes hingen open en krachteloos langs zijn lijfje. Hattie schudde hem door elkaar, maar hij hing er slap als een lappenpop bij. Ook Jubilee verzwakte zienderogen. Ze kon haar hoofd wel rechtop houden, maar haar ogen niet focussen. Hattie hield beide zuigelingen in haar armen en deed een moeizame greep naar het flesje ipecac. Philadelphia maakte een laag geluid alsof hij stikte en keek zijn moeder verbijsterd aan. 'Och arm ventje,' zei ze. 'Ik snap het ook niet. Ik zal het beter maken. Arm ventje van me.' Het flesje ipecac glipte haar uit handen en viel kapot op de tegels. Hattie ging naast de badkuip op haar hurken zitten, met Philadelphia op een arm en Jubilee in wankel evenwicht op haar schoot. Ze draaide de warmwaterkraan open en wachtte. Jubilee hoestte zo goed als ze kon en zoog de lucht zo goed als ze kon naar binnen. Hattie hield haar vingertoppen in het stromende water. Het was ijskoud.

Er was geen tijd om de kolenlade van de boiler in de kelder te vullen en geen tijd om te wachten tot het water warm zou zijn. Philadelphia was lusteloos en schopte onbedoeld met zijn beentje tegen Hatties buik. Zijn hoofdje rustte zwaar op haar schouder. Hattie stapte naar de andere kant van de badkamer. Ze trapte op de scherven van het kapotte flesje waardoor ze haar voet openhaalde en ze een bloedspoor achterliet op de badkamertegels en de houten vloer in de gang. In haar slaapkamer trok ze de gewatteerde deken van het bed en sloeg die om haar kinderen heen. In een wip was ze de trap afgelopen en trok ze in de kleine vestibule haar schoenen aan. De glassplinter in haar voet werd verder naar binnen gedrukt. Ze liep de deur uit en de veranda af. Kringeltjes waterdamp stegen op van haar klamme duster en blote armen, en losten op in de koude, heldere lucht. De zon was al helemaal opgekomen.

Hattie bonsde op de deur bij buren. 'Ze hebben longontsteking!' zei ze tegen de vrouw die opendeed. 'Help me alstublieft.' Hattie had geen idee hoe ze heette. Binnen trok de buurvrouw de deken opzij en zag Jubilee en Philadelphia bewegingloos tegen de borst van hun moeder liggen. 'O lieve God,' zei ze. Een jongetje, de zoon van de vrouw, kwam de huiskamer binnen. 'Haal gauw de dokter!' schreeuwde de vrouw. Ze nam Philadelphia over van Hattie en rende met het kind in haar armen naar boven. Hattie volgde haar, met Jubilee slap tegen zich aan.

'Hij ademt nog,' zei de vrouw. 'Zolang hij maar ademt.'

In de badkamer deed ze de stop in de badkuip. Hattie stond in de deuropening en wiegde Jubilee. Terwijl ze toekeek hoe de vrouw het warme water op volle kracht in het bad liet lopen, voelde ze haar hoop langzaam vervliegen.

'Dat heb ik al gedaan!' riep Hattie uit. 'Is er niks anders?'

De vrouw gaf Philadelphia terug aan Hattie en zocht in het medicijnkastje. Ze vond een blikje kamferbalsem dat ze opendraaide en als vlugzout onder de neus van de zuigelingen hield. Alleen Jubilee trok haar hoofdje weg vanwege de geur. Hattie werd bevangen door een overweldigend gevoel van vergeefsheid. Ze was al die tijd bezig geweest haar kinderen te redden en nu was ze terechtgekomen in net zo'n badkamer als de hare, met een vrouw die even machteloos stond tegenover de ziekte als zij.

'Kan ik wat doen?' Hattie keek de vrouw aan door de stoom. 'Zeg me alstublieft wat ik kan doen.'

De buurvrouw vond een glazen buisje met een rubberen bol aan het einde. Daarmee probeerde ze om het slijm uit de neus en mond van de tweeling te zuigen. Ze zonk vlak voor Hattie op de knieën, bijna in tranen. 'Lieve Heer. Alstublieft lieve Heer, help ons.' De vrouw zoog en bad.

De oogleden van beide kinderen waren gezwollen en rood door gesprongen adertjes. Ze ademden amechtig. Hun borstkasjes gingen te snel op en neer. Hattie wist niet of Philadelphia en Jubilee bang waren en of ze begrepen wat er met hen gebeurde. Ze wist niet hoe ze hun lijden moest verlichten, maar ze wilde dat haar stem de laatste was die ze zouden horen en haar gezicht het laatste dat ze zouden zien. Hattie kuste de kinderen op hun voorhoofd en wangen. Hun hoofdjes vielen terug tegen haar armen. Tussen de ademteugen door sperden ze hun ogen wijd open van angst. Ze hoorde een nat gorgelen diep in hun borstkasjes. Ze waren bezig te verdrinken. Hattie kon hun lijden niet aanzien, maar wilde dat ze in vrede zouden heengaan, daarom gilde ze niet. Ze noemde hen juweeltjes, ze noemde hen licht en beloftes en wolkjes. De buurvrouw bleef gebeden prevelen. Ze had haar hand op Hatties knie gelegd. De vrouw liet niet los, zelfs niet toen Hattie haar hand probeerde af te schudden. Veel was het niet, maar ze probeerde ervoor te zorgen dat het meisje dit niet helemaal alleen hoefde door te maken.

Jubilee vocht het langst. Ze probeerde een armpje uit te steken naar Philadelphia, maar was te zwak om het te kunnen strekken. Hattie legde zijn handje in het hare. Ze drukte haar kindertjes tegen zich aan. Ze wiegde hen. Ze drukte haar wangen tegen hun kruintjes. O, die zijdezachte huid van ze! Hun dood voelde alsof er iets scheurde in haar binnenste.

Hatties kinderen stierven in de volgorde waarin ze werden geboren. Eerst Philadelphia, daarna Jubilee.

Floyd

1948

Het pension was schoner dan de meeste andere. Die voor kleurlingen, die Floyd kon betalen, waren meestal dringend toe aan een ontsmettingsbeurt en een lik verf. Floyd krabde aan de bultjes op zijn rug. In het vorige pension hadden ze bedwantsen gehad. Maar ja, hij was in het Zuiden en het was zomer, dus wat wilde je? Alles hier was overwoekerd en krioelde van het kruipende en bijtende ongedierte. Hij ging zijn kamer binnen, waar het natuurlijk om te stikken was, ook al draaide de ventilator in het raam op volle toeren. De lakens waren ietwat vaal en versleten, maar de vloer blonk, die was blijkbaar pas nog in de was gezet, en in de vaas op het nachtkastje stonden enkele fraaie witte bloemen.

'Hé, wat leuk. Mijn moeder zette ook altijd snijbloemen neer,' zei Darla.

Je kon veel van Darla zeggen, maar niet dat ze een stil type was. Zelfs als ze zelf vond dat ze zachtjes praatte, was het net of ze van de overkant van de straat naar je riep. Ze liep om Floyd heen en zette haar weekendtas naast het bed op de grond. Reizen was ook niet haar sterkste punt. Dat wil zeggen: haar jurk was gekreukeld en haar haar plakte warrig tegen haar voorhoofd. Tijdens de vijf uur durende autorit had ze aan één stuk door zitten roken en zelfs toen Floyd even een sanitaire stop had ingelast, was er van achter de

26

struik waar ze was neergehurkt een sliertje rook opgekringeld. Door al die rook zagen haar ogen rood en waren haar vingertoppen geel geworden.

'Je weet dat ik hier vanavond misschien niet terugkom, hè? Maar jij kunt in deze kamer blijven tot je iets voor jezelf gevonden hebt,' zei Floyd.

'We zien 't wel, wie vanavond waar is.'

Darla mocht dan een tikkeltje ordinair zijn, ze deed nooit ergens moeilijk over. De oranje jurk die ze aanhad was zo fel van kleur dat je er schele hoofdpijn van kreeg. Natuurlijk was Floyd nog nooit een jazzclubmeisje tegengekomen dat niet ruig was. Ze peuterden hun tanden schoon met hun pinknagel of praatten alsof ze zo van de katoenpluk kwamen. Hij had er nooit eentje langer om zich heen willen hebben dan de een of twee avonden dat hij ergens een optreden had. De afgelopen ochtend was hij opgestaan, had zijn trompet gepakt en was al bijna de deur uit geslopen, toen Darla uit bed was gesprongen en had gezegd: '*Baby boy*, ik ga lekker met je mee naar de volgende stad waar je moet zijn. Ik heb het helemaal gehad hier.' Het zou wel door zijn kater zijn gekomen dat hij het goed had gevonden. Stom. Maar er was nu niks meer aan te doen.

'Jij zou me nu eigenlijk mee uit eten moeten vragen,' zei ze vanaf het pensionbed.

Floyd keek bedenkelijk naar zijn schoenen.

'Wat kijk je nou zuur? Ik weet best dat we geen verkering hebben, hoor. Maar je kan toch wel een broodje tomaat voor me kopen?' Floyd glimlachte. 'Jemig... al was het maar een blikje sardientjes. Ik heb nog nooit zo'n stijve hark gezien.'

Darla's schoen bungelde aan haar teen. Ze schopte hem

schalks in Floyds richting. 'Waarom doe je zo serieus, man? Jij moet hoognodig leren je eens te ontspannen.'

'Ik weet wat ik hoognodig moet,' zei Floyd en deed de deur dicht.

Tegen de tijd dat hij bij het bed was, had hij zijn overhemd al uit en een minuut later ook zijn broek. Hij ritste Darla's jurk open en meer viel er aan haar niet uit te kleden. Dat loeder had er niks onder aan. Darla noemde hem 'Pappie' en 'Grote Knul' en gilde de hele boel bij elkaar, en ze hadden allebei lol voor tien. Het enige minpuntje was de foto in sepia op de commode, van een gespierde bink op een paard. Floyd had de hele tijd het idee dat de blik van die jongen hem volgde door de kamer. Hij keek mee toen Floyd zijn hand over Darla's heupen liet gaan en hij keek mee toen Floyd klaarkwam. Toen ze uitgeneukt waren, legde Floyd zijn hoofd zo dicht naast haar op het laken dat hij de vochtige damp van Darla's lichaam voelde opstijgen.

In het hele kamertje hing de geur van seks. Toen Darla opstond om te kijken of ze de ventilator in het raam wat harder kon zetten, sloeg ze geen laken om zich heen, zoals een netter meisje zou hebben gedaan. Ze had een hoge, ronde kont en haar dijen liepen taps toe naar haar slanke onderbenen. Ze waren misschien wel iets té slank, maar haar lichaam had iets efficiënts wat Floyd wel beviel.

Hij had al heel wat lichamen gehad. Floyd zag er goed uit en al had hij misschien niet zo'n lichte huid, hij had wel golvend zwart haar dat opkrulde aan de slapen. Na een optreden had hij de vrouwen voor het uitkiezen. In Philadelphia noemden ze hem Lady Boy Floyd. Hij had wel eens twee vrouwen in één nacht gehad, en drie op één dag. Dat was in het Zuiden overigens makkelijker dan in Philadelphia. Hoewel hij in zijn eigen stad vrouwen had genomen in toiletten en op de achterbank van auto's, was hij ervan overtuigd dat de vrouwen in Georgia makkelijker te krijgen waren. Misschien kwam het door hun manier van lopen. De helft – niet de nette meisjes natuurlijk – droeg niet eens een korset. En in de kleinere stadjes hadden sommige geen tasje bij zich! Die stapten doodleuk met los wapperende handjes over straat. Met vrouwen die zich zo vrijgevochten gedroegen, kon je doen wat je wilde.

De vrouwen die Floyd van huis uit kende waren keurig en welopgevoed, zoals zijn moeder en zussen. Hattie wilde dat hij ophield met de muziek en ging trouwen. Ze had hem verboden thuis te oefenen en toen hij een baantje kreeg als portier bij de Downbeat Club, waar hij de muzikanten die daar speelden kon ontmoeten, zei ze alleen maar: 'Ik snap niet dat jij zin hebt andermans rotzooi op te ruimen.' En nadat hij Hawkins en Pres had ontmoet, zei ze daar geen stom woord over. Maar een paar keer per week trof hij, als hij laat thuiskwam in Wayne Street na een optreden in een whiskybar of na het schrobben van de toiletten in de Downbeat, zijn moeder nog wakker in haar nachtpon in het zitje bij het erkerraam. Dan was Hattie suf van het gebrek aan slaap, maar lachte ze naar hem en bleven ze samen nog even zitten op dat stille uur.

Toen Floyd klein was, in de eerste jaren na de dood van de tweeling, waren er alleen nog maar hij, Cassie en Hattie. Hattie kwam pas 's middags uit bed. Er waren dagen dat Floyd, nadat hij urenlang tegen het voeteneinde van het bed geleund had staan wachten tot zijn moeder zou opstaan, zijn hand voor haar mond hield om zich ervan te vergewissen dat ze nog ademde. Ze liep de hele dag in haar witte nachtpon rond en dreef bleek en stil als een ijsberg door de kamers van het huis. Floyd en Cassie aten de losse hapjes die hun moeder hun voorzette wanneer ze eraan dacht – een bord koude rijst met melk en suiker, of een stel crackers met boter, of witte bonen die ze gewoon zo uit het blik aten – op welk willekeurig tijdstip ze die dingen ook maar op tafel zette. Wanneer August 's avonds thuiskwam klonk er muziek en gefluit, en sommeerde zijn stem, boos of verdrietig, maar altijd stellig, Hattie zich aan te kleden, de kinderen in bad te stoppen en haar haren te kammen. Soms kwam tante Marion, die al even bars en bazig was, althans zo kwam het op Floyd over. Maar op zeker moment werd het huis weer leeg en keerde de stilte terug. Ondanks Hatties verstikkende verdriet en ondanks het feit dat Floyd en Cassie er verwaarloosd bij liepen, kregen de kille, besloten kamers in Wayne Street in Floyds herinnering een zekere schoonheid. Hattie kon zelden meer dan een flauwe glimlach opbrengen, maar ze liet Floyd en Cassie bij haar op schoot klimmen, haar haren vlechten en haar voorhoofd kussen, alsof ze een levende pop was. Ze waren kameraadjes, deze moeder en haar kinderen, die, even kwetsbaar en vol hunkering, samen de dagen door lummelden. Zelfs nu Floyd volwassen was, bestond er nog een bepaalde verstandhouding tussen hem en zijn moeder, en was Hattie de enige persoon ter wereld bij wie Floyd zich volkomen op zijn gemak voelde. Hij miste haar zwijgzaamheid. Vaak was hij verzonken in een luidruchtige, innerlijke verwarring die hem te machtig dreigde te worden.

Floyd voelde die het sterkst tijdens de lange autoritten van het ene optreden naar het andere, wanneer hij alleen in de wagen zat en de typisch zuidelijke geur van rottende jasmijn door de raampjes naar binnen kwam. Met een hart dat roffelde in zijn borstkas vanwege de peppillen die hem tussen twee optredens wakker hielden, vloog hij over de wegen, het gaspedaal ver ingedrukt, en voelde hij zich losgeslagen van alle redelijke verlangens. Hij stopte om te tanken in plaatsjes die bestonden uit weinig meer dan een houten kerkje en een benzinepomp. Daar wezen ze hem een huis verderop waar hij voor een dollar een bord eten kon krijgen. Als de vrouw des huizes alleen was, en als ze zin had, kon het gebeuren dat ze naar de slaapkamer gingen voordat Floyd de weg weer op ging. Er waren ook een beer van een pompbediende in Mississippi en een man die in een kleine supermarkt in Kentucky werkte geweest. Ze waren op het heetst van de middag naar achteren gegaan, toen weg en winkel verlaten waren.

Floyd was op deze tournee voor het eerst sinds langere tijd van huis. Hoe langer hij weg was, hoe meer hij toegaf aan de neigingen die hij in Philadelphia grotendeels had weten te onderdrukken. In de maanden dat hij op pad was, waren ze dwingender geworden, roekelozer en moeilijker te rijmen met de man die hij altijd had gedacht dat hij was.

En nu zat hij hier, in het zoveelste pension met de zoveelste wildvreemde in een stadje waar hij niet eens wist welke kant hij uit moest voor een kop koffie. Hier in het Zuiden. Wat was hij nou helemaal aan het doen, zwervend door deze negorij, met alleen zijn trompet en een paar dollar op zak? Floyd had weg gewild uit Philadelphia. Hij was tweeëntwintig en wilde graag naam maken als muzikant. Hij was naar deze contreien afgezakt om in de clubs en jazztenten te spelen, maar hij was nu drie maanden bezig met deze armetierige tournee en hij voelde zich als een vlieger waarvan het touw is geknapt.

Hij stond voor de commode en frummelde wat aan de knoppen van de lades.

'Jezus, *sugar*. Ben je nou nog steeds niet moe?' zei Darla met een knipoog. 'Moet je nog een keertje soms?'

'Mij best,' zei hij halfhartig.

'Dan zul je hier moeten komen.'

Ze zag hem zoeken tussen de stapel kleren op de vloer.

'O, schei toch eens uit met dat gerommel van je! Ik word er doodnerveus van.'

Floyd haalde een pakje sigaretten uit de borstzak van zijn colbertje.

'Mag ik je wat vragen, sugar? Wat doe je hier precies? Je ziet eruit als zo'n dure student van Morehouse of zo.'

'Optreden,' zei Floyd.

'Hebben ze in 't Noorden dan geen jazzclubs? Daarvoor hoef je toch niet helemaal hierheen te komen? D'r moet een reden zijn waarom je steeds twee dagen hier en dan weer drie dagen daar wil uithangen. De meeste mensen doen dat niet.'

'Ik heb je net verteld waarom,' zei Floyd.

Darla haalde haar schouders op. 'Niet dat het mij wat aangaat, trouwens.'

De zon was aan het zakken. Het was een saaie zonsondergang, waarbij de zon als een door wolken omhulde rode bal langzaam door een heiige strook oranje wegzakte.

'Ik denk dat ik maar eens in bad ga,' zei Floyd.

Hij sloeg een laken om zich heen en liep door de gang naar de badruimte. Het bad had een rustgevende uitwerking. Toen hij terugkwam in de kamer, was Darla diep in slaap verzonken, bloot, en met armen en benen wijd. Haar haar plakte aan één kant tegen haar gezicht en haar mond hing open. Floyd moest lachen. Hij had een merkwaardig zwak voor Darla's ruige gedrag. Ze probeerde in elk geval geen indruk op hem te maken. Hij nestelde zich tegen haar aan op het bed en viel in slaap.

Floyd werd wakker van stemmen beneden op straat. Afgezien van het licht dat door het raam naar binnen viel en de streep licht die onder de deur door kwam, was het nog donker in de kamer. Hij had zo'n dorst dat het wel leek of hij watten in zijn mond had, en hij voelde een algehele, ongerichte irritatie.

Darla werd wakker en keek met kleine oogjes naar Floyd.

'Wat is dat voor kabaal?' vroeg ze.

Hij gaf geen antwoord. De stemmen op straat werden luider. Door het raam zag Floyd een grote groep mensen langstrekken over de brede weg voor het pension. Hij deed het licht aan.

'Wil je me blind hebben of zo?' vroeg Darla.

Floyds laatste schone kleren lagen gekreukeld onder in zijn koffer. Hij schopte zijn vuile goed in een hoek en kleedde zich snel aan. De kamer voelde klein aan, en de lucht van zweet en van Darla's goedkope parfum maakte hem misselijk. Bovendien keek die verdomde boerenpummel hem nog steeds aan vanuit de fotolijst op de commode.

'Ik ben zover,' zei Floyd.

'Dat zie ik.' Darla stond op, rekte zich uit en bukte zich om weer een andere opzichtige jurk uit haar tas te halen. Floyd tikte ongeduldig met zijn voet op de grond, maar Darla liet zich niet opjagen. Hij klikte zijn aansteker open en dicht. Hij slaakte een zucht.

'Baby boy, heb je iets op je lever?'

'Ik denk dat ik vast ga.'

'Dus jij maakt al die komedie in plaats van gewoon te zeggen dat je d'rvandoor gaat?' Darla schudde vol onbegrip haar hoofd en wijdde zich aan haar reistas. 'Je bent een rare vogel, hoor,' zei ze.

Beneden stond de buitendeur van het pension open, alsof de uitbater plotsklaps weg had gemoeten. Buiten was de straat van stoeprand tot stoeprand, en zelfs tot op de stoep zelf, gevuld met mensen. In plaats van straatlantaarns brandden er op de straathoeken fakkels in hoge houders. Een man die van top tot teen in jubelend groen was gehuld – groene hoed en schoenen, groene broek en overhemd – gebaarde dat Floyd zich bij de optocht moest aansluiten. Een in ellenlang opbollende en uitwaaierende witte stof gehulde vrouw liep naast een man die met houtskool getekende symbolen op zijn wangen had. Anderen hadden iets simpels in hun handen, zoals een uitbundig bloeiende tak, een suikerrietstengel of een geel vogeltje in een kooi.

De mensen sloegen op tamboerijnen, rammelden met koebellen en bewogen zich dansend over de weg. Het was een dans die Floyd nooit eerder had gezien, vol stotende bewegingen met het onderlijf en met een laag soort kippenloopje waardoor de rokken van de vrouwen omhoog kropen over hun dijen. Een man ging door de knieën en maakte vervolgens een salto tot stand. De mensen slaakten kreten van bewondering. Hij danste nog feller door, waardoor de gele verf op zijn borst uitliep van het zweet. Er hing een geur van brandende pek in de lucht, plus een andere, zoete, rokerige walm die Floyd niet kon thuisbrengen. Er kwam een jongetje met kleine metalen kuipjes op een dienblad naar hem toe.

'Mirre? Wilt u wat mirre, meneer?' vroeg hij en hij wees op de kuipjes en de zoete walm die eruit opsteeg.

'Wat is dit?' vroeg Floyd.

'Carnaval!'

Het jongetje schoot de menigte weer in.

Toen Floyd dit optreden aannam, had niemand hem erbij verteld dat het feest zou zijn. En ik loop er zo opgedirkt bij als een ouwe opa, dacht hij, terwijl hij de knoop in zijn stropdas losser maakte. Ergens voor hem uit speelde een brassband. Dit was zo'n soort avond waarop alles mogelijk was, en uitgerekend nu had hij zijn whisky boven bij Darla laten staan.

Hij bleef tegen de deurpost van het pension geleund staan en rookte een sigaret. Je kon in al die idioterie niet zien wie wie was. Iedereen was uitgelaten, zowel de mannen als de vrouwen, het was een en al gezwier, gezwaai en gezwabber. Hij knipte verwachtingsvol met zijn vingers, zoals hij dat deed vlak voordat hij op moest. Nadat de presentator hem had aangekondigd, ging Floyd altijd het podium op en wachtte. Hij liet de mensen onrustig heen en weer schuiven op hun stoel, hun drinken opslurpen en nog wat fluisteren, totdat de verwachting was uitgegroeid tot verlangen. Pas dan zette hij zijn trompet aan de lippen. Hij wist altijd precies wanneer de zaal eraan toe was.

Twee vrouwen in een blauwe jurk en met blauwe veren op hun hoed kwamen over het trottoir naar hem toe gelopen. Die met de kuiltjes in haar wangen lachte naar hem. Ze was knap en had de kleur van pinda's, dus liet hij toe dat ze haar arm in de zijne haakte en hem meetrok de menigte in. 'Wat is dit allemaal?' vroeg hij. Ze gaf geen antwoord. Hij had de indruk dat de mensen allemaal waren verkleed als iets uit de natuur, als wolken, bloemen of dieren. Zijn metgezellinnen waren bijvoorbeeld twee blauwe lijstertjes. De knapste van de twee nam slokjes uit een weckfles die ze hem ook aanbood. Maïswhisky die zo sterk was dat je er zijn trompet mee zou kunnen oppoetsen, gemengd met iets zoets dat Floyd niet kon thuisbrengen. Ze gebaarde dat hij langzaam moest drinken, maar hij negeerde haar en nam drie forse teugen. De drank bracht hem tot leven. Het lijstermeisje zou hem een verzetje kunnen bieden, misschien in een van de zijstraatjes, of in de Packard. Floyd liet zijn hand naar haar onderrug glijden en liet hem daar liggen.

De brede straat maakte een bocht en leidde naar een park. Floyd bevond zich midden in de menigte. Van alle kanten drukten er lijven tegen hem aan. Hij ging op zijn tenen staan om te kijken waar hij terecht zou kunnen met zijn lijstertje, maar was ingesloten door bezwete ruggen en schouders. 'We moeten weg uit die drukte hier,' fluisterde hij haar in het oor. 'Het is stikheet, er is vast wel ergens een plek waar we alles kunnen zien, maar waar we niet zo opgepropt zitten.' Ze lachte naar hem en hield haar hoofd een beetje schuin. Man, die kuiltjes! Niet te geloven. Hij sloeg zijn arm om haar middel en trok haar naar wat hij dacht dat de hoek was, maar lijstertje zwaaide bestraffend met haar vinger naar hem en glipte weg uit zijn greep.

De mensenmassa drong aan alle kanten om hem heen. Het stonk overal naar talkpoeder, brillantine en rook. Floyd maakte de bovenste knoopjes van zijn overhemd los. Hij kreeg haast geen adem. Het is maar een optocht, hield hij zichzelf voor toen hij ineens een paniekgolf door zijn borst voelde gaan, alleen maar een stel dronken boeren. Maar al die lijven! De whisky had een mierzoet laagje achtergelaten op Floyds tong. Hij wurmde zich blindelings langs het dikst opeengepakte deel van de meute en wist uiteindelijk door de buitenste ring mensen heen te breken en vervolgens een open plek te bereiken, waar hij zich bij een boom vooroverboog en alles uitkotste.

Toen hij weer rechtop kon staan, zag Floyd dat hij zich in de buurt van een kerk bevond, in een lommerrijke, doodlopende straat op enige afstand van de feestgangers. Ergens knapte een twijgje. In het bosje voor hem rinkelde iets. Dat lijken wel kettingen, dacht Floyd. Daar was het geluid misschien niet hard genoeg voor, maar op zo'n avond vol horrorfiguren zou er zomaar een geketende man uit dat bosje kunnen opdoemen. Ze hadden in Georgia nog *chain gangs*, toch? Zou best kunnen dat een van die arme zielen hier rondspookte. Floyd pakte een boomtak en hield die als een zwaard in zijn hand. Het gerinkel kwam dichterbij. Floyd maakte zich breed en hield zijn tak in de aanslag.

Er kwam een jongeman uit het bosje tevoorschijn. In het

maanlicht flonkerde zijn felrode halsdoek als een juweel. Met zijn ene hand rammelde hij met een paar muntstukken en met de andere hand tikte hij groetend tegen zijn hoed.

'Rustig maar,' zei hij. 'Goed volk.'

'Ik... het spijt me. Ik wist niet wat er...' Floyd liet de stok vallen.

De man kon niet ouder zijn dan een jaar of achttien. Maar een jongen was hij niet, althans zijn lippen waren rood, vol en zacht als kussentjes, en zijn mond stond een eindje open. Het was een mond zo rijp als een aardbei, iets waarvan de jongeman zich terdege bewust was.

'U ziet eruit alsof u wat dwarszit,' zei de jongen en grinnikte.

Ergens knalde een rotje.

Floyd schrok. 'Nee, hoor. Er zit mij... Ik heb alleen nog nooit zoiets gezien.'

De jongen monsterde de snit van Floyds jasje en de zijde van zijn das. Hij monsterde zijn kapsel en zijn schoenen.

'Zekers,' zei hij. 'Ik kan zien dat u niet van hier bent.'

Zijn stem was indringend en laag als het geluid van een klarinet.

'Ik ben hier alleen voor een optreden,' zei Floyd.

'O,' zei de jongeman, die op het punt stond door te lopen.

'Wat is dat voor optocht?' flapte Floyd eruit, omdat hij dat wilde weten, en omdat hij niet wilde dat de jongeman wegging.

'Carnaval.'

De jongen maakte een wegwerpgebaar in de richting van de mensenmassa. 'Ze doen dat elk jaar, die voodootroep. Zelf geloof ik er niet in.'

Floyd rook de geur van brandend hout, alsof er ergens een groot vuur gestookt werd.

'Is het een of ander magisch feest?'

De jongeman slaakte een zucht. 'Zo zou je het kunnen noemen, ja. Van die voodootypes die vieren hoe ze denken dat God de wereld gemaakt heeft.' Hij zweeg even en lachte naar Floyd. 'Ze beweren dat God de wereld heeft geschapen, voor als ze u dat toevallig niet hebben verteld waar u vandaan komt.'

'Ik heb nergens kruisen of geestelijken gezien,' zei Floyd.

'Je breekt hier je nek over de kruisen en de geestelijken. Maar deze mensen,' zei hij, alsof hij er zelf niet bij hoorde, 'zijn de kerk nog niet uit of ze lopen naar de medicijnman. Tijdens het carnaval kunnen ze openlijk bijgelovig zijn.'

'Het heeft iets griezeligs,' zei Floyd. De jongen haalde zijn schouders op.

'Weet jij waar ik hier ergens een glas water kan krijgen?' vroeg Floyd.

De jongeman nam Floyd mee langs de zijkant van de kerk. Toen ze bij de pomp waren, dronk Floyd uitgebreid, en gooide water over zijn hals en gezicht. Hij vroeg zich af hoe het water zo koel en zuiver kon zijn in dit klamme, modderige oord. Het water droop over zijn overhemd en spetterde op zijn gepoetste schoenen. Hij zag er vast uit als een wilde. Maar ach, die jongen mocht er dan gesoigneerd bij lopen, hij bleef natuurlijk gewoon een boertje en er was geen enkele reden om indruk op hem te maken. Floyd had dat ook nooit geprobeerd bij anderen die hij in vergelijkbare situaties was tegengekomen. De jongen stond op een meter van Floyd, met zijn armen over elkaar geslagen. Onder zijn knalrode halsdoek glansde een driehoekje klaverhoningbruine huid in het lantaarnlicht.

Floyd veegde zijn natte handen droog aan zijn broek en stelde zich voor. De jongen schudde hem de hand als iemand die zoiets niet gewend was.

'Lafayette is de naam,' zei hij.

Ze gingen op een bankje zitten dat helemaal aan het eind van het gazon bij de kerk stond. Floyd praatte tegen Lafayette zoals hij dat normaliter deed tegen een vrouw op wie hij een oogje had. Zo van waar kwam hij vandaan, en wat deed hij zoal voor de kost, en woonde hij hier? Lafayette reageerde uiterst kort op al die pogingen tot conversatie: van hier, hij was kapper, nee, hij woonde niet in het stadje. Toen Floyd vertelde dat hij uit Philadelphia kwam en trompet speelde was hij daar niet merkbaar van onder de indruk. Lafayettes onverschilligheid ergerde Floyd. Iemand uit een gat als dit zou gefascineerd moeten zijn door de grote steden in het Noorden. Hij bleef druk doorpraten en schepte op over de bijzonderheden van zijn leven: hij had Monk gezien in Minton's in New York – Lafayette had vast wel van Minton's gehoord, het was heel bekend – en hij had wel eens wat gedronken met Duke. Al pratend realiseerde Floyd zich dat het niet alleen om zijn trots en ijdelheid ging. Hij wilde dat Lafayette hem leuk vond.

Floyd kon zich de laatste keer niet herinneren dat hij zich zo onhandig en onzeker had gedragen. Hij gaf zijn pogingen tot een gezellig praatje op. Wat hij moest doen was iets dichter bij Lafayette gaan zitten en indringend naar hem kijken om zijn bedoelingen duidelijk te maken. Maar dat durfde Floyd niet, dus wreef hij over zijn broekspijp en wroette hij wat in de aarde met de punt van zijn schoen. Lafayette schoof dichter naar hem toe op het bankje. Hij streek met zijn vingers over Floyds nek. Hij ademde snel, maar regelmatig. Hij liet zijn hand onder Floyds overhemd glijden, waarvan de twee bovenste knoopjes open waren. De koele hand van de jongen warmde op tegen Floyds borstkas, zijn vingers bewogen licht. Floyd boog zich naar hem toe. Dankzij deze kleine gebaren wisten ze waar ze aan toe waren. Ze hadden overeenstemming bereikt. Floyd volgde Lafayette naar een doorgang tussen de bomen. Hij keek achterom en zag iets oranjes flitsen aan de zijkant van de kerk. Het kon van alles zijn, vuurwerk, een carnavalsvierder die was verkleed als zon. Floyd versnelde zijn pas om Lafayette bij te kunnen houden.

Het was volle maan, maar het licht had moeite tot de twee mannen onder het bladerdak door te dringen. Lafayette wist de weg en zette er flink de pas in. Al snel lag hij een eindje voor. Het zou best kunnen, dacht Floyd, dat ik een sukkel ben en dat deze vogel me in de val lokt. Floyd had in kroegen of bij benzinepompen gemerkt dat mannen soms om onduidelijke redenen ineens vijandig tegen hem gingen doen, en hij vroeg zich nu af of ze het hadden geweten, zoals Lafayette, en of ze het er bij hem uit hadden willen rammen.

Ze bereikten een kleine, door helder maanlicht beschenen open plek. Lafayette had haast. Hij knoopte Floyds overhemd open en maakte zijn riem los. Floyd – wat maakte Lafayette een jongetje van hem, zo gehoorzaam – stond naakt in het maanlicht te trillen van begeerte en angst. Lafayette kleedde zich in alle rust uit, de spanning opvoerend.

Zijn huid had overal dezelfde klaverhoningkleur. Hij had een haarloze borst en een licht bollend buikje. Zijn bovenbenen waren hard en sterk en gaven niet mee toen Floyd erin kneep. De jongen was ervaren op een manier die Floyd verlegen maakte. Hij kreunde en deed een paar passen terug.

'Ik weet niet... ik bedoel, ik heb nog n...' begon hij.

'Hindert niks,' mompelde Lafayette, met zijn lippen tegen Floyds oor. 'Hindert niks.'

Het begon te regenen. Het zweet van Floyd en Lafayette vermengde zich met de regendruppels en parelde op hun huid. Floyd kon zijn ogen maar niet afhouden van Lafayettes penis, die slap tegen zijn bovenbeen lag. Hij stelde zich voor hoe de ronding ervan tegen de stof van Lafayettes broek zou drukken wanneer ze zich straks hadden aangekleed en uit het bosje kwamen.

Aan de rand van de open plek stond een boomstronk met een omtrek zo groot als die van twee naast elkaar staande mannen, die was bedekt met zwarte krassen en krabbels.

'Wat is dat?' vroeg Floyd, op de stronk wijzend.

'Sommige mensen willen d'r sporen nalaten.'

Floyd kwam overeind tot hurkzit. 'Hun naam?'

'Naam? Hè ja, waarom schrijf je de jouwe d'r niet bij? Geen namen, ze hebben enkel iets gekerfd.'

Het oppervlak zat onder de meskrassen. Er waren diverse harten, een paar letters die initialen zouden kunnen zijn, de omtrek van iemands hand.

'Komen hier veel mensen?' vroeg Floyd.

'D'r is nergens anders waar je rustig de tijd kan nemen,' antwoordde Lafayette.

'In Macon of Atlanta zal het wel anders zijn, toch?'

'Is het anders waar jij vandaan komt?' vroeg Lafayette scherp.

'Daar weet ik niks van.'

'Nee, vast niet.' Lafayette grijnsde spottend. 'Nou, volgens mij is het overal hetzelfde.'

'Ik bedoel, ik ben geen... Ik doe het met vrouwen.'

'Dat denken mensen graag over hun eigen.'

'Het is wel zo.'

'Ik heb niet gezegd dat 't niet zo was. Maar volgens mij doe je 't ook graag met mannen. Toch?'

Floyd had niets geweten van de paar mannen met wie hij was geweest. Hun ontmoetingen waren snel en stiekem geweest, en er was nauwelijks bij gepraat. Naderhand had Floyd deze ervaringen verdrongen, zoals hij dat ook deed wanneer hij een nacht had zitten doorhijsen of al zijn geld met dobbelen had verspeeld, of wat dan ook voor liederlijks had gedaan. Hij kon niet blijven stilstaan bij die momenten van zwakte, want dan zou hij ze zichzelf misschien vaker toestaan. Dan zou hij net zo worden als Lafayette. Lafayette, die niet het fatsoen had Floyd in zijn waarde te laten. Lady Boy Floyd noemden ze hem. Wie was Lafayette om dat tegen te spreken? Hij was van dat slag dat je wel door Greenwich Village zag banjeren. Waarom ze niet het benul hadden zich normaal te gedragen en zichzelf bespotting te besparen, was Floyd een raadsel. Hij wierp een blik op Lafayette. De ogen van de jongen waren op hem gevestigd, met een uitdagende, nietsontziende blik die Floyd niet zou hebben verwacht bij iemand als hij. Iets in die blik maakte dat Floyd zich voor zichzelf schaamde.

'Denk je er wel eens over om hier weg te gaan?' vroeg hij zacht.

Lafayette keek hem brutaal aan en sloeg zijn armen over elkaar. Hij was naakt als een pasgeboren baby, met dat pronte buikje van hem en zijn pruilende lippen. Floyd wilde in lachen uitbarsten. Als hij Lafayette beter had gekend, als hij hem heel goed had gekend, zou hij hebben gezegd: 'Stel je niet aan.' En hem een kus op de wang hebben gegeven.

'Ik probeer je niks op te dringen, ik vraag alleen maar,' zei Floyd.

'M'n zus woont in New Orleans.'

'Ben je daar wel eens geweest?'

'Neuh. Ik ben nergens geweest.'

'Je bent anders aardig wereldwijs voor iemand die nog nooit ergens is geweest.'

'Vind je?' vroeg Lafayette. Zijn lach was de meest oprechte en meest ontwapenende die hij zichzelf die avond had toegestaan.

Als Lafayette nou niet zo... als hij nou niet met die felrode halsdoek zou rondlopen, dan zou Floyd hem misschien meenemen ergens naartoe. Ze zouden gewoon twee mannen zijn die samen op reis waren. Niemand zou iets vermoeden. En ze zouden elke nacht samen kunnen zijn. Floyd had nooit de mogelijkheid van een langdurige relatie met een man overwogen.

De regen viel in dikke druppels omlaag. De twee zochten beschutting onder een boom aan de rand van de open plek. Daar bleven ze een hele tijd samen zitten kijken naar de brede bladeren van de taro die heen en weer zwaaiden onder de stortbui. Floyd overwoog Lafayette bij de hand te pakken, maar was bang dat de jongen hem zou wegduwen. En als hij hem niet zou afwijzen, en ze samen hand in hand in de regen zouden zitten, wat zou dat dan betekenen? Hij kon maar het beste opstaan en weggaan van die open plek. Maar in plaats daarvan kroop Floyd stukje bij beetje naar Lafayette toe, totdat hun bovenbenen elkaar raakten, totdat zijn dij tegen die van Lafayette drukte, en Lafayette tegendruk gaf.

Nadat ze het een tweede keer hadden gedaan, kwam bij Floyd de hoop op dat ze de nacht zouden kunnen doorbrengen onder de schuilboom bij de open plek, maar Lafayette stond op en zei plotseling: 'Ik moet ervandoor.'

Hij kleedde zich snel aan en liep voorop om de weg te wijzen het bos uit. Het pad, waar ze op de heenweg zo lang over hadden gedaan, bleek niet meer dan twee straten lang. Binnen de kortste keren waren ze terug op het gazon achter de kerk.

'*Allright*,' zei Lafayette.

Het deed Floyd denken aan de manier waarop hij een paar uur daarvoor Darla had afgeserveerd. Lafayette was bereid hem met niets achter te laten in dat park.

'Oké,' zei hij.

'Allright,' herhaalde Lafayette. De mannen stonden tegenover elkaar, nog geen halve meter van elkaar af. 'Tot kijk dan maar,' zei hij.

'Wacht!' riep Floyd. 'Ik wou nog zeggen dat ik morgenavond een optreden heb bij Cleota.'

'Vraag je me of ik wil komen?'

'Als je zin hebt.'

'Vraag je het nou of niet?'

'Ja, ik vraag het. Tien uur.'

'Dan ben ik er om elf uur,' zei Lafayette met een knipoog. Waarna hij snel en met gebogen hoofd het park achter het kerkterrein over liep en verdween.

Floyd snakte naar een sigaret. Zijn kleren waren nat en verkreukeld, en hij moest er niet aan denken hoe hij rook. De regen had een modderige plas gevormd vlak bij het bankje waarop Lafayette en hij samen hadden gezeten. Om de gloeilamp boven de kerkdeur zwermden muggen. Zonder Lafayettes aanwezigheid zag alles er hier verwaarloosd en vervallen uit.

Ik heb een afspraakje met een man, dacht Floyd. En daar was hij blij om geweest, dolblij zelfs. Maar nu was hij alleen en was het net of er een licht was uitgegaan, precies dat gevoel, zoals een kind zich gedesoriënteerd en bang voelt in het donker omdat alles onherkenbaar is. Wat betekende het bijvoorbeeld dat hij in die drie uur met Lafayette meer had gevoeld dan ooit met een van zijn vrouwen? Dan zou hij dus... Hij moest maar eens een eindje gaan lopen. Hij zou naar het pension gaan om zijn trompet op te halen, en daarna een stil plekje zoeken en net zo lang spelen totdat zijn vingers pijn deden en zijn mond de embouchure niet meer kon houden.

Hij liep het kerkterrein af. De carnavalsmenigte had zich vrijwel geheel verspreid. Midden over straat rolden kuipjes met het inmiddels uitgedoofde spul, dat de jongen mirre had genoemd. Een dronken stelletje stond tegen een boom geleund elkaar te betasten, het topje van de vrouw was van haar schouders gegleden. Het festival was in liederlijkheid ontaard. Misschien had iedereen wel van dezelfde sterkedrank lopen drinken die het lijstertje Floyd had gegeven, en waren de mensen daar geil en minder kieskeurig van geworden. Normaal gesproken was Floyd iemand die meer van seks hield dan goed voor hem was. Het kwam vast door die onverzadigbaarheid van hem en het carnaval, dat hij zich met Lafayette had ingelaten. En iets waarmee je je had ingelaten, een probleem, kon je weer ongedaan maken, of negeren. Hij had dit probleem jarenlang genegeerd, zolang hij zich kon heugen. Dus was er geen enkele reden waarom dat nu zou moeten veranderen. Geen enkele reden. En ter- wijl hij zichzelf zo voorloog, wist Floyd al dat hij, nadat hij de volgende avond had gespeeld, tegen Lafayette zou zeg- gen dat hij een optreden had in New Orleans, ook al was dat niet waar, en dat ze, als Lafayette ja zou zeggen, diep in de nacht samen zouden wegrijden.

Het was ook niet waar dat hij nog nooit de mogelijkheid van een relatie met een man had overwogen. Er was Carl geweest. Natuurlijk, Floyd was destijds nog maar dertien, en makkelijk seksueel op te winden, en dat verklaarde veel. Hij had zelfs heel vaak geprobeerd het zo te verklaren. De jongens waren destijds boezemvrienden. Ze brachten hele wintermiddagen bij Carl thuis door. Hun laatste middag was bij Carl geweest. Ze hadden op diens bed gezeten, met dekens om hun schouders geslagen. Het was ijskoud en het daglicht stierf weg. Ze hadden iets zitten doen, tekenen, dammen, of huiswerk maken. De jongens hadden in die ijskoude kamer heel dicht bij elkaar gezeten en zichzelf ge- warmd in een steeds smaller wordende streep zonlicht die door het raam naar binnen viel. Carl had zijn koude hand op Floyds knie gelegd. Zijn eerste impuls was om hem als een vlieg weg te meppen, maar hij had niets gezegd en zo hadden ze er een tijdje stil bij gezeten. Carls hand warmde op en de halvemaantjes bij de nagelriemen gingen van blauwig naar roze. Hij had over Floyds bovenbeen gewreven en overal waar hij hem beroerde begon Floyd te gloeien. De jongens hadden in kleermakerszit tegenover elkaar gezeten, knie aan knie, hijgend en bevend.

Toen was de deur van Carls kamer ineens opengegaan. Ze hadden geen voetstappen gehoord. Hoe kon het dat ze geen voetstappen hadden gehoord? Carls moeder had van de ene jongen naar de andere gekeken en daarna weer van de ander naar de een. Toen het tot haar was doorgedrongen wat ze zag, vertrok haar gezicht, tot het niet langer een gezicht was maar een woede-uitbarsting. Floyd was van het bed gesprongen, maar zij had de doorgang geblokkeerd. Niemand had ooit met zoveel walging naar hem gekeken. Hij had nooit eerder iets zo vreselijks gedaan, iets wat zo mensonwaardig was. Eruit eruit eruit, had ze gegild, ook al was het door haar slaan en stompen bijna onmogelijk voor Floyd om langs haar heen te komen. Hij was de trap af gerend naar de voordeur en had onderweg zijn jas nog uit de gangkast opgediept. Boven was Carls moeder maar op haar zoon blijven inslaan. De klappen hadden door het lege huis gegalmd.

Nu rende Floyd door de leegstromende straat alsof hij de herinnering aan hoe Carl was afgetuigd en aan zijn gepijnigde, geschokte gezicht op die manier kon ontlopen. Floyd sloeg de hoek om. Zijn hart sloeg te snel in zijn borstkas en hij wankelde op zijn benen. Vanuit een openstaande deur halverwege de straat viel oranje licht op het trottoir. Een vrouw in een katoenen duster stond zichzelf vlak achter de drempel koelte toe te wuiven. Hij voelde zich aangetrokken door het licht en de botergeur van het brood dat werd gebakken. Een andere vrouw stond aan een lange tafel deeg te kneden. Haar onderarmen zaten tot aan de ellebogen onder het meel. Overal om haar heen lag deeg te rijzen in broodbakvormen of bolde het uit muffinblikken.

De vrouw in de deuropening kneep haar ogen wat toe en zei: 'Wij verkopen absoluut geen sterkedrank.' Aan de overkant zwalkten nog een paar late carnavalsvierders over straat.

De knedende vrouw stapte naar voren. De vrouwen leken hem zusjes, de tienerjaren nog nauwelijks ontgroeid. 'Zo is dat,' zei ze. 'We hebben hier alleen maar boterbroodjes.'

'Ik...' Floyd wist niet hoe hij ze moest vertellen dat hij alleen maar de oranje gloed binnen wilde stappen en de geur van het brood in de oven wilde opsnuiven, dat ze hem aardige meiden leken en dat hij even behoefte had aan een plek om bij te komen.

'Hebben jullie hier een telefoon?' vroeg hij. Hij zocht in zijn zakken naar een zakdoek en veegde, toen hij er geen vond, zijn tranen maar af met de rug van zijn hand.

'Jullie krijgen een dollar van me als ik even mag bellen,' zei hij. Hij pakte zijn portemonnee en hield de meisjes de slappe dollarbiljetten voor. 'Twee dollar voor een telefoontje en een van die broodjes.'

De zussen keken elkaar aan. Degene die had staan kneden haalde haar schouders op en de ander zei: 'Kom maar verder dan.' Ze nam hem door een stel klapdeuren mee naar een kleine bakkerij met heldergele muren en een vaas met lavendel op de toonbank. Ze wees naar een telefoon aan de muur en terwijl Floyd wachtte tot de telefoniste hem had doorverbonden, legde het meisje drie nog gloeiend hete bolletjes op de toonbank. Ze was al weer weg voordat hij haar kon bedanken.

Hij hoorde de telefoon niet overgaan, maar alleen gekraak en geruis, en de telefoniste die hem zei aan de lijn te blijven. Hij beet in zijn broodje en begon opnieuw te huilen. Er klonk een klik en toen een vaag hoorbare stem aan de andere kant van de lijn.

'Moeder,' zei Floyd. 'Moeder?'

'Floyd?' zei Hattie.

'Ik hoop dat ik u niet... Ik heb u vast wakker gemaakt.' Hij hoopte dat de ruis de tranen in zijn stem zou verdoezelen.

'Ben jij het, Floyd? Wat is er aan de hand? Is er wat?'

'Alles gaat prima, moeder. Prima. Ik wilde alleen even... ik heb al een hele tijd niet meer gebeld.'

'Je hebt nog nooit gebeld,' zei Hattie, op een toon die uit de mond van ieder ander een verwijt zou hebben ingehouden, maar uit de hare gewoon een feitelijke constatering uitdrukte. 'Is er iets gebeurd?'

'Nee, moeder. Er is niks gebeurd. Ik wilde alleen maar even dag zeggen. Ik kom over een week of twee weer naar huis.'

'Er is post voor je gekomen van die vereniging voor zwarte musici,' zei Hattie.

'Over twee weken, moeder.'

'Ik ben niet doof.' Ze zuchtte. 'Er mankeert je niks?'

'Nee, het gaat prima.'

'Prima belt niet voor dag en dauw op.' De lijn die hen verbond zoemde.

'Dat was het. Ik wilde gewoon even dag zeggen. Eh... hoe gaat het met u?'

'Goed hoor, Floyd. Z'n gangetje.'

'En papa? Hoe gaat het met papa?'

'Ook goed. Het gaat met iedereen goed. Wat is er aan de hand, Floyd?'

'Ik ga nu ophangen, moeder. Ik weet dat het laat is. Ik dacht... ik dacht zo dat u misschien beneden in de huiskamer zou zitten, zoals meestal.'

'Dat klopt.'

'Dus ik heb u niet wakker gemaakt?'

'Nee.'

'Nou, dan hang ik maar eens op.'

'Goed.'

'Moeder?'

'Ja?'

'Herinnert u zich Carl nog? Hoe gaat het eigenlijk met Carl?'

Hattie bleef lang zwijgen voordat ze antwoord gaf. 'Ik heb geen idee hoe het met hem gaat. Ze zijn verhuisd.'

'Maar u denkt wel dat het goed met hem gaat, toch? Ik bedoel, u hebt nooit iets gehoord over narigheid of zo?'

'Dat weet ik niet. Ik heb geen flauw idee. Waarom vraag je naar die jongen, Floyd?'

'Zomaar. Ik moest toevallig aan hem denken. Ik ga nu ophangen. Leuk om u even gesproken te hebben, moeder. Tot snel.'

'Dag Floyd.'

'Tot gauw!'

De verbinding werd verbroken. Hij hing de hoorn weer

op de haak en rook uitvoerig aan de boterbroodjes alvorens ze op te eten. Floyd legde nog een extra dollar op de toonbank en verliet de bakkerij door de voordeur.

Floyds optreden begon de volgende avond stipt om tien uur, voordat de drinkebroers te luidruchtig zouden worden en alle nette vrouwen al naar huis zouden zijn. Het was een goede zaak als er vrouwen waren bij een concert. Hoe meer er waren, hoe minder kans op vechtpartijen. Floyd liep het podium op, met zijn trompet in de hand. De zaal was afgeladen. Floyd had begrepen dat Cleota de enige muziekclub in drie districten was waar kleurlingen werden toegelaten.

Floyd voelde de druk van de verwachtingen van het publiek, en ook die van hun vermoeidheid en hun levensomstandigheden, die hij nooit echt zou kunnen navoelen. Hattie had het altijd over Georgia als 'daarginter'. Ze vertikte het de staat bij zijn naam te noemen. Floyd wist niet wat ze daar allemaal had meegemaakt. Hattie en August waren uit het Zuiden weggevlucht. Alles wat Floyd erover wist bestond uit hun angst, heimwee en woede. Met enige regelmaat drong nieuws over een lynchpartij of moorddadige blanke meutes vanuit 'daarginter' door tot de huizen in Wayne Street, waarna de bewoners van hun straat stil en dankbaar waren dat ze veilig onderdak hadden gevonden in het Noorden. Als Floyd de zaal in keek, voelde hij een onoverbrugbare kloof in ervaringen tussen hem en zijn publiek, iets waar hij soms afwerend en soms deemoedig op reageerde. Hij was deze mensen iets verschuldigd, zoveel wist hij wel. Alleen via zijn muziek was hij in staat in de maalstroom van hun ervaringswereld te stappen. Dat had iets aanmatigends, maar hij wist niet hoe hij het anders aan zou moeten pakken.

Floyd wreef de beker van zijn trompet op, om geluk af te dwingen en als blijk van respect jegens de nummers die hij ging spelen. Cleota had geen geld voor fatsoenlijke toneelverlichting, daarom deed de uitbater een paar van de plafondlampen achterin uit, maar Floyd kon de mensen nog steeds zien. De pianist speelde en de drummer tikte op de snaartrom, losjes, net genoeg om het publiek op te warmen. Darla had een rode jurk aan, zo rood als een druppel bloed. Floyd had haar sinds de vorige avond niet meer gezien. Hij wachtte. Lafayette was er niet. De pianist werd ongeduldig omdat hij zijn intro moest rekken. Floyd zei tegen zichzelf dat het niet de binnenkomst van de jongen was waarop hij wachtte. Niettemin bracht hij de trompet pas naar zijn lippen toen Lafayette zich even later tussen het publiek voegde.

Nu maakte de pianist er serieus werk van, terwijl de drummer de bekkens met zijn brushes betoverde. Het publiek drong naar voren. Floyds trompet glinsterde in het licht. Hij blies 'Round Midnight'. Een man vooraan riep luidkeels 'Godverdomme!' Floyd liet de trompet stotteren en daarna weer vloeiend klinken. Het ding jammerde en jankte. Het vroeg aan de mensen wat hun sores waren en blies die weer naar hen terug. Floyd deed een stapje achteruit en liet zich door zijn trompet meevoeren naar de grenzen van zijn eigen ik. Er was niets wat de trompet niet kon uitdrukken. 'Niet hier en niet in de hemel!' riep de man vooraan.

Te midden van deze extatische toestanden ontstond in het hart van de zaal een opstootje. Floyd keek over de beker van zijn trompet heen en zag midden in het tumult een beer van een vent dronken heen en weer zwaaien op zijn hielen. Met zijn dikke arm gaf hij Lafayette een enorme zwieper. Lafayette struikelde achteruit, maar viel niet. Hij hervond zijn evenwicht – hij was snel – en ging met geheven vuisten op de man af. De pianist stopte met spelen, evenals de drummer. Alleen Floyd bleef eindeloos dezelfde noot aanhouden, met een steeds beklemder gevoel in zijn borst.

De dronken man haalde uit, maar miste doel en verloor door de kracht van zijn onbeheerste stomp zijn evenwicht. Lafayette zag onmiddellijk zijn kans schoon en diende hem een dubbele vuistslag toe, een in de buik en een op zijn keel. Hij zou op hem zijn blijven inslaan als twee mannen hem niet van weerskanten hadden vastgegrepen en zijn armen achter zijn rug hadden geklemd. De grote man was dubbelgeklapt doordat hij vanwege de klappen geen adem kreeg. Hij wees naar Lafayette en probeerde iets te zeggen. De mannen die tussenbeide waren gekomen werkten Lafayette hardhandig naar de uitgang.

Het was dus niet de dronken man die ze hadden besloten af te voeren, maar Lafayette. Niemand protesteerde. Floyd hield zijn trompet naast zijn lichaam. Sommige mensen in het publiek jouwden toen Lafayette langskwam. De meesten deden niets, maar Floyd kon geen medeleven op hun gezichten ontdekken. Zelfs als het erger was afgelopen en de grote man Lafayette tot bloedens toe had geslagen, zouden de mensen hem niet beschermd hebben. Hier of in New Orleans, of waar ze maar naartoe zouden gaan, nu of wanneer dan ook, altijd zou Lafayette een te schandalige verschijning zijn om te tolereren.

Even wist hij zich los te rukken van zijn cipiers, lang genoeg om zich om te draaien en Floyd aan te kijken met die nietsontziende blik van de vorige avond. Floyd was bijna van het podium af gesprongen. Hij zou zich door de menigte heen hebben gestompt en net zolang met zijn trompet op die mannen in hebben geslagen tot ze Lafayette loslieten. Floyd stapte naar de rand van het podium. Lafayette was bij de uitgang met de twee mannen aan het worstelen. Maar de zaal, niet langer geïnteresseerd in het opstootje, keek verwachtingsvol naar Floyd. Hij gaf de pianist een knikje en zette de trompet weer aan zijn lippen.

Het publiek was weg van hem. Hij speelde drie toegiften. De band die na Floyd optrad nodigde hem uit hun laatste set mee te spelen. Na afloop van het optreden liet de man vooraan, die de hele tijd enthousiaste kreten had geslaakt alsof hij in de kerk was, zich de kans niet ontnemen Floyd op een whisky te trakteren, en daarna op nog eentje, en daarna op een derde. Ook Darla kwam naar de bar, maar zij werd al snel de dansvloer op gesleept. De whisky's maakten Floyd misselijk. Hij bleef voortdurend de deur in de gaten houden. Alsof Lafayette zou terugkomen nadat Floyd hem had verloochend. De man van de kreten zei: 'Het was wel even een flink zootje midden in je nummer, hè? Zo'n jongen zou toch beter moeten weten dan zich hier te vertonen.'

Floyd zat op de barkruk, omgeven door bewonderaars. En plotseling kon hij zijn eigen lafheid en hartzeer niet meer ontlopen. Hij zette zich schrap tegen de gevoelens die hem teisterden en probeerde, hoewel het huilen hem nader stond dan het lachen, zijn glas leeg te drinken. Het gleed evenwel uit zijn hand. De mannen om hem heen sloegen hem op de schouders en bestelden meer whisky. 'Een klein glaasje, dat is makkelijker vast te houden!' zei de man van de kreten. Floyd lachte harder dan iedereen en sloeg zo snel drie glazen achterover dat de barkeeper het nauwelijks kon bijhouden. Toen hij onvast van zijn barkruk af kwam en wankelend naar buiten liep, moet zijn schare fans hebben gedacht dat hij ging overgeven.

Een paar deuren verder verborg Floyd zich in een portiek. Het was laat en het was stil op straat. De mannen van de jazzclub kwamen naar buiten om te kijken waar hij bleef en hun geroep overstemde het geluid van zijn gesnik. Hij wist niet waar Lafayette woonde. Hij wist niet wat zijn achternaam was of waar hij werkte. Floyd stond voorovergebogen, met zijn handen op zijn knieën. De avond was frisser dan de vorige en het windje kalmeerde hem. Lafayette had laten vallen dat het huis van zijn moeder ergens in een buitenwijk stond. Veel houvast bood dat niet, maar het plaatsje was niet groot. Hij kon Lafayette proberen te vinden en hem om vergiffenis vragen, en ze zouden nog dezelfde nacht kunnen vertrekken, zoals Floyd zich had voorgesteld. Hij had zijn auto in een van de zijstraten geparkeerd, al wist hij niet meer welke. Hij liep snel naar de hoek van de straat.

'Waarom heb je zo'n haast?' riep een man met een fles in zijn hand. Hij stak de straat over om naar Floyd toe te komen. 'Is er brand of zo?' Hij bekeek Floyd van boven tot onder.

'Ken je die knul?' vroeg hij.

Floyd liep door.

'Heb je geen tijd voor een gezellig praatje? Wordt er op je gewacht?'

De voetstappen van de man achter hem versnelden.

'Ik heb die knul naar je zien kijken. Ga je kijken hoe het met hem gaat?'

Floyd draaide zich om. De man had de fles bij de hals vast.

'Ik weet niet waar u het over heeft.'

'Je weet niet waar ik het over heb? Ga je nog een beetje uit de hoogte lopen doen ook? Ik heb het over je vriend.'

'Ik ken hem niet.'

Floyd balde zijn vuisten, klaar om te vechten. Maar op dat moment riep een vrouwenstem vanaf de overkant: 'Sam! Schiet nou op! We kunnen met Jim meerijden in zijn truck.' De man bekeek Floyd nog eens van top tot teen en liep weg.

Floyd liet het hoofd hangen als een geslagen hond. Hij zei tegen zichzelf dat hij het juiste had gedaan. Het zou onverstandig zijn geweest toe te geven dat hij Lafayette kende. Wat zou dat hebben opgeleverd behalve een vechtpartij die zijn zoektocht alleen maar zou hebben vertraagd? Hij sloeg de hoek om en zocht even steun tegen de gevel van een gebouw om op adem te komen. De auto, wist hij nu weer, stond vlak bij de hoofdstraat. Ze konden verrekken, dat volk hier. Verrekken konden ze. Er was actie geboden. Hij zou dit ene gaan doen, wat er daarna zou gebeuren wist hij niet, maar dat ene dat gedaan moest worden zou hij gaan doen. Toen Floyd op een drafje in de richting van de auto liep, zag hij een eerste streepje daglicht, een fluistering van roze helemaal onder aan de hemel.

'Hé! Ben jij dat, Floyd?'

Darla stond midden op straat.

'Een hoop malloten hier, hè?' zei ze terwijl ze op hem af liep. 'Heb jij misschien een sigaret?'

Floyd schudde van nee.

'Niemand in de hele stad heeft een sigaret en de winkels zijn dicht. Dit is een raar plaatsje, da's een ding wat zeker is.' Darla zocht in haar handtas. 'Ik bewaar d'r altijd eentje in m'n tas voor noodgevallen. Weet je zeker dat jij d'r niet een hebt?'

'Ja.'

Darla hield haar hoofd even schuin en monsterde Floyd.

'Is dat niet jouw auto?' vroeg ze.

'Eh ja. Volgens mij wel.'

'Knijp je ertussenuit?' Darla grinnikte.

'Nee, ik ga alleen maar een blokje om.'

'O ja?'

Ze stapte dichter naar hem toe. 'Zin in een vluggertje achterin?' Floyd duwde zijn handen in zijn zakken en keek naar de grond.

'Nee, ik zie het al. Ik vraag me af of je ooit wel echt zin hebt gehad.' Ze zweeg even. 'Misschien een sigaretje in de auto?'

Darla liep naar de Packard en keek door de ramen. 'Nu weet ik tenminste waarom je om de twee, drie dagen verkast.'

Floyd had zin haar een mep te verkopen.

'Ik heb je gisteravond met die jongen het bos in zien gaan,' zei ze. 'Had je daarom zo'n haast om bij de auto te komen?'

'Ik weet niet waar je het over hebt,' antwoordde Floyd.

'Ik heb je gezien.'

'Dat was ik niet.'

'Mij maakt het niks uit. Ik vind het wel smerig, maar voor de rest maakt het me geen ene flikker uit.'

'Dat was ik niet.'

'Het is niks nieuws. Al vind ik wel dat je moet uitkijken. Je hebt gezien hoe het die jongen is vergaan.'

'Ik ken hem niet.'

'Schei nou toch uit, Floyd.'

'Ik was het niet die je hebt gezien.'

Darla boog naar voren en voelde aan de portieren. 'Heb je de sleutel?' vroeg ze.

Floyd rook zijn eigen lafheid. Hij was totaal verrot van-binnen. Als hij Lafayette nu op straat zou zien, zou hij hem niet onder ogen kunnen komen. Hij maakte het portier open en ging achter het stuur zitten. Hij legde zijn hand op zijn bovenbeen om de trillende spier daar tot rust te bren-gen. Darla kwam naast hem zitten.

'Uitstappen,' wilde Floyd zeggen. Ze doorzocht het hand-schoenenkastje, maar toen ze geen sigaretten vond maakte ze aanstalten de auto te verlaten. Floyd greep haar echter bij de arm en trok haar weer naar binnen. 'Als we nu gaan rijden,' zei hij, 'haal ik het volgende optreden nog net. Dik driehonderd kilometer.'

'Jij denkt zeker dat God mij als sukkel op de wereld heeft gezet,' zei Darla, die zich loswurmde en uit de auto stapte. Maar na een paar passen draaide ze zich om en zei op zach-tere toon: 'Je moet wel eerst even bij je positieven komen als je dat hele end gaat rijden.'

Floyd keek haar na toen ze klikklakkend de straat af liep op haar versleten hakken. De zon kwam op als een boze, oranje bal. Die zon kon zomaar een andere aarde zijn, een aarde zoals deze, maar dan in lichterlaaie. Hogerop was de hemel nog een donkere laag paarse wolken. Floyd draaide het contactsleuteltje om en dacht: ik zou mezelf moeten ophangen, net als Judas.

Six

1950

De opwekkingstent was kleiner dan Six zich had voorgesteld. Er stonden nog geen dertig mensen in, maar hij was
daarmee al overvol. Six, die met twee andere mannen op
klapstoelen vooraan zat, keek langs de drom mensen door
de tentopening naar het achterliggende terrein. Een ge-
stage plensregen geselde de bomen, zodat de jonge, groene blaadjes op en neer dansten aan hun takken. Er kwam
een gezin binnen, dat Six achter het katheder zag zitten
en prompt weer naar buiten liep. Ze gingen weg vanwege
Six, omdat hij nog maar vijftien was en een noorderling,
en omdat niemand ooit van hem gehoord had. De andere
predikers die bij hem zaten waren ook onbekend, maar dat
waren mannen van middelbare leeftijd die er geloofwaar-
dig uitzagen. Toen hij eerder op de dag met hen had ken-
nisgemaakt, hadden ze Six een groentje genoemd. Ze hadden hem in zijn kin geknepen en gegrapt dat hij nog niet
droog achter de oren was. Ze hadden hem jolig met hun
brede handen over de bol geaaid. Six had hun handpalmen
– droog of klam, vast of bibberig – door het kortgeschoren
kroeshaar op zijn schedel heen gevoeld. En hij had hun
vriendelijkheid gewantrouwd.

Six zat in de tent voor de mindere goden. Dat maakte
hem niks uit. Hij zou preken, en de mensen die hem hier-

heen hadden gehaald zouden inzien dat ze zich vergist hadden en hem terugsturen naar Philadelphia.

Een kleine honderd meter verderop, in een andere, ruimere tent, ritselden de bladzijden van de gezangboeken en klonk een piano. De mensen daar waren al aan het zingen. Het gehoor van Six zag er vermoeid uit, te afgepeigerd voor een goede preek, te afgepeigerd om überhaupt iets te voelen.

Six wendde zijn blik weer naar de bomen. Er stond een vrouw in een felgele jurk onder, doorweekt tot op het bot. Haar rok plakte tegen haar dijen en haar blouse kleefde aan haar borsten. Six vond het raar dat ze geen paraplu bij zich had. De meeste mensen hadden dat niet, zag hij. Ze kwamen de tent binnen en schudden de regen van zich af, wat ongetwijfeld een voorbeeld van hun achterlijke plattelandsgewoonten was. Hij herinnerde zich een beeld van zijn moeder die met hoog geheven paraplu door de achterdeur de regen in stapte. Twee van die typische grote stappen van Hattie en ze was al halverwege de steeg. Hattie was net een trein die kwam aandenderen, zei August steevast. Six wist altijd in welke kamer van het huis zijn moeder was en welke kamer ze daarna zou binnenstormen. Hij was te vaak thuis. Hattie vond het maar niks dat hij zo'n huismus was. Ze vond dat hij met zijn broertjes buiten moest spelen. Om haar afkeuring te ontlopen bewoog hij zich schichtig door het huis en bracht hij het merendeel van zijn tijd door in de kamer die hij deelde met Franklin en Billups. Zijn favoriete schuilplek was een hoekje onder de trap, hoewel hij eigenlijk te groot was om er gemakkelijk in te passen en zich tot een bal moest oprollen, met zijn knieën tegen zijn kin.

Hij voelde zich het lekkerst in dat holletje, uit het zicht, terwijl om hem heen de andere bewoners van het huis als nijvere bijen rondscharrelden. Hij kon Hattie op de gang horen lopen en zijn broertjes elkaar zachtjes horen roepen – Hattie wilde geen geschreeuw in huis hebben –, zijn vader horen fluiten en zijn zussen horen fluisteren. Wanneer hij onder de trap zat had hij geen last van zijn littekens. Dan voelde hij het littekenweefsel niet trekken in zijn hals en doorlopen naar zijn borst en rug. Al waren de wonden al jaren dicht, de littekens brandden en jeukten nog even erg als toen Six klein was en er voor het eerst roofjes ontstonden.

Six hield zijn voortdurende ongemak geheim, niet omdat hij zo onverstoorbaar of flink was, maar uit verbittering. Zijn pijn en zwakheid maakten hem bijzonder – extra hard getroffen en extra verontwaardigd – , zeg maar gerust uitzonderlijk, omdat hij wist wat lijden was. Zijn pijn was zijn kostbaarste en geheimste bezit, waar Six zich aan vastklampte alsof het een van een lijk afgestolen sieraad was.

De voorflap van de tent waaide weer open. De vrouw in de gele jurk spurtte weg van onder de bomen, de regen in. Six kon haar niet goed genoeg zien om uit te maken of ze knap was, maar zijn hart begon sneller te kloppen bij de aanblik van de rok die tegen haar dijen plakte. Ze was jong, zoveel was wel duidelijk. Hij hoopte vurig dat ze naar zijn tent zou komen. Ze zou teleurgesteld zijn in zijn preek – dat gold voor iedereen – maar zijn littekens jeukten enorm in die klamme, benauwde tent en door haar zou hij zijn ongemak en zijn heimwee misschien even kunnen vergeten.

Six had vier keer eerder gepredikt, in de Mount Pleasant

Baptistenkerk vlak bij waar hij in Philadelphia woonde. Het Woord was in hem gevaren alsof hij door een toeval was getroffen en had hem volkomen overmeesterd. De eerste keer was bijna twee jaar geleden geweest, tijdens een zondagavonddienst. Vlak voor het gebed werd aangekondigd had Six een lage, doffe fluittoon gehoord, alsof er lucht door een hol bot werd geblazen. Hij voelde iets – geest? duivel? – op zich af komen. Toen het Six bereikte, kwam het bij hem binnen, niet zoals de duif van de Heilige Geest waar de Bijbel over spreekt, maar als een donderklap die midden in de nacht de hele buurt wakker maakt. Hij klapte dubbel door het geweld. Hij kneep met een hand zijn keel dicht, maar dat kon het Woord dat in hem oprees niet stuiten. Hij was zo bang dat hij dacht dat hij moest overgeven. Het Woord verzamelde zich als een berg kiezels in zijn mond en drong zich tussen zijn lippen door naar buiten.

Naderhand zeiden de gemeenteleden tegen hem dat hij bijna een halfuur lang had gepredikt als Gods gezalfde. Six herinnerde zich vrijwel niets van wat hij had gezegd of gedaan. Hij voelde alleen nog kort een soort euforie, die snel wegzakte en hem verweesd en verward achterliet. Thuis, in zijn schuilplaats onder de trap, kneep Six zijn ogen stijf dicht en probeerde God, of wie of wat er ook maar in hem was gevaren, op te roepen, maar het was zoiets als proberen je een droom te herinneren. Hoe langer hij erover nadacht, hoe verder de droom van hem week. De dominee had gezegd dat het een genadeblijk was. Maar wat moest hij met een genade als die hem overviel als een toeval en hem daarna even breekbaar en vol pijn achterliet als voorheen? Er was niemand aan wie hij het kon vragen. Hattie zei dat het net zoiets was als wanneer de dames van de kerk de geest kregen en in tongen begonnen te spreken, wat alleen maar aantoonde dat ze opgewonden standjes waren. August zei dat er nou eenmaal vreemde, onverklaarbare zaken bestonden en dat de toevallen van Six daar ook bij hoorden.

Six wist niet of godsvrucht iets meer was dan een stel mensen bij elkaar die waren bevangen door een collectief delirium dat verdween zodra ze de deur van de kerk uit liepen en weer op straat stonden. En wie kon het ze kwalijk nemen? Wie zou niet willen worden meegesleept door iets vrolijks en verhevens? Alleen was Six niet zoals de andere kerkgangers. Zijn godservaring was een krachtige opwelling die hij niet kon beteugelen. Hij ging geloven dat zijn spontane gepreek, zoals alles in zijn leven, te maken had met zijn zwakke gezondheid. Hij zag niet dat er wellicht een zegen in school, dat hem een helpende hand werd toegestoken. Midden in de nacht, als de rest van het gezin sliep en Six niet kon slapen omdat zijn lijf zeer deed en hij overal jeuk had, wist hij dat zijn Jezus-aanvallen gewoon de zoveelste aanwijzing waren dat hij een freak was, niet alleen lichamelijk maar ook geestelijk. Zijn ziel was gevoelig voor Gods grillen, net zoals zijn lichaam gevoelig was voor van alles en nog wat dat het pijn zou kunnen doen. Als hij had geweten hoe hij moest bidden, zou Six God hebben gevraagd zijn gave weg te nemen.

De mensen in de tent maakten zich op voor de dienst. Six had nog geen idee waarover hij zou gaan spreken. De gelovigen keken naar hem. Hij wilde niet dat ze zagen hoe ongemakkelijk hij zich voelde, maar door zijn innerlijke onrust was zijn huid zo rood als een luciferkop geworden. Hij keek naar de andere predikers. De ene had een bijbel vol ezelsoren bij zich, waarvan de bruinlederen band overal kleine kreukeltjes vertoonde, en de andere zat zijn aantekeningen door te lezen, waarbij hij zo nu en dan even stopte, zijn blik naar de hemel wendde en een gebed prevelde. Het merendeel van wat Six van de Bijbel wist had hij op zondagsschool geleerd of bestond uit flarden die hij had onthouden van de preken die hij had gehoord als zijn tante Marion hem had meegenomen naar de kerk. August en Hattie gingen alleen met Kerstmis en Pasen, of voor een doopdienst of begrafenis. Tante Marion zei dat ze daarvoor gestraft waren. 'Als je niet naar het huis van de Heer komt, komt Hij ook niet naar dat van jou,' zei ze graag.

Six had geen afscheid genomen van zijn broers voordat hij Philadelphia verliet om naar de opwekkingsbijeenkomst te gaan. Hij was voor dag en dauw, voordat iemand in de straat wakker was en hem kon zien vertrekken, in een auto geduwd. Six had de dag ervoor een jongen uit de buurt ernstig mishandeld. Ergens uit zijn diepste innerlijk was iets gewelddadigs opgeborreld waarvan hij niet had geweten dat het er zat. De familie van de jongen wilde wraak nemen en de buren zeiden dat hij gestoord was.

De reis naar Alabama duurde twee dagen. De eerste nacht sliep Six in de auto en de tweede was hij te gast bij een goed christelijke dame in Tennessee. Ze waren midden in de nacht ergens op een onverlichte binnenweg gestopt. De maan was een smal sikkeltje. Het was zo donker dat Six de contouren van zijn eigen lichaam niet eens kon onderscheiden, zodat hijzelf en het duister een en ondeelbaar waren. Een oude vrouw met een lantaarn in haar hand

deed de deur open en zei dat de stroom zo nu en dan uit-
viel. Haar huis was het enige langs deze weg. Binnen rook
het naar gras en dauw, en in alle kamers klonk het gezoem
van steekmuggen. Six had de indruk dat de muren er alleen
stonden om te voorkomen dat mensen naar binnen konden
kijken. Hij deed geen oog dicht vanwege de muggen, de stilte en de duizelingen die het donker hem bezorgde. De volgende ochtend zag hij dat het huis niet meer was dan een
veredelde hut die bijna inzakte onder het gewicht van zijn
eigen dak, en dat de raamkozijnen te scheef waren om een
glasruit te kunnen herbergen.

Nu, met de bijbel op schoot, dacht hij aan Johannes 3:16
en aan Jezus die over het water liep, en aan Daniël in de
leeuwenkuil. Hij probeerde een gevoel bij die verhalen te
krijgen dat zijn religieuze begeestering weer op gang kon
brengen, maar zijn hart bleef kalm slaan, hij was zo helder als maar kon, en bang. Six deed zijn ogen en zijn bijbel dicht en besloot die op een willekeurige plaats open te
slaan en vervolgens te prediken over wat hij daar zou aantreffen. Leviticus 14:7, het ritueel voor het reinigen van een
melaatse. Exodus 8:11, 'Zoo zullen de vorschen van u en van
uwe huizen en van uwe knechten en van uw volk wijken...'
Hij wist niet wat vorschen waren. De tamboerijnen vielen
stil en er kwam een man naar de kaarttafel die als katheder
diende toe gelopen.

Twee dagen daarvoor had Hattie hem 's ochtends heel
vroeg wakker geschud. 'Ssssst,' had ze gezegd en een vinger
tegen haar lippen gelegd. Ze had een jasje en stropdas neer-
gelegd die hij nooit eerder gezien had, en hem te verstaan
gegeven dat hij zich snel in de badkamer moest aankleden.

Het was nog maar nauwelijks licht. Hij liep de trap af en daar waren ze allemaal, Hattie, August en hun oude vriend dominee Grist, verzameld in de vestibule bij de voordeur. Dominee Grist zei dat ze meteen weggingen, stante pede. Over twee dagen begonnen in Alabama de opwekkingsbij-eenkomsten. Ze konden een rondje door de staat doen en twee weken wegblijven.

'Twee weken!' zei Six.

'Jochie, na alle toestanden waarvoor je gezorgd hebt, mag je van geluk spreken dat het geen twee jaar is,' zei August.

'Denk je dat het lang genoeg is?' vroeg Hattie.

'Dat merken we vanzelf,' antwoordde August.

Six was nog nooit van huis geweest. Hij wierp een blik omhoog naar de bovenverdieping, waar zijn broers en zussen lagen te slapen.

'Geen tijd om dag te zeggen,' zei Hattie.

Ze deed de voordeur open en gevieren liepen ze naar een auto die langs de stoeprand geparkeerd stond. Dominee Grist droeg de reistas die Hattie voor Six had ingepakt. Zij liep wat achter de rest aan, stijf en ondoorgrondelijk. Op het allerlaatste moment, toen hij al op de achterbank zat, de motor van de auto sputterend gestart was en Six de hoop op een afscheidswoord van zijn moeder had opgegeven, schoot Hattie naar voren en stopte hem een bijbel toe. Toen hij hem aanpakte, gaf ze hem een kneepje in zijn hand, waarna ze zich omdraaide en naar binnen liep.

De mensen werden onrustig. Six sloeg zijn bijbel weer open en zijn vinger viel op de zaligsprekingen: 'Zalig zijn de ar-

men van geest... zalig zijn die treuren...' En de zachtmoe-
digen en de barmhartigen, enzovoort. Six wilde niet zacht-
moedig zijn. Omdat hij ziekelijk en getekend was, zagen
mensen zijn lichamelijke beperkingen ten onrechte aan
voor nederigheid. Voor Six waren barmhartigheid en zwakte hetzelfde, en hij verafschuwde beide evenzeer als hij zijn
eigen broze lichaam verafschuwde. Hij wilde vergelden,
niet vergeven. Hij wilde een zwaard zijn, geen lam.

Het verhaal van Jozua schoot hem te binnen. Six herinnerde zich vaag een muur en een stad waarvan hij zich
de naam niet meer te binnen kon brengen. Hij kon het zo
een-twee-drie niet vinden in zijn bijbel. De man achter de
katheder ging de gelovigen voor in gebed. Het was een lange, hartstochtelijke smeekbede. Iemand uit het vermoeid
ogende publiek liet zelfs een kreet horen. Six had klamme
handen, de bladzijden van zijn bijbel plakten tegen elkaar
in de vochtige lucht en zijn vingers lieten smoezelige plekken achter op de hoeken van de pagina's. Hij wilde zijn das
een beetje lostrekken en de boord van zijn overhemd open-
maken. Jericho! Ja, zo heette die stad!

'Amen,' zei de man die voorging in gebed. 'Amen,' ant-
woordden de verzamelde gelovigen.

'Wij gaan jullie vanavond Gods Woord op drie manieren
brengen,' sprak hij. 'Hij heeft ons gezegend met drie van
zijn dienaren.'

Six vond de passage. Er was geen sprake van een veldslag,
zoals hij gehoopt had, maar enkel van een paar bazuinen
en een paar rondjes van de Israëlieten om de stadsmuren.
De man die was voorgegaan in gebed zei: 'We hebben Six
Shepherd, helemaal uit Philadelphia.' Six hield zijn hoofd

69

omlaag, zodat hij het verhaal kon uitlezen.

'Zo te zien gaat onze jonge broeder Shepherd al helemaal op in 't Woord.' Het bleef even stil, maar Six hief zijn hoofd niet op. 'Nou,' zei de man en schraapte zijn keel. 'Dit wordt vast een preek die ons nog lang zal heugen!'

Toen Six opstond, boog het gehoor zich vol verwachting naar voren. Ze fluisterden tegen elkaar: 'Wat een kriel, zeg.' Hij liep naar de katheder, legde met enige omhaal zijn bijbel op het tafelblad en bladerde wat heen en weer, er wel voor zorgend dat hij de goede plaats niet kwijtraakte. Zijn ogen traanden. Waarschijnlijk kenden ze het verhaal van Jericho allang. Iedereen kende dat verhaal immers. Wat deed hij hier? Waarom zat hij niet op de vensterbank van zijn kamer in Philadelphia te kijken hoe zijn moeder de steeg uit liep?

'Ik ga het met jullie hebben over Jozua,' zei hij. 'Zouden jullie... zouden jullie het hoofdstuk Jozua willen opslaan?'

De gelovigen keken hem aan. Er was geen sprake van het gebruikelijke geritsel en gedoe dat doorgaans volgde op de aankondiging van een Bijbelpassage. De man die was voorgegaan in het openingsgebed dook achter hem op en fluisterde: 'Veel mensen hebben geen bijbel bij hun. Je zal 't moeten voorlezen.'

'O! Ik... neem me niet kwalijk. Ik kan het gewoon... ik lees het wel voor...' Hij was de plaats toch kwijt en de woorden dansten alle kanten op over de pagina, zodat hij het vers dat hij had uitgekozen niet kon terugvinden.

'Ik versta je niet!' riep iemand achter in de tent.

'Het spijt me. Het is, eh...' Six haalde een keer diep adem. 'Jozua 6 vers 15,' schreeuwde hij tegen ze. Zijn stem was ge-

forceerd luid en laag, als die van een kind dat een man na-
doet. Hij las voor met een gemaakte baritonstem. Hij durfde niet op te kijken. Hij voelde hun verveling. Maar terwijl
hij voorlas kreeg het tafereel vorm voor zijn geestesoog. Six
zag een man lopen, aan het hoofd van een machtig, in wit
gehuld leger, honderd man die de bebaarde, op zijn zwarte
paard gezeten Jozua volgden. Voor hem uit liepen andere
mannen, die ramshoorns en bazuinen meedroegen die zo
fel blikkerden in het zonlicht dat de glinstering tot ver in
de woestijn te zien was. Ze marcheerden om een hoge, dikke muur waarachter niets te zien was. Eenmaal, tweemaal,
driemaal, een vierde maal liep het leger van Jozua om de
muur heen. Er gebeurde niets. Het leger van de Heer begon
aan zijn aanvoerder te twijfelen.

Six keek naar zijn gehoor. De mensen zagen er net zo
sceptisch en vermoeid uit als de mannen van Jozua. Jozua's leger liep voor de zevende maal een rondje om de stad
heen. De bazuinblazers hieven allemaal tegelijk hun instru-
ment, alsof ze één veelhandig organisme waren. Jozua stak
zijn arm op en het leger schreeuwde: 'Hoera! Hoera! Hoera!'
De soldaten zwaaiden met hun zwaarden. Een muur van geluid drukte tegen de muur van steen die om de stad stond.
Jericho beefde. De grijze steenblokken in de muren spleten
doormidden, en toen in vieren, totdat er niets meer van
over was, en daar lag de stad Jericho, open en bloot.

'Die muren verkruimelden tot stof, broeders en zusters,
tot niets. Zien jullie het voor je? Sluit je ogen, broeders en
zusters, en stel je voor wat de Here heeft gedaan!'

'Amen!' riep iemand. Six kreeg nu de geest. Hij kon de
gezichten voor zich niet zien. Zijn angst was overgegaan in

een extase die als een vuurbal rondtolde in zijn borstkas.

Joshua fought the battle of Jericho, Jericho, Jericho. Joshua fought the battle of Jericho and the walls came a-tumbling down. De mensen zongen met hem mee. Hij hief zijn bijbel hemelwaarts en de mensen gingen allemaal staan. De vrouwen op de voorste rij schudden met hun tamboerijnen. De gelovigen klapten en stampten. Six maande hen met een handgebaar tot stilte.

' "En zij verbanden alles wat in de stad was, van den man tot de vrouw toe, van het kind tot den oude, en tot den os en het kleine vee en den ezel, door de scherpte des zwaards," ' droeg hij voor. 'Dat gaat wel erg ver allemaal, niet, broeders en zusters? Maar weten jullie, de Here neemt geen halve maatregelen. Hij komt niet even langswippen voor een gezellig bakkie leut. Hij komt niet maar een beetje rondkijken hoe het ervoor staat. Nee, hij komt om het heft in handen te nemen!'

'Zo is het!' riep een vrouw.

'Broeders en zusters, laat me jullie vertellen wat de Here allemaal kan. Toen ik klein was, raakte ik ernstig gewond. Ze brachten me naar het ziekenhuis, een heel ziekenhuis vol dokters die niks voor me konden doen. Weten jullie wat de dokters tegen mijn moeder, broers en zussen zeiden?'

Six wachtte even.

'Ze zeiden dat ik de volgende ochtend niet zou halen. Ze zeiden: bel de begrafenisondernemer maar vast. De begrafenisondernemer. Ik kreeg geen medicijnen meer van ze. Die dokters gingen gewoon naar huis. Maar de Here strekte Zijn hand naar mij uit.'

'Vertel!'

'De Here strekte Zijn hand naar me uit en zei: "Zijn tijd is nog niet gekomen. Mijn dienaar heeft nog werk te verrichten voordat ik hem naar huis roep." '

'Amen!'

'Want u moet weten, broeders en zusters, dat Hij mij bewaard heeft om van dit alles te getuigen. Veel ervaring heb ik niet. Maar wat ik wel heb – amen! – ja, wat ik wel heb is de hand van de Heer om mij te geleiden. Zowaar als ik hier vanavond sta, heeft Hij mij naar jullie toe geleid. Hij heeft mij bewaard opdat ik hier vanavond zou kunnen zijn om jullie te vertellen dat als we iets aan Hem vragen, de Heer onze beproevingen en onze twisten zal laten verkruimelen zoals die muur in Jericho.'

'Prijs de Heer!'

'Juich de Heer toe, heel de aarde, juich en jubel, zing het uit!'

Ze schreeuwden het uit.

'Ik zei juich en jubel. Hebben jullie niks beters in huis voor Jezus?'

De toehoorders brulden het uit. Six stopte even om op adem te komen en het zweet van zijn voorhoofd te wissen. De mensen klapten en joelden. De vrouwen op de voorste rij staken hun armen in de lucht en schudden met hun tamboerijnen.

'Laat ons het hoofd buigen en samen bidden. Vader in de hemel, vanavond vragen wij U ons bekend te maken wat U in onze harten hebt geplant, en ons de kracht te geven te doen wat U van ons verlangt. Zeg ons, Heer, hoe wij om ons eigen Jericho heen moeten trekken. Geef ons vanavond Uw instructies, Jezus, en wij zullen ze opvolgen en de overwinning behalen.'

Six richtte zijn blik op de verzamelde gelovigen. Op de voorste rij zat een vrouw te huilen. Haar schouders schokten door haar heftige gesnik en haar armen hingen slap langs haar lijf. Six stapte van achter de geïmproviseerde katheder en liep op haar toe. Waarom wist hij niet. Zijn voeten droegen hem naar haar toe, al wist hij niet wat hij ging zeggen. Met zijn vingertoppen beroerde hij haar arm.

'Mevrouw?' zei hij.

Ze deed haar ogen open.

'Mevrouw, wat heeft Jezus vanavond in uw hart geplant?'

Hij sprak zacht, alsof zij de enige twee mensen in de tent waren. Toen hij haar nader bekeek zag hij dat deze vrouw volkomen uit het lood geslagen was. Ze was net zolang geschopt totdat ze erbij was neergevallen en toen nog meer geschopt. Er liep een smal litteken van haar ooghoek naar haar mondhoek. Ze was niet zo jong meer, maar ook nog niet oud. Six wilde het liefst met het puntje van zijn tong het litteken aanraken.

'Ik wist niet ofdat ik hier vanavond wel heen wilde komen, want ik ben lang weggeweest. Toen ik jong was, was ik gered, maar later ben ik teruggevallen. Ik ben hierheen gekomen omdat ik... ik weet niet... omdat ik gewoon weer dicht bij Jezus wilde wezen.'

'De Here neemt Zijn schapen altijd graag weer op in de kudde. Hoe heet je, zuster?'

'Coral.'

'Zuster Coral, Hij wacht altijd met open armen.'

Ze knikte. Haar jurk was van lichtgekleurd katoen, misschien dat hij ooit roze was geweest. De witte kraag was vergeeld en de randen ervan waren gerafeld.

'Ik geloof dat dat waar is, dominee,' zei ze.

Coral stond rechtop, de gevouwen handen zo stijf tegen elkaar gedrukt dat haar knokkels rood aanliepen. Ze probeerde met lange, schokkende ademteugen op te houden met huilen.

'Ik kan zien dat je oprecht van geest bent,' zei Six. Hij voelde dat ze een bezwaard gemoed had en dat ze het goed bedoelde. Dat litteken, bedacht hij, schreeuwt om wraak.

De mensen waren in een halve kring om hem heen komen staan.

'Ik ben nooit... ik ben nooit getrouwd. De Heer vergeef me dat ik dat zomaar zeg tegen een jonge knul als jij. Ik ben nooit getrouwd, maar woonde wel samen met een man, die ervandoor is gegaan. Ik had een kind van hem, maar dat is overleden toen ze nog heel klein was en daarna ben ik bij m'n zuster ingetrokken. Die heeft het ook zwaar gehad.'

'Moge God haar zegenen,' zei Six.

'Ze is nu ziek. De dokter is geweest, maar die zegt dat ie niet weet wat 'r mankeert. Ze ligt al een maand op bed en ze wordt steeds minder. Ziet eruit als een geest, vel over been. Zij is de enigste op de hele wereld die ooit goed voor me is geweest.'

Ze keek Six aan met van die ogen, met zo'n blik, waarin alles wat zinloos en onzegbaar is op deze wereld besloten lag.

'Laten we bidden, zuster Coral. Jij en ik en al deze zielen die de Heer vanavond heeft samengebracht. We gaan allemaal bidden.'

Six nam Coral bij de hand en ze knielden samen neer op de vloer van aangestampte aarde. Alleen in de kerk voelde hij mededogen met anderen dan hijzelf. Er was iets met hem gebeurd toen hij naar zuster Coral keek. Toen hij over Jericho preekte, hadden zich krachten verzameld in zijn lijf, krachten die nu in Six opbruisten totdat hij ervan overstroomde. Hij had zoveel kracht dat hij het zich kon veroorloven die te delen, dat hij die wel moest delen, omdat hij anders zou ontploffen. Hij kon menslievend zijn, al was het maar voor dat ene uur, omdat hij, al was het maar voor dat ene uur, sterk was.

Six legde zijn hand in de holte tussen Corals schouderbladen en zijn andere hand tegen haar voorhoofd. Dat had hij de dominee in Mount Pleasant zien doen. Six voelde hoe het Woord vanuit zijn lichaam het hare binnenging en hoe haar geloof en verdriet het zijne binnengingen. Hij voelde de wervels van haar ruggengraat en de warme, klamme huid op haar voorhoofd. Ze zag eruit als een echte volksvrouw en hij had niet verwacht dat haar huid zo zacht zou zijn. Zijn vingers begonnen verkrampt samen te trekken. Six was zich nog nooit zo bewust geweest van een andere persoon. Corals ziel zoemde binnen in haar als een motor. Ze waren op dat moment één organisme. Six voelde zijn lijf niet jeuken en zijn huid niet trekken of prikken.

'Laten we onze handen op onze zuster leggen,' zei hij.

Een tiental handen lag bevend op zuster Coral. Six huilde terwijl de verzamelde gelovigen zuchtten en steunden, en Jezus aanriepen.

Na verloop van tijd, hoelang het had geduurd wist hij niet, keerde Six terug tot zichzelf. Zijn knieën waren vochtig en stijf doordat hij geknield op de aarde had gezeten, hij had een droge keel en de blouse van Coral voelde nat aan. Ineens kreeg hij een verschrikkelijke aandrang om te plassen. Hij wreef over zijn knieën, ging staan en keek naar de gelovigen. Sommigen waren opgetogen, anderen bekaf, en allemaal hadden ze glimmende, betraande gezichten. Coral zat nog op haar knieën. Twee vrouwen hielpen haar overeind en brachten haar naar een klapstoeltje, waarop ze met haar handen in haar schoot ging zitten. Six wist niet goed hoe hij de dienst moest afronden. Hij kon zich niet voorstellen hoe hij er een fatsoenlijk slot aan kon breien na wat er met hen gebeurd was. Hij voelde zich ineens verlegen, alsof hij iets intiems had gedaan en iedereen het had gezien.

'Amen,' zei hij en liep de tent uit naar het groepje bomen buiten.

Iemand riep zijn naam, maar Six ging niet terug. Achter hem rinkelden de tamboerijnen. Door de koele, vochtige lucht kwam de melodie van een gezang aangewaaid. Het was opgehouden met regenen. De wind schudde de bladeren op en er vielen druppels op zijn hoofd en schouders. Het was nog steeds een beetje licht. Six besefte dat hij eigenlijk terug moest gaan naar de tent, maar hij had zin om in de bomen te klimmen. De waterdruppels op het gebladerte vingen het licht van de laatste zonnestralen en even waren de bomen een en al trillend goud. Hij voelde zich rustig vanbinnen, niet vredig maar verstild, gegrepen. Hij dacht: ik ben niet zomaar iemand. Ik ben niet gewoon een kwakkelaar.

Met de nodige moeite klom Six in een boom, ging op een van de lagere takken zitten en liet zijn benen aan weerskanten omlaagbungelen. In de verte hoorde hij een klok, een klingelend geluid op baritonhoogte van ergens verderop langs de onverharde weg die naar het opwekkingsterrein leidde. Een rode zandweg met enkel wat bomen erlangs en een paar geparkeerde auto's op het veldje voor de tenten. Er verscheen een omfloerste maansikkel aan de hemel. Boven Wayne Street zag je de maan maar zelden. De zon zakte weg achter de horizon. In de verte langs de weg ging een rij lichten branden. Daarachter gaf een grotere verzameling lichtjes aan dat daar het stadje lag. Dominee Grist had hem verteld hoe het heette, maar Six was het weer vergeten. Hij had geen enkele behoefte erheen te gaan.

Wat hij met Coral had meegemaakt was al aan het wegzakken. Hij wist niet waar hij die nacht zou slapen of wat hij zou eten, of wie hem te eten zou geven. Hattie had hem bij zijn vertrek vijf dollar meegegeven. Hij wist dat dit niet genoeg was om terug te komen naar Philadelphia.

Beneden op de grond, onder Six op de eikentak, stonden twee mannen tegen een stam te wateren.

'Die jongen. Hoe heet ie eigenlijk?'

'Six, hij heet Six.'

'Hij komt nog maar pas uit het ei.'

'Zag je hoe snel ie 'm naar buiten smeerde toen ie klaar was?'

'Dat komt door die Coral. Die is zo heidens dat een jonge knul d'r bang van wordt.'

'Ze is hier vanavond toch berouw komen tonen.'

'Dat zal best, maar morgen laat ze zich weer pakken achter een schuurtje.'

'Door jou dan zeker?'

'Neuh, ik denk enkel aan Jezus.'

Ze lachten.

Ze lachen me uit, dacht Six. Misschien zaten ze hem in die tent wel allemaal uit te lachen. Stelletje achterlijke boeren. Als August in Georgia was gebleven was hij misschien ook wel zo geworden als deze mannen. Dan had hij in een pick-up rondgecrost of was hij met iemand anders meegereden om op vrijdagavond naar een opwekkingsbijeenkomst in een tent te gaan, en had hij ook zo'n gesprekje gevoerd als Six nu toevallig afluisterde. Six zag het Zuiden als een grote klont gelijksoortige staten waar de mensen, net als August, lijzig praatten en wegtrokken vanwege de blanken, om vervolgens de rest van hun dagen heimwee te hebben naar de meest banale en achterlijke plattelandsdingen zoals pecannoten, amberbomen en reusachtige perziken. August kon de namen opdreunen van alle inwoners van het dorp waar hij was opgegroeid. In Georgia, zei hij, werden oude mensen nooit aan hun lot overgelaten. Het Noorden was kil en kleurloos, het eten was armzalig en de mensen waren wanhopig. Wanneer hij zo praatte, sloeg Hattie haar armen over elkaar heen en kneep ze haar lippen samen tot een smalle streep.

Er gingen buitenlichten aan en de zachte, paarsblauwe avond werd opgeslokt door een lelijke kring van licht. Er kwamen een paar mensen uit de kleine tent gedruppeld. Een man met een jongetje aan de hand wandelde het heldere licht in en er weer uit. Six keek ze na terwijl ze de weg afliepen, tot hij ze niet meer kon zien. Hij kon zich niet herinneren Augusts hand ooit zo te hebben vastgehouden. Andere jongens gingen vissen met hun vader, of naar het honkballen. Misschien hadden de man en het jongetje die hij net had gezien vandaag wel samen gevist. Nou ja, Six zou toch misselijk zijn geworden bij de aanblik van het aas. Zijn klasgenoten noemden hem een mietje en pestten hem onophoudelijk.

De mannen onder de boom van Six praatten door. 'Hij is toch vijftien? Dan is 't wel een opdondertje, zeg.'

'Ja, hij is vreselijk klein.'

'Hij deed 't trouwens best goed.'

'Preken kan ie, nou en of, maar d'r is iets vreemds aan 'm.'

'Dat zeg je enkel omdat ie zo netjes is.'

'Nee, daar niet om. Hij doet me denken aan een *boll weevil.*'

'Da's flauw. Hij kan d'r toch niks aan doen dat ie zo klein en scharminkelig is?'

Six wist niet wat een boll weevil was, maar hij vermoedde dat het iets kleins en lelijks was. Hij ging verzitten op zijn boomtak. Wat zou hij graag teruggaan naar zijn broers en zijn holletje onder de trap.

Een van de twee mannen onder de boom zei: ''t Is niet zozeer dat ie d'r uitziet als een katoenkever, maar dat ie zich een beetje zo gedraagt.'

Er was nog een jongen op school die, net als Six, mager en fragiel was. Hij heette Avery, maar de andere jongens noemden hem Ava. Hij was een onderdeurtje en nogal verwijfd, maar wel gezond, zodat hem, in tegenstelling tot Six, lichamelijk geweld niet bespaard bleef. Op een middag zag Six hoe een groep jongens hem achternazat op straat. Avery was niet snel, hij wist dat ze hem te pakken zouden krijgen, dus bleef hij halverwege de straat stilstaan om op hen te wachten. Ze gingen om hem heen staan en duwden hem tegen de grond. Hij zakte op zijn knieën. Avery weigerde overeind te komen. Hij bleef gewoon op zijn knieën op het trottoir zitten terwijl ze hem uitscholden voor mietje en flikker. Toen ze klaar met hem waren, stond hij op en veegde het vuil van zijn knieën. Six lachte hem uit. Hij wilde dat de pestende jongens zagen dat hij ook een hekel had aan Avery. Op die manier zouden ze begrijpen dat Six alleen maar gebrekkig was en geen kneus, en hun spot dus niet verdiende.

Misschien dat er een andere manier bestond om de wereld te begrijpen, maar Six kon zich niet voorstellen wat die zou kunnen zijn. Hij had de indruk dat zijn bloedeigen vader een afkeer had van zijn zwakke gestel. Nadat Six was hersteld van zijn ongeluk, deed August zelden of nooit meer dingen met hem, al was het natuurlijk ook zo dat hij weinig thuis was. Six had zijn tante Marion ooit tegen Hattie horen zeggen dat het door het overlijden van de tweeling kwam dat August steeds de hort op ging, en dat er daarvoor weinig op hem aan te merken was geweest. Six wist niet precies wat ze bedoelde, maar hij wist wel dat zijn vaders aanwezigheid in zijn leven op zijn best marginaal was. August had Six nooit de dingen geleerd die vaders hun zoons horen te leren. De avond voordat Six naar de opwekkingsbijeenkomst werd gestuurd had August gezegd: 'Ik had niet gedacht dat je dat soort gemenigheid in je had, jongen.' Hoe zou u moeten weten wat ik in me heb? had Six gedacht. Het enige wat u doet is grapjes maken en kletsverhalen vertellen over een dorp in Georgia waar niemand ooit van gehoord heeft. Hoe zou u moeten weten wat ik voor gemeens voel?

Voetstappen naderden de groep bomen.

'Goeienavond, dominee,' zeiden de twee mannen.

'Prijs de Heer, broeders,' antwoordde dominee Grist.

'Was die jongeman die predikte van u?'

'Inderdaad. Het was de eerste keer dat hij buiten zijn eigen stad heeft gepredikt,' zei dominee Grist.

'Hij heeft de ware geest, da's 'n ding dat zeker is.'

'Hebben jullie hem misschien gezien? Ze zeiden dat hij deze kant op is gegaan.'

'Nee, dominee, niks, niemendal.'

'Die komt wel weer boven water. Hij is vast even een luchtje gaan scheppen. Het is snikheet daarbinnen.'

'Nou, als jullie hem zien, zeg dan tegen hem dat ik bij de grote tent op hem wacht. Zijn moeder heeft mij gevraagd een oogje in het zeil te houden,' zei Grist. De twee mannen liepen weg.

Toen het over Hattie ging, werd Six' keel dichtgesnoerd. Hij slaakte een zucht en bleef vervolgens zo stil zitten als hij kon, omdat hij bang was dat iemand het gehoord had.

'Als hier ergens een jongeman rondhangt, dan is hij vermoedelijk best moe. Dan zou hij wel eens naar de auto kunnen lopen en een tukje kunnen gaan doen op de achterbank,' zei dominee Grist. Hij zweeg even om te luisteren. 'Zo'n jongeman zou bijvoorbeeld "ja dominee" of iets dergelijks kunnen zeggen, zodat ik weet dat alles goed is met hem.'

'Ja dominee.' De stem van Six klonk zacht en schor, en was nauwelijks hoorbaar in het gezang van de cicaden, het geritsel van de bladeren en het getik-tik-tik van de regendruppels die door de eiken omlaagvielen.

Toen Six zeker wist dat hij alleen was, klom hij uit de boom en liep hij, ervoor zorgend dat hij in het donker bleef, buiten het licht van de schijnwerpers, naar de auto van de dominee, waarin hij languit op de achterbank in slaap viel.

Six werd een keer wakker, midden in de nacht, ver na twaalven en ruim voor zonsopgang, omdat de motor van de auto afsloeg. Hij stapte uit en werd meegenomen een huis in, door een gang, naar een kamer waarin het naar gebakken vis rook. Hij kleedde zich half slapend uit, te moe om zich druk te maken over de vraag of de dominee zijn littekens kon zien. Er was een veldbed voor hem neergezet. Hij stapte erin en het canvas zakte diep door onder zijn gewicht. Six droomde dat hij in een hangmat lag te schommelen, op een veranda voor een groot wit huis met een pergola, en dat zijn vader de veranda op kwam gelopen en zei: 'Ik wist wel dat het je hier zou bevallen. Ik wist dat je hier voorgoed zou willen blijven.'

De volgende ochtend was dominee Grist nergens te bekennen. De kamer waarin Six had geslapen was een deprimerend, troosteloos vertrek, met gele muren die in de loop van de tijd vuil waren geworden. Door een raam vlak bij zijn veldbed stroomde zonlicht naar binnen. Het licht was op de een of andere manier troebel en korrelig. Voor het raam hing een soort vitrage van dun, gaasachtig materiaal waardoor het licht gefilterd naar binnen kwam. Ergens in huis klonk het gemurmel van stemmen. Het was een onheilspellend geluid, alsof iemand slechte dingen over hem doorfluisterde. Six sloeg zijn benen over de rand van het veldbed en keek waar zijn broek lag, zich sterk bewust van het feit dat hij niet wist waar hij was of in wiens huis hij zich bevond, en dat hij zich de naam van het stadje niet kon herinneren. De enige die hij kende in dit vreemde, verre oord was dominee Grist. Het huilen stond hem nader dan het lachen. Ukkie. Ukkie moet huilen. Hij ging niet janken, bedacht hij, en hij zakte op zijn knieën om te kijken of zijn kleren onder het bed lagen. Hij vond er alleen zijn schoenen.

'Verdomme!' zei hij. Dominee Grist deed de deur van de kamer open.

'De Here houdt niet van dat soort taal, jongeman.'

Six, die alleen een onderbroek aanhad, draaide zich snel om en keek hem aan, beschaamd over zijn littekens en zijn naaktheid. Hij hield zijn handen voor zijn lijf.

'Neem me niet kwalijk, dominee,' zei Six.

'Het is ongepast voor een jongeman die gisteravond zo mooi heeft gesproken.'

De dominee liep verder het vertrek in en legde de kleren van Six op het veldbed.

'De mevrouw die hier woont heeft ze voor je gewassen en gestreken,' zei Grist. 'En ze heeft ook ontbijt voor je klaargemaakt. Deze zusters zijn ontzettend behulpzaam. De meeste hebben nauwelijks genoeg voor zichzelf, maar ze geven ons onderdak en spijzigen ons. Net als de weduwe in de tempel. Ken je dat verhaal, jongeman?' vroeg de dominee.

Six schudde van nee.

'Je hebt een hoop vuur in je, en de Here heeft je gezegend met zijn geest, maar je kent het Woord nog niet zo goed als nodig is om te kunnen doorgaan met prediken.' Hij keek Six onderzoekend aan. 'Wil je doorgaan met prediken?'

Six wilde niet doorgaan met prediken. Weliswaar had hij de vorige avond met Coral iets gevoeld wat hij nooit eerder had ervaren en wat hij zich, in tegenstelling tot de voorgaande keren, wel degelijk kon herinneren. Maar Six wilde naar huis. De dominee zou hem echter ondankbaar vinden, dus antwoordde Six: 'Ik weet het niet, dominee. Ik denk het wel.'

'Een prediker moet geroepen worden, jongeman!' zei Grist streng. Hij gebaarde naar de kleren van Six. 'De Here zet ons naakt op deze wereld, maar ik denk toch niet dat Hij wil dat we dat blijven.'

Dominee Grist was de hele rit vanaf Philadelphia aardig voor Six geweest. 'Hier begint de rassenscheiding,' had hij gezegd toen ze de Mason-Dixonlijn overstaken. 'Ben je ooit in het Zuiden geweest?' Six had van nee geschud. 'Nou, als er blanken in de buurt zijn, maak dan dat je wegkomt, en als dat niet kan, zet dan een vriendelijk gezicht op en kijk ze nooit in de ogen.'

De dominee wiegde heen en weer op de ballen van zijn voeten terwijl Six zich aankleedde.

'De Heer schenkt ons adem en leven,' zei hij. 'En hij schenkt ons bloemen, en de maan, ogen om die te zien, en een hart en een verstand om van hun schoonheid te genieten. Dat zijn dingen die alleen wij kunnen. Besef je dat wel? Een koe in de wei heeft geen enkel gevoel voor schoonheid. Dat is een gave die Hij ons heeft geschonken, alleen om het leven een beetje mooier te maken. Is dat niet geweldig?'

Dominee Grist zweeg even. 'Wat is er met je gebeurd, knul?'

'Hoe bedoelt u?'

'Ik... ik vroeg me af hoe het gekomen is.'

'Brandwonden, dominee.'

'Dat moet al een tijd geleden zijn gebeurd, want ze zijn inmiddels helemaal dichtgegroeid.'

'Zeker, dominee.'

'Het moet vreselijk zeer hebben gedaan, want jij was toen nog maar een klein ventje, zeker?'

'Ja, dominee.'

'Je moeder zal wel behoorlijk geschrokken zijn.'

'Zal wel, ja.'

Six herinnerde zich de rit naar het ziekenhuis in de ambulance en dat Hattie naast hem had zitten huilen. Dat had hij haar noch daarvoor noch daarna ooit zien doen. Hij was destijds nog maar negen, maar hij herinnerde zich de zware snikken die haar lijf hadden doen schudden en dat ze hem had aangeraakt op de plekken die niet waren verbrand. 'Alstublieft, deze niet ook,' had ze gezegd. Ze beefde en schudde, maar haar handen op zijn huid waren rustig en beheerst, alsof ze niet aan de rest van haar lichaam vastzaten.

Hij had twee maanden in het ziekenhuis moeten blijven. Elke keer als hij bijkwam na een dosis pijnstillers was Hattie er. Dan zat ze met een krijtwit gezicht en rechte rug op de stoel, stond ze bij het raam, of liep ze te ijsberen bij het voeteneinde van zijn bed. Ook August kwam op bezoek. Hij floot dan een wijsje voor Six of bracht vreemde cadeautjes voor hem mee, zoals een houten blokfluit waar hij heel zachtjes op speelde totdat een zuster langskwam en hem sommeerde ermee op te houden, kersen die hij met een klein mesje schilde zodat Six de zoete smaak op zijn tong kon proeven en niet met al die brandwonden op zijn gezicht hoefde te kauwen.

Zijn zussen kwamen langs. Op een middag werd hij wakker en zag hij Cassie achter Hattie staan. 'Het spijt me zo, moeder. Het spijt me zo. Ik vind het zo erg,' zei ze. Hattie draaide zich naar haar toe en knikte. Cassie verliet huilend de kamer.

Het zonlicht filterde door de zware gordijnen in de ziekenzaal. Six had het gevoel dat hij heel lang had geslapen en dat hij misschien nog steeds sliep, en dat alles wat hij zag of hoorde een droom was. In die droom stond hij op uit zijn bed, sloeg een arm om Cassie heen en zei: 'Kijk, mij mankeert niks. Het was gewoon een ongelukje en mij mankeert niks.'

De brandwonden bedekten vijftig procent van zijn lichaam. De artsen hadden tegen Hattie gezegd dat ze niet wisten of Six het zou halen, en dus was hij tijdens dat eindeloze slapen van hem aan het doodgaan, of bijna.

Bell en Cassie dachten dat ze hem hadden vermoord. Na zijn herstel, toen hij weer naar school ging, en zelfs nu, zes jaar later, gaven ze zichzelf de schuld. Allebei zouden ze alles voor Six doen wat hij maar vroeg. Als hij kortaf tegen ze deed, of onverschillig, of hen kwaad aankeek, deed hun dat veel pijn. Six viel expres tegen hen uit als hij hen wilde kwetsen of als hij een van hen pijnlijk wilde herinneren aan wat er die avond gebeurd was.

Op de avond van zijn ongeluk had Cassie zich staan aankleden voor een schoolfeest waarnaar een oudere jongen haar had meegevraagd. Hattie had haar toestemming gegeven om te gaan omdat hij, zoals ze had gezegd, een degelijke jongen was die zou gaan studeren. Hattie had het grootste deel van het geld voor de jurk bij elkaar weten te krijgen en Cassie had de rest zelf met schoonmaakwerk verdiend. Cassie was de eerste Shepherd geweest die ooit naar een schoolbal zou gaan. Hattie had niet veel gezegd, maar veel tijd besteed aan het strijken van de jurk en hem vervolgens voorzichtig als een pasgeboren baby op Cassies bed gelegd. Hij was lichtgroen en glansde zacht. Wanneer het rokdeel bewoog, plooiden laagjes chiffon zich als een schuimrand langs de zoom. Six ging steeds naar de kamer van zijn zus om te kijken naar de jurk die op het bed lag. Hij was zo fijntjes en mooi dat hij zomaar zou kunnen opfladderen en het raam uit zou kunnen vliegen.

Cassie en Bell waren in de badkamer bezig krulspelden in Cassies haar te zetten. 'Six,' riep een van beiden, 'kun je ons nog wat platte haarspelden brengen?' Of: 'Six, wil je tegen moeder zeggen dat we over twintig minuten de straightener nodig hebben?' Telkens als ze hem riepen, kwam hij en bleef bij de badkamerdeur hangen om naar zijn zussen te kijken. Wanneer ze even niet met Cassies haar bezig was, kwam Bell achter hem staan, legde haar handen aan weerszijden van zijn gezicht en aaide zonder erbij na te denken over zijn wangen, zoals ze bij een kat zou doen. Zijn zussen waren mooier dan alle andere mensen die Six kende. Ze kwekten tegen elkaar als opgewonden vogeltjes. Bell ging naar beneden om de boiler aan te steken. Toen ze terugkwam had Cassie de stop al in het bad gedaan en klaterde het warme water in een luide, dampende straal uit de kraan. Het water was zo heet dat je er een ei in kon koken. Six zat op de rand van de badkuip. Een van hen, Cassie misschien, vroeg hem een schone handdoek uit de gangkast te halen en de ander zei schertsend dat hij hun butler was, waar ze allebei om moesten lachen. Six wilde gaan staan en een overdreven buiging maken, maar verloor zijn evenwicht en viel in het bad. Waar je een ei in kon koken. Zo heet dat Six een hele tijd niet kon ademen of schreeuwen. Het voelde alsof zijn vlees van zijn botten gleed. Cassie gilde. Ze gilde terwijl ze hem eruit trok en gilde terwijl ze hem op de vloer legde, en ze gilde toen hij stuiptrekkend over de tegels kronkelde. Hij hoorde Hattie schreeuwen en hij hoorde voetstappen, allemaal voetstappen, in de gang, en toen verloor hij godzijdank het bewustzijn. Hij kwam bij in de ambulance, en voelde de handen van zijn moeder over zijn voeten en benen gaan, fladderend alsof haar vingers in vlinders waren veranderd.

'Die littekens vallen eigenlijk best mee, hoor,' zei dominee Grist. 'En God zij geloofd dat je er nog bent.'

'God zij geloofd, dominee,' antwoordde Six.

Six kleedde zich aan en ontbeet, waarna dominee Grist en hij in de auto stapten en door het plaatsje heen reden omdat de dominee wilde dat Six eens een echt zuidelijk stadje zou zien. Op het opwekkingsterrein zouden de dominees zich wijden aan gebed en Bijbelstudie ter voorbereiding op de middagbijeenkomst. Het was zaterdag en ze zouden om vier uur beginnen.

'Het zal vanavond stampvol zijn, dat geef ik je op een briefje.'

'Zijn ze hier allemaal zo kerks dan?' vroeg Six.

'De opwekkingsbijeenkomst is het enige wat hier te doen is, zogezegd. Er valt hier niet veel te beleven. Je hebt enkel wat biljartlokalen en kroegen, maar daar kunnen ze altijd terecht. De opwekkingsbijeenkomst is een verzetje. Maar dat hindert niks, om welke reden ze er ook op af komen, de Heer doet Zijn werk dan toch in hun ziel. Amen.'

Het stadje bestond uit vijf straten met winkels en een goedkoop warenhuis. De dominee wees het postkantoor aan en een tentje waar een vrouw die hij tante Baby Sugar noemde de beste zoete aardappeltaart van de hele staat Alabama bakte. 'Ze hebben een achteringang waar negers iets kunnen kopen om mee naar huis te nemen,' zei dominee Grist.

De blanken zagen er bijna even armoedig uit als de negers. De vrouwen die Six zag droegen een verschoten jurk en hadden vlassig haar of waren dik en hadden een rooie kop. De mannen zagen er zweterig uit en liepen rond op ongepoetste schoenen. Op het trottoir gingen de negers voor de blanken opzij. Een man viel bijna in de goot toen hij van de stoeprand af sprong om te voorkomen dat hij tegen een blanke vrouw zou opbotsen die hem tegemoetkwam. Beide rassen leken evenredig vertegenwoordigd in het stadje. In Philadelphia kwam Six, afgezien van de leerkrachten op school, zelden blanken tegen. Thuis beschouwden ze de blanken als een ongrijpbaar, maar machtig iets, zoals de krachten die het weer bepalen, evenzeer tot verwoesting in staat en evenzeer onzichtbaar.

De negers en de blanken in dit stadje kenden elkaar. Ondanks alle gedoe en gedraai groetten ze elkaar regelmatig, vaak bij naam. Hun kennis van elkaar had bijna iets intiems, en het was die intimiteit die Six het meest van zijn stuk bracht. Deze mensen kenden elkaar vermoedelijk al hun hele leven en toch had de een de macht om van de ander te verlangen dat hij in de goot stapte en was die ander gedwee genoeg om dat nog te doen ook.

Ze waren aan het eind van de grootste winkelstraat gekomen. Hier hielden de trottoirs op en verbreedde de straat zich tot een autoweg. Naarmate Grist verder van het stadje wegreed, verdwenen ook de blanken uit beeld. Na zo'n anderhalve kilometer passeerden ze een negerin die met een stok een ezel voortdreef. Ze had een mannenpet op, die ze diep over haar voorhoofd had getrokken. Ondanks de regen van de vorige avond was de aarde droog en warrelden er rode stofwolkjes op rond de voeten van de lopende vrouw. Er hing een bel om de nek van haar ezel. Six herkende die als de bron van het geklingel dat hij de vorige avond had gehoord en vroeg zich af of dezelfde vrouw haar ezel dag en nacht over deze wegen dreef, zonder ooit ergens vandaan te komen of ergens te hebben om heen te kunnen gaan.

Aan weerszijden van de onverharde weg stonden bomen met lange geveerde bladeren die als haren omlaaghingen en de grond raakten. Er doemde een wit, houten gebouwtje op. Het kerkje was omgeven door stronken en bruine plukjes platgereden gras, niet zozeer een parkeerplaats alswel een verbreding van de weg. Zelfs het eenvoudige houten kruis bij de deur zag er provisorisch uit. Het kerkje had geen bordes bij de ingang, zoals dat hoorde bij een kerk, zodat de gemeenteleden daar na de dienst op konden blijven staan en door de hele buurt konden worden bewonderd in hun zondagse goed.

Er stonden een paar vrouwen voor de deur. Hun stemgeluid dreef door de open raampjes de auto in, vergezeld van een noterige, olieachtige geur. De vrouwen draaiden zich naar hen toe toen ze het geluid van de motor hoorden en knepen hun ogen dicht tegen de zon.

'Dat is 'm! Dat is 'm!' riep een van de vrouwen uit en zwaaide met beide armen boven haar hoofd toen ze het geluid van de automotor hoorde.

Dominee Grist reed de parkeerplaats van de kerk op.

'Prijs de Heer! Jezus zij geprezen! Bent u daar?' zei de vrouw.

'Wat kunnen we voor u doen, zuster?' vroeg dominee Grist terwijl hij uitstapte.

Bij daglicht leek Coral niet op de vrouw met wie Six de vorige avond had gebeden. Er zaten grijze lokken in haar haar, dat in vier vlechten was gebonden, twee aan beide kanten van haar hoofd. In haar voorhoofd zaten drie diepe rimpels.

'Dominee Six,' zei ze. 'Kom er 'ns gauw uit en laat me 's naar u kijken!'

De andere vrouwen mompelden wat en kwamen naar de auto toe.

'Jullie zaten in die grote tent, dus jullie hebben 'm niet gezien. Kom 'ns deze kant op, dan kunnen m'n vriendinnen u zien!' zei Coral.

Six had geen zin om zich tussen de drom slonzige vrouwen te begeven die zich vooroverbogen om in de auto te kunnen gluren.

'Goeiemorgen mevrouw,' zei Six. Hij wou dat dominee Grist ze weg zou sturen. Coral stak haar arm door het raampje naar binnen om Six' handen in de hare te nemen. Haar handen waren klam, zodat hij de zijne aan zijn broekspijpen wilde afvegen.

'Bedankt, dominee Six, bedankt!'

'Rustig maar, zuster. Wat is er allemaal aan de hand?' vroeg dominee Grist. Hij gebaarde dat Six moest uitstappen. 'Gun die jongen een beetje ruimte alstublieft.'

Six haalde diep adem en pakte de hendel van het portier. Zuster Coral riep uit: 'Hij heeft mijn zus genezen!'

Corals vriendinnen vielen haar bij. 'Ik heb 't met m'n eigen ogen gezien. Ze is opgestaan en zit nou achter bij Baby Sugar!' zei een van hen.

'Ze had in geen maanden ook maar een voet buiten d'r bed gezet!'

'Ze is weer zo fris als een hoentje!'

'En ik heb aan iedereen verteld dat u d'r genezen hebt, dominee Six,' voegde Coral eraan toe. 'Ze zeiden: "Hoe komt 't dat Regina weer op de been is?" En ik heb ze verteld dat 't door u komt. Ik heb 'r net naar huis gebracht om even te rusten, maar ze komt vanavond naar de bijeenkomst. Moge God u zegenen, dominee Grist!'

'Prijs de Heer, zuster. Vergeet niet Hem te bedanken die alle wonderen werkt,' zei Grist.

'Ik heb de hele nacht en de hele ochtend Jezus gedankt en bejubeld. Ik kwam gisteravond thuis en daar zat Regina rechtop in d'r bed! Ze zat daar gewoon en vroeg waar ik heen geweest was en of d'r wat te eten in huis was. Ze eet al ik weet hoelang niks meer behalve als ze 't door d'r strot gedouwd krijgt.'

'Laten we samen een dankgebed uitspreken,' zei dominee Grist, die zijn hoofd boog.

Six zei niets, ook al wist hij dat ze wel een woordje van hem verwachtten. Hij wist niet zeker of Grist in zijn wonder geloofde. Het was wel zo dat hij zuster Coral in zijn lichaam had gevoeld en dat hij de diepte en omvang van haar pijn had gevoeld, alsof het iets tastbaars was wat hij in zijn hand kon houden. En het was ook zo dat hij toen hij diep in gebed verzonken was iets van een ziekbed had gevoeld, geen visioen ervan, maar een nabijheid van bezwete lakens, lamlendigheid en het benauwde gevoel opgesloten te zijn in een kamer met een zieke. Hij was ervan uitgegaan dat het zijn eigen ziekbed was dat hij zich herinnerde. Dat gevoel had maar kort geduurd, maar... Het zou kunnen dat die mevrouw zich gewoon wat beter voelde. Ook Six had de dood in de ogen gekeken en toch was hij hier, en daar was echt geen wonder aan te pas gekomen.

Hij was zo in zijn gedachten verdiept dat hij niet had gemerkt dat de dominee klaar was met bidden. Een van de vrouwen zei: 'Moet je toch zien. Dominee Six is helemaal verzonken in de Heer. Hij merkt geeneens wat van deze wereld.'

'God zegene 'm,' viel iemand haar bij.

Hij bleef met zijn hoofd omlaag zitten omdat hij niks hoefde te zeggen zolang ze dachten dat hij zat te bidden, en omdat hij had bedacht dat hij misschien wel wilde zijn waar ze hem voor hielden. Zijn hele leven lang had hij aandacht gekregen van vrouwen omdat ze met hem te doen hadden. Dit keer kwam het doordat ze ontzag voor hem hadden.

'Goed, zusters, we zien u, zo God het wil, allemaal straks,' zei dominee Grist.

Ze reden weg van de kerk.

'Ruik je dat?' vroeg Grist.

Six knikte.

'Dat is de geur van katoen. Rijpe katoen,' zei hij.

Op de weidse velden voor hen wuifden stelen met witte bolletjes aan de uiteinden in de wind.

'Dominee,' vroeg Six, 'wat is een boll weevil?'

'Een boll weevil? Waar heb je dat gehoord? Dat is ongedierte, even verderfelijk als de sprinkhanen in de Bijbel. Ze vreten alle katoenbolletjes op. Waarom wil je dat weten?'

Six haalde zijn schouders op.

'Je moeder twijfelde of het wel een goed idee was je hierheen te sturen. Wist je dat?'

'Nee, dominee.'

'Ik zie haar weinig in de kerk,' zei Grist. 'En als ze wel komt en de mensen beginnen in tongen te spreken, dan kijkt zij ze aan alsof ze twee hoofden hebben.'

Ze reden een tijdje in stilte door.

'Ik hoop dat ze op een goede dag de Heer zal vinden,' zei de dominee.

'Dat hoop ik ook,' zei Six.

'Heb jij de Heer gevonden, Six?'

'Dat weet ik niet,' antwoordde hij zacht.

'Nou,' zei de dominee, 'als het wel zo was zou je het wel weten. Het is niet iets waar onduidelijkheid over kan bestaan.' En dan: 'Ik geloof niet dat jij vanavond moet spreken.'

'Hoezo, dominee?' vroeg Six.

'We hebben alleen vanavond en morgen nog op deze opwekking. Ga naar de grote tent en luister wat daar gezegd wordt, en misschien vindt de Heer je dan wel.'

'Ja, dominee.'

De dominee had gelijk wat betreft de hoeveelheid mensen die op zaterdag naar de opwekkingsbijeenkomst kwam. Even na drieën kwamen de eerste mensen al aanzetten, lopend of in de propvolle laadbak van een pick-uptruck. Ze hadden manden met gebraden kip, tassen met maïskoekjes, appels en perziken, en kannen met water en ijsthee bij zich. Voordat de tenten opengingen, zaten de mensen in het gras en stalden hun eten uit op kleedjes. Van tijd tot tijd klonk er een opgetogen kreet en liepen twee vrouwen met uitgestrekte armen op elkaar af.

Six keek door een kier tussen de dichtgetrokken flappen van de grote tent naar de picknickende mensen. Coral had het halve stadje over zijn wonder verteld. Binnen een paar uur was het nieuws doorgedrongen tot de huizen waar de bezoekende predikers logeerden. Alle acht kwamen voorafgaand aan de avondbijeenkomst bij elkaar om hun plan van aanpak te bespreken. Tot Six' grote vreugde mocht hij er ook bij zijn. De predikers zouden hem kunnen vertellen of hij Coral echt genezen had. Ze zouden hem kunnen vertellen waarom hij die goddelijke inblazingen kreeg. En misschien konden zij die wel uit hem bidden.

Six zat naast dominee Grist toen de voorzitter de vergadering opende.

''t Is niet aan ons om te besluiten hoe de Heer Zijn dienstknechten roept, en wie dat mogen wezen,' zei hij.

'Amen. Zo is het,' stemde een dominee in. De anderen zwegen, totdat een jonge prediker zei: 'Jullie weten allemaal dat deze jongen niemand heb genezen!'

'Regina beweert anders van wel. Ik heb d'r zelf opgezocht. Ze ziet 'r aardig gezond uit,' diende de hoofdpredikant hem van repliek.

'Eén ding staat vast: die jongen gaat vanavond niet de kansel op.'

De dominees, van wie de meeste het hier mee eens waren, keken naar Six en knikten.

'Ho ho, wacht even. Ik denk dat er vanavond heel wat mensen komen omdat ze het hebben gehoord over Regina,' zei de voorzitter.

'Je moet die jongen naar huis sturen. Hij brengt enkel onrust!'

Weer werd er geknikt.

'Precies, stuur hem naar huis! Al dat geharrewar!'

'Er is in het huis des Heren geen plaats voor afgunst, broeders,' zei de hoofdpredikant.

'Afgunst? D'r is echt niemand jaloers op een kleine...'

'Het geval wil,' kwam dominee Grist tussenbeide, 'dat de jongen zelf niet zeker is van zijn roeping.'

De voorzitter keek dominee Grist strak aan. 'U hebt die jongen hierheen gebracht, maar hij is er zelf niet zeker van?' zei hij.

'Ik wist dat niet. En ik denk hijzelf ook niet.'

Een van de mannen sprong op van zijn stoel. 'Zet hem op de eerste de beste bus naar het Noorden!'

De gezichten van de predikers waren vertrokken van woede. Dominee Grist legde zijn arm om Six' schouders. Six was bang dat ze hem de tent uit zouden jagen. Hij had geen rekening gehouden met de mogelijkheid dat de dominees zo kwaad zouden zijn. Hij had niet verwacht dat één genezing, één allerminst zekere genezing, zoveel haat jegens hem zou oproepen.

'Wat doet hij hier eigenlijk?' riep de boze prediker uit.

Hij stond zo plotseling op dat zijn stoel achterover kieperde en op de aarden vloer viel. 'Dat joch schopt ons hele werk in de war!' Op dat ogenblik begreep Six dat hij iets bezat wat de predikers wilden hebben, en dat dit hem macht gaf in hun midden. Hij was nog nooit zo machtig geweest tussen anderen.

Uiteindelijk werd besloten dat dominee Grist Six na afloop van de opwekkingsbijeenkomst terug zou brengen naar Philadelphia. De jongen werd in afzondering gehouden, eerst in de auto van dominee Grist, waar zijn littekens allemachtig jeukten en het zo warm was dat hij dacht dat hij flauw zou vallen. Later verborgen de predikers Six achter de grote tent. Om vijf uur begon de opwekkingsbijeenkomst en stroomden de mensen toe. De tent vulde zich met de geur van pommade en zelfgemaakte zeep. Six kon wel huilen van eenzaamheid. De mensen waren rusteloos als jonge veulens. Ze zinderden van verwachting. De kinderen duwden en trokken aan elkaar, en hun moeders gilden dat ze stil moesten zitten. Door een kier aan de achterkant van de tent kon Six een deel van het publiek en de dikke nekken van de predikers zien. Een van de organisatoren kwam het podium op, ging voor in gebed en kondigde de sprekers aan. Na hem kwam een vrouw met een prachtige altstem die 'Groot is Uw Trouw, o Heer' zong.

Ze was een pronte verschijning, zo struis en stevig dat je haar nog niet met een sloopkogel omver zou krijgen. Het lied klonk uit haar op als een stoot van de misthoorn van een van de schepen die in de Navy Yard in Philadelphia lagen. Even groots en moeiteloos. Er was ook een tamboerijn bij, maar de vrouw overstemde elk ander geluid. Haar stem stroomde de tent uit, over de rode zandweg en tussen de bomen door, hij wekte de vogels en deed de stenen trillen. Ze vertraagde en hield de noten langer aan, waarop de mensen eerbiedig stopten met meeklappen, hun adem inhielden en het lied over zich heen lieten komen.

Six hurkte neer in de modder. Het enige wat hij van de gelovigen kon zien waren hun schoenen. De meeste waren afgetrapt, met vale plekken op de neus en een verse laag schoensmeer. Op sommige zat de modder dik aangekoekt en soms had de drager een laag vuil om de enkels. Een witte instapper tikte mee met de maat van de muziek. Bij de teen zat een donkere veeg, iets roodachtigs en glibberigs dat deed denken aan een ander paar bevlekte instappers, dat Six had gezien op de middag dat hij die jongen in Philadelphia in elkaar had getrapt.

'Ophouden. Six! Ophouden!'

Six herinnerde zich een diepe mannenstem die oversloeg van het schreeuwen.

'Ophouden! Ga van hem af!'

De stem had hem ontnuchterd. Six was met een schok weer tot zichzelf gekomen, en alle kracht was uit hem weggevloeid. Hij had er slap bij gehangen, met gebogen hoofd en zijn kin bijna tegen zijn borst. En toen hij naar links keek, had hij een witte schoen gezien die met iets donkers was besmeurd.

Om hem heen heerste grote opschudding. Six' armen deden zeer, zijn knokkels schrijnden, en boven aan zijn rug voelde hij een felle pijn, alsof zijn spieren lange tijd gespannen waren geweest. Zijn hart daverde in zijn borstkas. Het bonzen vulde zijn hele lijf, zijn ribben konden een hart dat zo tekeerging niet bevatten. Grindsteentjes drukten door zijn broek heen tegen zijn knieën. Het was alsof Six buiten zijn lichaam was getreden en bij terugkeer had gemerkt dat er een puinhoop in was aangericht.

Er werden twee sterke armen onder zijn oksels gestoken, waarna hij overeind werd gerukt. De witte instappers werden aan zijn zicht onttrokken en er was nu niks meer om zijn ogen op te laten rusten, zodat hij maar omlaag keek, en Avery zag liggen met een bont en blauw geslagen gezicht waarnaast in een plasje bloed een tand lag. Zijn ogen zaten dicht en zijn hoofd was gedraaid, zodat een wang op het trottoir rustte. De andere wang was zo diep opengereten dat er een stukje wit bot zichtbaar was tussen het glimmende rode vlees. Six keek naar zijn voeten en zag dat die om Avery geklemd zaten. Hij keek naar zijn handen. Zijn linkervuist was gebald en in zijn rechterhand had hij een bebloede brok beton zo groot als een sinaasappel.

De mensen die zich hadden verzameld stonden te schreeuwen en tegen elkaar aan te duwen. Er knielde een man naast Avery neer en uit het gedrang maakte zich een huilende vrouw los. Ze keek Six met zoveel haat aan dat hij achteruitdeinsde. Ze wees naar hem en twee oudere jongens stormden naar voren en stortten zich als hondsdolle honden op Six. Een paar mannen trokken hen weg. De vrouw was de moeder van Avery en de jongens waren neven van hem die hem te hulp schoten, al waren ze in alle jaren dat hij was gepest nooit voor hem opgekomen.

Six bevond zich in Greene Street, twee straten van huis. De man die hem van Avery had afgetrokken en nog een andere omstander, allebei mannen die Six al heel wat jaren in de buurt had zien rondlopen, namen hem tussen zich in en brachten hem naar huis.

'Jongen, wat bezielde je?' vroeg de ene.

'Je hebt hem flink toegetakeld,' vulde de ander aan.

En tegen elkaar: 'Die Avery is maar een klein opdondertje.'

'Dit jochie ook.'

De buren van Six staarden hem na. Hij bedacht dat Avery best eens dood zou kunnen gaan. Een van de mannen klopte op de voordeur, waarop Six besefte dat hij thuis was. Hatties mond viel open van verbazing toen ze hem zag.

'Wat is er met mijn zoon gebeurd?'

'Het zit precies andersom, mevrouw Shepherd.'

Ze legden haar uit wat hij had gedaan. Hattie bekeek zijn bebloede handen, zijn van het zweet glimmende gezicht en de scheur in de knie van zijn broek. Ze sloeg haar armen over elkaar en haar mond verstrakte. De bezorgdheid in haar ogen verdween, maar de angst bleef en de woede nam toe, die sluimerende woede die als een donderwolk kon losbarsten, waarop alle Shepherds altijd een goed heenkomen zochten. Hattie bedankte de mannen en nam Six mee naar binnen.

'Klopt dat allemaal?' vroeg ze.

'Ik weet niet... ik weet niet precies wat er gebeurd is,' antwoordde Six.

'Je zit onder het bloed.'

Six keek naar zijn hand en begon te huilen.

'Denk erom, ik wil geen traan op jouw gezicht zien... begrepen? Niet één traan.'

Six stond trillend als een riet voor zijn moeder. 'Ik heb het niet expres gedaan,' zei hij.

Hattie sloeg Six zo hard als ze kon in het gezicht. Hij viel tegen de muur. Ze kwam met van woede gebalde vuisten op hem af.

'Hiervoor kun je zomaar in de gevangenis terechtkomen. Ze kunnen je zo meteen komen arresteren! En dan sta jij me te vertellen dat je het niet expres hebt gedaan? Alsof er ineens iets in je voer en je voor je het wist...'

Hatties adem stokte en haar hand schoot naar haar mond. 'O!' zei ze. 'O hemel. Wat gebeurt er bij jou vanbinnen?' Hattie keek haar zoon aan. 'Je kunt het niet tegenhouden, hè?' Six schudde van nee. Zijn moeder stak haar hand naar hem uit. Haar vingertoppen talmden even bij de littekens vlak boven de boord van zijn overhemd. 'Ik weet niet hoe ik je kan helpen,' fluisterde ze.

Six was bang dat Hattie zou gaan huilen, maar ze haalde een keer diep adem, draaide zich om, en pakte haar tas en hoed uit de gangkast.

'Ga je wassen,' zei ze. 'Blijf binnen. Doe de deur achter me op slot en laat niemand erin.'

Toen Hattie samen met August terugkwam was het al bijna donker. Six had zich in de kruipruimte onder de trap verstopt. Hij hoorde keukengeluiden: stromend water, iets wat siste in een koekenpan. Daarna het getik van vorken op borden. Hatties benen verschenen in zijn blikveld.

'Kom je nou nog eten of hoe zit dat?' vroeg ze, even kortaf en kwaad als altijd.

Hij reageerde niet. Hij verwachtte dat ze zich zou bukken en hem uit zijn schuilplaats zou sleuren. In plaats daarvan schoof ze een bord met gebakken eieren zijn hol in. In de eetkamer vervolgde de rest van het gezin de maaltijd nagenoeg in stilte. Zodra ze klaar waren, stuurde Hattie ze allemaal naar bed. Hij hoorde de voetstappen van zijn broers en zussen boven zijn hoofd toen ze de trap op gingen. Hattie zou iets vreselijks met hem gaan doen, dat stond vast.

'Hé!' Six schrok op. Bell zat op haar hurken voor hem. 'Laat me je handen eens zien,' fluisterde ze.

'Iedereen naar bed, heb ik gezegd!' schreeuwde Hattie vanuit de eetkamer.

Bell rende de trap op, achter de anderen aan.

'Oké, Six,' riep Hattie. 'En nu kom je eruit.'

'Kom er maar uit, jongen,' zei August.

Six kroop langzaam naar buiten. Zijn spieren deden pijn van het gevecht en van het opgevouwen zitten onder de trap. Hij was nog nooit zo moe geweest. Hij betwijfelde of hij de kracht zou hebben op zijn benen te staan. Het licht in de eetkamer was te fel. Hattie zat aan de ene kant van de tafel en August aan de andere.

'We zitten flink in de penarie,' zei August. 'Ze hebben die jongen naar het ziekenhuis gebracht. Zijn moeder komt hier vast en zeker naartoe om je op je falie te geven, als die twee neven van 'm haar niet voor zijn.'

Six rilde van opluchting. Hij had de hele middag in angst gezeten dat hij iemand vermoord had, dat Avery dood op straat lag en zijn moeder bij zijn lijk stond te jammeren.

'Wij moeten de ziekenhuisrekening van die jongen betalen, Six. Maar ze gaan de politie niet inschakelen. Dat is dan een meevaller,' zei August. 'Al komt dat enkel doordat zijn vader in zoveel louche zaakjes zit dat als oom agent bij ze langs zou komen, ze hem waarschijnlijk een flinke douw zouden geven.'

Hattie zat als versteend in haar stoel.

'We zullen wat moeten verzinnen, want die neven willen je terugpakken en de vader van dat jong misschien ook wel, en die heeft een heleboel foute vrienden. Ik denk dat we jou hier een tijdje uit de buurt moeten houden.' August wendde zich tot Hattie. 'Misschien kunnen we 'm naar Pearl sturen. Die heeft een huis zo groot als dit hele blok.'

Hattie keek August aan met een blik die een trein tot stilstand zou hebben gebracht. Hij liet zich achteroverzakken in zijn stoel.

'Nou ja, we moeten wel iets doen,' zei hij.

'Ik heb gevraagd of dominee Grist langs wil komen.'

'Hattie, we zijn sinds de paas al niet meer in de kerk geweest.'

'Six wel,' snauwde Hattie.

Toen de dominee aanbelde, stuurde Hattie Six naar bed. Maar toen hij halverwege de trap was, riep ze hem terug. 'Waar kwam het door?' vroeg ze.

Six keek naar zijn voeten en schudde zijn hoofd. Hij wilde haar niet vertellen wat Avery gezegd had. Six was hem na schooltijd op weg naar huis voorbijgelopen. De jongen was bezig geweest de schoolboeken op te rapen die een stel pestkoppen uit zijn armen had gestoten. Six wist niet waarom hij bij Avery was blijven stilstaan en een boek had weggetrapt dat de jongen wilde oppakken, maar het was over het trottoir geschoten en in een plas bij de stoeprand beland.

'Jouw moeder Hattie is een hoer,' had Avery gezegd terwijl hij zijn boek in het drabbige water zag wegzakken. Hij had haar voornaam gebruikt. Hij had gezegd dat hij haar had gezien met een man die zij openlijk op een straathoek had gekust en dat de hele buurt het er nu over had dat ze een vrouw van lichte zeden was geworden omdat August geen knip voor zijn neus waard was. Dat was wat Avery gezegd had. Dat zijn moeder een hoer was en zijn vader geen knip voor zijn neus waard. Six kon toch niet toelaten dat dat onderdeurtje, die slappeling, zo over Hattie sprak?

Six was van plan geweest hem alleen een goeie klap op zijn bek te geven, maar toen hij Avery raakte viel de jongen achterover en wou hij niet meer overeind komen. Hij lag daar midden op de stoep naar Six te kijken met iets gemeens, iets reptielachtigs, in zijn ogen. En hij bleef hem maar sarren. Hij lag gestrekt op de stoep, maar hij bleef fluisteren: 'Hoer, hoer.' Naast Avery's hoofd lag een brok beton op de grond. Six had het gepakt en zich op de jongen gestort. Hij was Avery ermee te lijf gegaan alsof die de verpersoonlijking was van alle slechte dingen uit heden en verleden. Hij had met dat stuk steen op hem ingebeukt alsof Avery het kokendhete water was dat hem had verbrand. Alsof hij elke medelijdende blik was, elke gemene streek die hem door zijn schoolgenoten was aangedaan. Hoe harder Six op Avery in sloeg, hoe machtiger hij zich voelde. Zijn arm kwam keer op keer neer, alsof hij een deel was van een machine. Zijn lijf bewoog zich zoals dat van normale jongens. Hij was onoverwinnelijk en volmaakt.

Hattie zuchtte diep. Ze hief haar hand alsof ze een kneepje in zijn schouder wilde geven, of hem nog een klap wilde verkopen – Six wist niet welke van de twee – maar ze bedacht zich en liet hem weer zakken.

'Ga maar naar bed,' zei ze.

August en dominee Grist kwamen de huiskamer binnen.

Ze zagen Six de trap op lopen.

'Kom eens naar beneden, jongen,' zei August.

Six bleef staan maar draaide zich niet om naar zijn vader.

'Laat hem maar, August,' zei Hattie. 'Laat hem nou maar.'

De zangeres beëindigde haar lied. Six zat op zijn knieën op de grond achter de tent. Hij had dat reptielachtige in Avery's ogen als een afspiegeling van zijn eigen lelijkheid herkend. Hij wou dat hij anders was. In zijn zwakke lichaam huisde een zwakke, valse geest. Terwijl Six op hem inbeukte, had Avery hem aangekeken tot zijn ogen dichtzaten. Ze waren twee wrede zielen, verbonden in geweld. Het was niet meer dan toeval geweest dat hij die keer de bovenhand had gehaald. Ze waren allebei zwakke, onbeduidende jongens en dat was waarom ze waren geworden zoals ze waren.

'Vader,' zei Six hardop. 'Ik moet U vergiffenis vragen voor wat ik Avery heb aangedaan, maar ik weet niet precies hoe berouw voelt.' Six liep al snikkend en biddend naar het groepje bomen waar hij zich de vorige avond verstopt had, en voelde het gewicht van zijn kleine, wrede hart op hem drukken.

Er stapte een vrouw uit het halfdonker naar voren. 'U ben degene die de zus van Coral genezen heb, toch?'

Ze droeg dezelfde fel kanariegele jurk waarin hij haar de vorige avond had gezien, even onmogelijk te missen als twee cimbalen die tegen elkaar geslagen worden. Ze had slanke benen met sierlijke enkels en fraai geronde kuiten. Six keek naar haar en knipperde met zijn ogen.

'U ben het toch? Dominee Six?' vroeg ze nog eens.

'Ik ben geen dominee,' zei hij zachtjes.

'Wat zegt u me nou?'

De vrouw in het geel stapte naar hem toe. Ze was zo klein dat haar kruin ternauwernood tot zijn kin zou zijn gekomen. De stof van haar jurk bewoog terwijl ze liep en drukte even tegen haar lichaam, zodat de ronding van haar heupen en de lengte van haar dijen zichtbaar werden.

'Waarom ben u niet daar binnen aan het preken?' vroeg ze, naar hem opkijkend. 'Ik ben bij Coral langsgeweest. Ik heb Regina in geen tijden zo fris gezien.' Ze kwam nog wat dichterbij. 'Ik heb gehoord dat u d'r geeneens heb aangeraakt.'

Haar jurk was vrij netjes, en zeker niet laag uitgesneden, maar vlak onder de halslijn zag je toch vaag de contouren van haar borsten. Haar sleutelbeenderen liepen schuin naar elkaar toe.

'Zeker weten dat ze genezen is,' zei ze.

'Ik weet niet of het iets met mij te maken had. Het kan ook gewoon geluk geweest zijn,' zei hij.

'Als u niet aan het preken ben, praat u wel zachtjes, zeg. Ik heet Rose,' zei ze. 'Ik ben vanavond gekomen omdat m'n moeder al 'n tijdje ziek is. Ze gaat al weken niet naar d'r werk en ligt maar wat thuis op bed. Elke dag zegt ze dat ze weer ergens anders pijn heb. Zou u voor d'r kunnen komen bidden? U was geeneens bij Regina en ze is toch beter geworden. Als u uw hand oplegt bij m'n moeder, weet ik zeker dat ze daarna niks meer zal mankeren.'

Six slikte en knipperde nogmaals.

'Het is vlakbij,' zei ze.

Rose draaide zich om en liep snel in de richting van de weg. Hij bleef in het halfdonker staan en bedacht dat hij haar moest naroepen: 'Ik denk niet dat ik iets voor je moeder kan doen!' Maar tegen de tijd dat hij besloten had iets te zeggen, was ze al te ver vooruit.

Na twintig minuten kwamen ze bij een klein huis van ongeverfd hout. De vrouw in de gele jurk, een meisje eigenlijk nog, maar een paar jaar ouder dan Six, liet hem wachten op de veranda.

'Wacht hier,' zei ze. 'Ik ga even kijken of mama wakker is.'

Ik heb hier niks te zoeken, dacht Six. Er ligt een vrouw in dat huis die hulp nodig heeft, echte hulp. Maar wie zou haar met raad kunnen bijstaan? De dominees waren jaloers en kibbelden onderling, die stonden niet dichter bij God dan Six. Rose kwam de veranda weer op. Ze keek hem met zoveel verwachting en eerbied aan dat hij haar niet wilde teleurstellen, en wilde zijn wat zij dacht dat hij was. Ze bracht hem via een verduisterde huiskamer naar een slaapkamer die meer naar droefenis dan naar ziekte rook. Op een stromatras op de vloer lag een vrouw op wie zilveren maanlicht viel. Six zag haar scepsis en haar uitputting.

'Is ie dat?' zei ze tegen haar dochter.

'Ja, mama,' antwoordde het meisje.

De vrouw wendde zich af. Six voelde de kracht niet van binnen, maar hij herinnerde zich de geestelijken die hem waren komen bezoeken toen hij in het ziekenhuis lag en hoe die bij zijn bed waren neergeknield. Hij ging naast de stromatras van de vrouw op de grond zitten. Rose keek vanuit de deuropening toe.

'Wat scheelt eraan, mevrouw?' vroeg hij.

'Daar snapt een jong broekie als jij toch niks van.'

'God begrijpt alles, mevrouw. Of ik het begrijp of niet, doet er niet toe,' zei hij. 'Uw dochter zegt dat u allerlei pijnklachten heeft.'

Ze zei niks terug. Six bekeek de kamer eens wat beter. Overal zag hij planten. Ze groeiden uit hun potten die aan het plafond hingen, en ook de vensterbanken waren propvol gezet.

'Zo te zien hebt u groene vingers,' zei hij.

De vrouw draaide haar hoofd naar een bloeiende plant vlak bij haar stromatras. De witte bloemen glommen in het zilveren licht. Hattie had ook kamerplanten. Zingen deed ze zelden, maar ze neuriede wanneer ze haar planten verzorgde. Six vroeg zich af of deze vrouw dat ook deed. Hij reikte naar een van de bloemen, waarop de moeder van Rose rechtop ging zitten en met krachtige stem zei: 'Daar moet je niet aankomen. Die is kwetsbaar.' Ze was minder ziek dan ze dacht dat ze was. Dat besef gaf Six moed.

'U moet wel veel van deze planten houden, anders zouden ze het nooit zo goed doen. U hebt ze vast gekregen toen het nog maar kleine stekjes waren, en ze met liefde en aandacht opgekweekt.'

'Dat klopt wel,' zei de moeder van Rose.

'Zo gaat de Heer ook met ons om. De planten staan buiten op het land, zoals wij op de aarde zijn. Hij strekt Zijn hand uit en laat ze groeien.'

Voor het eerst sinds hij was binnengekomen keek ze Six aan.

Misschien, dacht Six, was niets helemaal goed of helemaal heilig. Misschien werd het goede alleen maar indirect en via onwaarschijnlijke wegen bewerkstelligd, bijvoorbeeld door schijngenezingen of een kamer vol boze, jaloerse mannen met bijbels, die desondanks bedroefde mensen trokken en hun gemoed voor een paar dagen verlichtten. Het kon zijn dat dit ook voor Six gold en dat ook hij iets slechts was dat ten goede werd gebruikt. Misschien dat hij toch een zwaard kon zijn.

'Denkt u niet dat de Heer minstens zoveel om u geeft als om een piepklein madeliefje?'

'Ik weet niet waar ie wel of niet om geeft.'

'Zuster, ik ga niet proberen u ervan te overtuigen dat God van u houdt. Ook al zien we zijn wonderen overal om ons heen, en als wonderen geen liefde zijn, tja, dan weet ik niet wat wel. Ik weet dat u gelooft dat God deze planten heeft gemaakt. Toch?'

'Tuurlijk.'

'Laat mij dan met u bidden. Meer vraag ik niet. Laten we samen bidden en laat Hij u Zijn genade tonen.'

Six pakte haar hand en bad. Hij bad, hoewel hij zich ditmaal veel meer dan bij zuster Coral bewust was van zijn bedoelingen en niet meer dan een klein beetje van de goddelijke vonk voelde. De mensen in het stadje zeiden dat Six een bijzondere gave had, en nu probeerde hij die gericht te gebruiken en er als een toverstaf mee over de moeder van Rose te zwaaien. Hij wilde dat Rose zou zien dat hij haar genas. Hij wilde een werktuig Gods zijn, ook al was het beschadigd.

Net als de vorige avond wist Six niet wat hij moest doen toen hij klaar was met bidden, dus stond hij abrupt op en verliet de kamer. Hij liep naar de achterkant van het huis en ijsbeerde wat over het achterplaatsje. Na een paar minuten kwam Rose naar buiten.

'Wilt u iets te eten?' vroeg ze.

'Nee, dankjewel,' zei hij.

'M'n moeder ligt binnen te janken als een pasgeboren baby.'

De huid van Rose zag er in het maanlicht uit als vloeibare caramel.

'U moet toch minstens een glas fris drinken voor u weggaat,' zei ze.

Ze pakte hem bij de hand en nam hem mee naar de huiskamer. Het buitenlicht van de veranda scheen door het raam naar binnen. Rose ging vlak naast hem zitten op de lage bank. Six rook de schoneklerenlucht van haar huid. Ze kuste hem. Haar lippen waren droog, met kleine kussentjes erop. Six tuitte zijn lippen stijfjes, alsof hij over een lepel hete soep blies. Hij legde een hand op haar schouder en de andere op de rug van de bank. Hij voelde zich onhandig. Ze boog zich naar hem toe, deed haar lippen van elkaar en ademde in zijn mond. 'Gewoon ontspannen,' zei ze. Hij dacht aan haar zoals hij haar voor het eerst gezien had, in de natte gele jurk die tegen haar dijen plakte. Hij voelde onder haar rok. Haar huid was zacht als voorjaarslicht. Haar beenspieren bewogen onder zijn vingers toen ze haar jurk uittrok en schrijlings op hem ging zitten.

Eerder op de dag had Six de predikers horen zeggen dat er een hulppastor zou moeten komen in het stadje. Hij zou aanbieden die functie op zich te nemen en ze zouden hem aannemen omdat de mensen in hem zouden geloven wanneer bekend werd dat hij de moeder van Rose had genezen.

Hij zou in dat stadje blijven en elke zondag preken, en de gemeenteleden zouden zeggen dat hij een gezalfde Gods was die genezende gaven had meegekregen. Hij zou zijn wat zij wilden dat hij was. Misschien deed het er helemaal niet toe of de gave van Six echt was of niet. Het was zoals dominee Grist gezegd had: 'Om welke reden ze ook komen, de Heer doet Zijn werk toch wel in hun ziel.'

'Dominee Six,' fluisterde Rose, terwijl ze zich languit naast hem neervlijde op de bank, met een lichaam dat klam was van het zweet en glinsterde in het licht dat vanaf de veranda naar binnen viel. 'Dominee Six, dominee Six, dominee Six.'

Ruthie

1951

Lawrence had net zijn laatste geld aan de lotenverkoper gegeven toen Hattie hem belde vanuit een telefooncel een paar straten van haar huis in Wayne Street. Haar stem kwam nauwelijks boven het geluid van het verkeer en het hoge gehuil van de baby uit. 'Met Hattie,' zei ze, alsof hij anders haar stem niet zou herkennen. En toen: 'Ruthie en ik zijn weggegaan.' Even dacht Lawrence dat ze bedoelde dat ze onverwacht een uurtje vrij had en wilde vragen of hij zin had naar het park te komen waar ze elkaar doorgaans troffen.

'Nee,' zei ze. 'Ik heb mijn boeltje gepakt. We kunnen... we gaan niet meer terug.'

Een uur later troffen ze elkaar in een goedkoop restaurant op Germantown Avenue. De lunchdrukte was voorbij en Hattie was de enige klant. Ze had Ruthie op schoot en voor haar op tafel lag een nog niet opengeslagen menukaart. Hattie keek niet op toen Lawrence op haar af kwam. Hij had het idee dat ze hem had zien binnenkomen en toen snel haar hoofd had weggedraaid om niet de indruk te wekken dat ze naar hem had zitten uitkijken. Naast haar op de grond stond een stoffen tas met borduursel erop, somber van tint, verschoten. Door de sluiting stak wat witte stof naar buiten. Hij voelde een golf van genegenheid opkomen

113

bij het zien van de tas, die daar slap op het linoleum stond.

Lawrence zette de tas naast zich op het bankje toen hij tegenover haar aanschoof aan het tafeltje. Over de tafel heen kietelde hij Ruthie op de wang. Hattie en hij hadden nog nooit serieus over de toekomst gesproken. O, er was in de middaguren nadat ze de liefde hadden bedreven heel wat afgezucht en -gewenst. Ze hadden zichzelf een heel leven voorgespiegeld op basis van wat-als en stel-je-voor-dat. Nu keek hij naar haar en besefte dat hun dagdromen werkelijker voor hem waren dan hij zichzelf had toegestaan te geloven.

Lawrence was niet iemand die zich liet meeslepen door idealen of hooggestemde gevoelens. Wat zijn gevoelsleven betrof had hij zich altijd pragmatisch opgesteld. Hij bezat een auto en mooie pakken en had slechts sporadisch voor blanken gewerkt. Hij had op zijn zestiende zijn familie in Baltimore verlaten en zich helemaal op eigen kracht vanaf het nulpunt opgewerkt. Hij mocht dan niet bij machte zijn geweest te voorkomen dat zijn moeder voor anderen moest sloven, hij had het zichzelf wel weten te besparen. Het grootste deel van zijn leven had dat hem het voornaamste geleken: niet voor anderen te hoeven sloven. Toen kwam Hattie op zijn pad, met al die kinderen, die hele kinderschaar, en die had geen spoortje bij haar nagelaten. Ze sprak alsof ze op een van die zuidelijke scholen voor negermeisjes uit de betere kringen had gezeten. Het was alsof ze in een leven vol armoede en vernedering was geparachuteerd dat helemaal niet bij haar hoorde. Met een dergelijke vrouw zou hij, als hij wat beter zijn best deed, een fatsoenlijke huisvader kunnen worden. Weliswaar had hij Hatties kinderen nog nooit gezien, maar hun namen – Billups, Six en Bell – klonken zo verleidelijk als de namen van buitenlandse steden. In zijn verbeelding waren ze niet zozeer kinderen alswel kleine, gezeglijke klonen van Hattie.

'Wat is er gebeurd?' vroeg hij aan Hattie. De ingebakerde Ruthie trappelde. Ze leek sprekend op hem. Volgens bakerpraatjes lijken baby's op hun vaders wanneer ze nog maar pas op de wereld zijn. Ruthie had net zo'n lichte huidskleur als Hattie en hij. Ze was lichter dan August. Uiteraard had Lawrence Hatties andere kinderen niet gezien, dus kon hij niet weten dat de meesten van hen dezelfde kleur van koffie verkeerd hadden.

'Heeft August je geslagen?' vroeg Lawrence.

'Daar is hij de man niet naar,' antwoordde ze fel.

'Iedereen kan zich laten gaan als hij zich in zijn mannelijkheid gekwetst voelt.'

Hattie keek hem geschrokken aan.

'Veel mannen tenminste,' zei Lawrence.

Hattie keerde haar gezicht naar het raam. Ze zou geld nodig hebben, zoveel was zeker, en ze zouden meer tijd samen kunnen doorbrengen nu August de waarheid kende. Lawrence zou haar ergens kunnen onderbrengen. Hij begreep dat hij nu de keuze had uit twee mogelijkheden: of meteen de benen nemen en haar nooit meer terugzien of, nu ter plekke, een degelijk en betrouwbaar man worden.

'Ik schaam me zo,' zei Hattie. 'Ik schaam me zo.'

'Hattie, luister nou. Ons kindje is toch niet iets om je voor te schamen?'

Ze schudde het hoofd. Later die avond, en nog jaren nadien, zou hij zich afvragen of hij haar verkeerd had begrepen, dat ze zich niet schaamde voor het feit dat ze een kind van hem had, maar voor iets groters, iets wat hij niet begreep, en of het feit dat hij haar niet begrepen had hun relatie niet tot mislukken had gedoemd. Maar op dat moment dacht hij dat ze alleen maar overtuigd hoefde te worden, dus sprak hij over een huis huren in Baltimore, waar hij was opgegroeid, en over hoe ze haar kinderen zouden laten overkomen uit Philadelphia, en over hoe het allemaal zou zijn.

Hattie had roodomrande ogen en ze bleef maar over Lawrences schouder heen kijken. Hij had haar nog nooit zo onrustig gezien, zo afhankelijk van hem. Voor het eerst voelde Lawrence dat Hattie van hem was. Dat was geen bezitterigheid, maar iets wat veel dieper ging. Zij was zijn verantwoording, hij was het in alle heerlijke eer en deugd verplicht voor haar te zorgen. Lawrence was veertig. Hij besefte dat datgene wat hij met andere vrouwen had meegemaakt – begeerte? verliefdheid? – geen liefde was geweest.

Hattie kon het niet geloven. Ze sloeg zijn aanbod af.

'Dit is onze kans,' zei Lawrence. 'Geloof me: we zullen er nooit overheen komen en we zullen het onszelf nooit vergeven als we dit niet doen. Lieveling.'

'Maar doe je het nog?' vroeg ze.

Lawrence had terloops wel eens iets gezegd over gokken. Hij had Hattie verteld dat hij de kost grotendeels verdiende als steward op de trein, wat jaren geleden inderdaad een paar maanden lang het geval was geweest. Door Hatties aarzelingen begreep Lawrence dat zij zijn gokgedrag minder luchtig opvatte dan hij had vermoed.

'Ik ga ermee stoppen,' zei hij. 'Ik ben eigenlijk al gestopt.

Het gaat enkel om een paar losse games als er weinig werk is op de trein.'

Hattie huilde met heftige, verwoestende snikken die haar schouders zo hard lieten schudden dat Ruthie er onrustig van werd.

'Ik ga ermee stoppen,' zei hij weer.

Lawrence ging naast Hattie op haar bankje zitten. Hij boog zich en kuste het voorhoofd van zijn dochtertje. Daarna kuste hij Hattie op de slaap, kuste hij haar tranen en kuste hij haar mondhoek. Toen ze wat gekalmeerd was vlijde Hattie haar hoofd tegen zijn schouder.

'Ik moet er niet aan denken voor de tweede keer een stommiteit te begaan,' zei Hattie. 'Ik moet er niet aan denken.'

Tijdens de vier uur die ze nu onderweg waren naar Baltimore had Hattie vrijwel geen woord gezegd. Lawrence was de enige weggebruiker en zijn groot licht boorde zich door het duister tot ver op de zwarte weg. Het was een heel donkere, stille avond, want de maan was dun als een afgeknipt stukje nagel en bood nauwelijks licht. Lawrence voerde de snelheid op tot tachtig kilometer per uur, gewoon om de motor te horen brommen en de auto vooruit te voelen schieten. Op de stoel naast hem verstrakte Hattie.

'Het is niet ver meer.' Hij kneep Ruthie even in haar mollige beentje. 'Ik hou van jou,' zei Lawrence. 'Ik hou van jullie allebei.'

'Het is een lief kind,' antwoordde Hattie.

August had het kind aangegeven als Margaret, maar Hattie en Lawrence hadden al voor haar geboorte besloten dat ze haar Ruth zouden noemen, naar de moeder van Lawrence. Toen Ruth negen dagen oud was, had Hattie haar meegenomen naar een park bij hem in de buurt zodat ze Lawrence kon zien.

'Dit is je vader,' had Hattie gezegd terwijl ze haar aan Lawrence gaf. De baby had het op een huilen gezet – Lawrence was een vreemde voor haar – maar hij had haar vastgehouden totdat ze rustig werd. 'Stil maar, Ruthiemeisje, stil maar,' had hij gezegd. Toen het bezoek was afgelopen en Hattie de baby weer meenam naar Wayne Street had hij een brok in zijn keel gekregen. In de uren en dagen voordat hij haar weer zag, dacht Lawrence onophoudelijk aan Ruthie: nu heeft ze honger, nu ligt ze te slapen. Nu ligt ze te kraaien in de armen van een man die niet haar vader is. Het was natuurlijk mogelijk dat Hattie zich vergiste en dat Ruthie toch een kind van August was, maar Lawrence wist, wist op de een of andere onlogische, onverklaarbare manier, dat ze zijn kind was.

Lawrence verstevigde zijn greep op het stuur tot zijn vingers er pijn van deden. 'Er is nooit een betere auto gemaakt dan de Buick '44. Ik heb je toch gezegd dat het een ritje van niks was?' zei hij. 'Ja, toch? Ik ben met deze wagen een keer helemaal naar Chicago gereden om mijn neef op te zoeken.'

'Dat had je me al verteld,' zei Hattie.

Er kwam een tegenligger aan. Hattie legde haar hand over Ruthies ogen zodat ze geen last zou hebben van het felle licht van de koplampen.

'Baltimore zal je bevallen,' zei Lawrence. 'Wat ik je brom.'

Hij wist niet of het waar was. Ze zouden in twee kamers in een logement gaan wonen totdat hij het geld bij elkaar had om een huis te huren. Een huis dat groot genoeg was voor al Hatties kinderen zou vijfentwintig dollar per week kosten. Dat geld kon Lawrence met gemak verdienen. Met een paar keer goeie kaarten kon hij op één avond een half-jaar huur binnenharken. Geld was niet waar hij zich zorgen over maakte, al was hij op dit moment platzak.

'Maar de mens wordt tot moeite geboren...' zei Hattie. 'Dat komt uit de Bijbel,' voegde ze eraan toe.

'Goh, dat is knap treurig. Weet je niks anders?'

Hattie haalde haar schouders op.

'Blijkbaar niet,' zei Lawrence.

Hij gaf haar met de rug van zijn hand een speels tikje op de knie. Ze verstrakte. 'Kom op, liefje. Kom op nou. Laten we proberen een beetje gelukkig te zijn. Dit is toch een fees-telijk moment?'

'Ik hou van dat vers. Het geeft me het gevoel dat ik niet al-leen ben,' zei Hattie. Ze schoof een stukje bij hem vandaan. 'Je gaat extra diensten draaien bij het spoor, toch?' vroeg ze.

'Daar hebben we het al over gehad. Je weet dat ik dat ga doen.'

Lawrence voelde Hatties blik op zich gericht, onzeker en bang. En vroeger straalde ze altijd zo, dacht Lawrence. Er hing tegenwoordig iets uitgeblusts en grauws over haar. Lawrence wilde niet dat Hattie een doorsnee vrouw was, zo'n gewone, afgeleefde gekleurde vrouw. Was hij immers niet weggegaan uit Maryland om van die types verlost te zijn? En hij was destijds toch ook met zijn ex getrouwd om-dat die de glamour had van bergkristal? Het kwam niet bij hem op dat hij zelf had bijgedragen aan de angst en onze-kerheid die Hattie zo hadden aangepakt.

Hij miste de Hattie die hij zo onweerstaanbaar had gevonden toen hij haar had leren kennen, de Hattie die een tikkeltje stug was, een tikkeltje afwerend, maar ook verontwaardigd genoeg om vol pit en sprankeling te zitten. Net verontwaardigd genoeg om haar doorzettingsvermogen te geven, net als Lawrence. En er was nog een andere kant aan haar geweest, de kant die hunkerde naar iets wat ze nooit zou bezitten, ook dat was iets wat ze gemeen hadden gehad. Een paar maanden voor ze zwanger raakte had Lawrence Hattie meegenomen naar New York. Die trip had de nodige ingewikkelde leugens vereist – Hattie had tegen August en haar zus Marion gezegd dat ze was ingehuurd als kokkin voor een feest bij een blanke vrouw thuis, ergens in een dure forensenplaats, en dat ze daar moest blijven overnachten. Marion zou de kinderen opvangen. Lawrence had niet verwacht dat Hattie zoveel last zou hebben van schuldgevoelens, maar die wierpen een schaduw over hun uitstapje, en over New York als zodanig, althans dat gevoel had Lawrence toen ze de volgende dag terugreden naar Philadelphia. Toen ze de Hollandtunnel uit kwamen had ze nog één keer omgekeken voor een laatste blik op de contouren van de stad in de ondergaande zon. Toen was ze achterover gezakt in haar stoel. 'Dat was het dan,' zei ze. Iets in de straten van New York was vertrouwd voor haar geweest. Meer dan vertrouwd, zei ze. Ze had het gevoel dat ze er thuishoorde. Lawrence begreep dat. Het kwam hem voor dat elke keer dat hij een keuze maakte in zijn leven, hij tegelijkertijd nee zei tegen iets anders. Al die dingen die hij niet kon doen of zijn, kropten zich in hem op en konden zich ieder moment roeren, en dan zou hij gebukt gaan onder de spijt. Hij had de auto op de vluchtstrook gezet en haar tegen zich aan getrokken. Zij was een kloppend hart geweest in zijn hand.

Lawrence herkende de afstandelijke, gekwelde vrouw die nu naast hem zat nauwelijks.

'Je doet alsof je hele leven één lange januarimiddag is geweest,' zei Lawrence. 'De bomen zijn altijd kaal en nergens is ook maar een bloemetje te bekennen.'

'Op een roze wolk rondzweven zou weinig zin hebben.'

'Soms wel, Hattie. Soms echt wel.'

Hij was nu verantwoordelijk voor haar. Ze zou, vond hij, toch ten minste kunnen proberen een beetje meer... per slot van rekening waren ze op deze dag, op ditzelfde moment, wel bezig samen een nieuw leven te beginnen. Lawrence had behoefte aan haar onverzettelijkheid. Hij had behoefte aan haar vastberadenheid om de zijne te versterken. Hier kwam meer bij kijken dan zijn charme, de seks, en een beetje verstrooiing. Hij moest het beter doen dan August.

Die zak. August zat altijd in nachtclubs of jazztenten. Lawrence had hem wel eens gezien in zo'n bistro waar de poenige negers kwamen. August was met een meisje. Hij was piekfijn gekleed, alsof hij de burgemeester van Philadelphia zelf was, terwijl Hattie thuis in Wayne Street de vaat mocht staan doen. August had best een behoorlijke baan kunnen vinden, maar hij verkoos uit pure luiheid om los werk te doen op de marinewerf. Een man moest zijn verantwoordelijkheid nemen. Lawrence was een verantwoordelijk mens. Wat je verder ook over hem kon zeggen, hij zorgde voor zichzelf en degenen die hem na stonden. Hij had een Buick, toch? Afbetaald en wel. En een huis in een fatsoenlijke buurt. Toen ze nog getrouwd waren had hij ervoor gezorgd dat zijn vrouw in mooie jurken rondliep, en zelfs nu ze gescheiden waren zorgde hij daar nog voor. Hij zag zijn dochter elke week en sloeg nooit een bezoekje over, tenzij er iets enorm belangrijks tussenkwam, nee, iets wat zo goed als onvermijdelijk was. Zij was zo gezond als een vis en kwam niets tekort. Er waren allerlei manieren om je verantwoordelijkheid te nemen. Misschien had hij zijn geld niet verdiend op een manier die de meeste mensen zouden goedkeuren, maar geen van zijn naasten had het ooit aan iets ontbroken.

'Je moet van de kleine dingen genieten, liefje. Kijk daar eens... vuurwerk!'

Er steeg een gouden vuurpijl op boven de boomtoppen, die boven de weg uitwaaierde in een regen van licht. 'Prachtig, hè?' zei hij. 'We moeten al dichter bij Baltimore zitten dan ik dacht.'

Hattie keurde de lichten die boven hen uit elkaar spatten nauwelijks een blik waardig.

'Zeg,' vroeg Lawrence een paar tellen later, 'vlecht jij je haren 's avonds?'

'Wat?'

'Je haar. Doe je dat 's avonds in vlechtjes en bind je het dan plat met een hoofddoek?'

'Wat is dat voor een vraag?'

'Ik wilde gewoon... ik besefte ineens dat ik het niet wist.'

'O Lawrence,' zei Hattie. Haar stem beefde. Na een lange stilte zei ze: 'Ik bind het plat.'

Wat wisten ze toch weinig van elkaars gewoontes. Ineens vond Lawrence het een beangstigend idee dat hij Hattie haar tanden zou zien poetsen, haar korset zou zien uittrekken en krulspelden in haar haren zou zien zetten. Hij had kamers voor hen gehuurd in een mooi logement. De hospita had de vloerkleedjes zelf geknoopt en de ramen waren zo schoon dat je dacht dat je je handen er dwars doorheen kon steken. Maar de wc was aan de andere kant van de gang. Dat zou onhandig kunnen zijn als Hattie midden in de nacht vanwege hoge nood de kamer uit moest. Ze zou zich ongemakkelijk kunnen voelen over haar slechte adem in de ochtend, of de zijne onsmakelijk kunnen vinden. Ruthie zou de hele nacht kunnen huilen en dan zou Hattie geïrriteerd raken, of anders Lawrence wel. En wat als hij eerst naar de badkamer ging en zij daarna, om haar gezicht te wassen, en ze zijn geuren rook? Ze zouden worden uitgekleed tot op hun lijfluchtjes, geluiden en gewoontes. Lawrence zuchtte. Ik ben een oliebol. Ik ben tien jaar getrouwd geweest! Dit soort intieme kennis is niks nieuws, absoluut niks nieuws.

Ruthie begon te jengelen.

'We moeten even stoppen, dan kan ik haar voeden,' zei Hattie.

'Nu meteen?'

'Vrij snel.'

'We zijn er bijna. Kan het niet nog even wachten?' vroeg Lawrence.

Ruthies gejengel ging over in gejammer.

'Zo te horen niet.'

Lawrence zette de auto in de berm.

'Goed dan,' zei Hattie.

'Goed,' antwoordde Lawrence.

'Tja, ik kan niet...'

'O!' Lawrence stapte uit en ging naast de auto staan.

'Lawrence!'

'O!' zei hij nogmaals en liep een stukje verder langs de weg.

Hij was boos. Ging Hattie hem straks elke keer dat Ruthie honger had de kamer uit sturen? Hij wist zeker dat ze de andere kinderen had gevoed waar August bij was. Dat waren van die dingen die man en vrouw na verloop van tijd deelden.

'Hattie,' zei hij toen hij weer instapte toen ze klaar was, 'het is toch niet nodig dat ik elke keer dat jij onze dochter wilt voeden een hele voettocht maak?'

Terwijl hij dit zei herinnerde Lawrence zich dat zijn ex, toen hun dochtertje nog een zuigeling was, altijd midden in de nacht opstond om haar te voeden. Dan haalde ze haar uit de wieg en nam haar bij zich in bed. Bij het licht van de leeslamp op het nachtkastje zag Lawrence haar dan haar nachtpon openknopen. Haar borst viel opzij als een waterzak. Hij zag de groene aders onder haar huid. Vervolgens stopte Delia de tepel in de mond van de baby. Ze deed hem dan denken aan een buidelrat of een schaap, of een ander dier met tepels. Ze had er voor hem daarna nooit meer hetzelfde uitgezien. Zelfs als ze was gekleed voor een avondje uit moest hij, wanneer hij naar haar keek, denken aan die enorme, flubberende borst. Lawrence hoopte dat hij ervan had geleerd.

'Onze dochter,' herhaalde Hattie.

Na de voeding viel Ruthie in slaap. Lawrence had haar nog niet veel meegemaakt. Tijdens de weinige middagen dat Hattie in de gelegenheid was geweest haar mee te nemen naar hun afspraakjes, had Ruthie vooral geslapen. Dan had ze hem hooguit eventjes aangekeken, om zich daarna tegen zijn borst te nestelen en in slaap te vallen. August had haar elke avond in zijn armen gehouden. August had voor haar gezongen en haar gewiegd. Op de avond van haar geboorte had August sigaren gerookt en haar ingebakerde lijfje vastgehouden. Lawrence had het nieuws pas twee dagen nadien door de telefoon te horen gekregen en haar pas te zien gekregen toen ze negen dagen oud was.

'Ze krijgt straks een goed leven,' zei Lawrence toen hij de snelweg weer op reed. 'Je krijgt een goed leven, Ruthie. Ze zeggen straks: "Daar heb je Ruthie, het mooiste meisje van Baltimore"!'

Ergens achter hen loeide een politiesirene. Hattie schrok en drukte Ruthie zo stevig tegen zich aan dat de baby in haar slaap begon te mummelen. Rode en blauwe zwaailichten flitsten over de weg en verlichtten de bomen langs de berm.

'De politie van Maryland,' zei Lawrence.

Hij minderde vaart en ging een stukje opzij toen de politieauto dichterbij kwam.

'Wat willen ze?'

Haar stem klonk hoog en ijl. Ze draaide zich om om door de achterruit te kunnen kijken.

'Hattie?' zei Lawrence. Toen de auto passeerde overstemde de sirene zijn stem. Ruthie begon te huilen. Hattie liet haar zenuwachtig op en neer dansen. Haar schouders trilden toen ze zich vooroverboog om een kus op Ruthies voorhoofd te drukken.

'Ik dacht... ik dacht dat ze ons moesten hebben,' zei ze.

'Hattie! Niemand moet ons hebben, liefje. Niemand. Dit

is onze eigen dochter. Wij hebben niks gedaan waardoor we de politie achter ons aan zouden moeten krijgen,' zei Lawrence.

Hij sloeg een arm om haar schouder.

'Wat doe ik hier?' zei ze. 'Wat doe ik hier zonder mijn kinderen?'

De kinderen waren niet alleen bang omdat Hattie weg was, maar ook omdat ze nu alleen met August waren achtergebleven. In de woonkamer zagen zijn zoons en dochters scheel van de honger. Hij had zich al uren in de keuken verschanst. 'Jullie moeten me even met rust laten, zodat ik kan nadenken,' had hij gezegd. Geen van hen had hem gestoord, maar het was inmiddels bijna zeven uur en tegen die tijd hadden ze normaal gesproken al gegeten en afgewassen.

Alice verscheen in de deuropening van de keuken.

'Papa?' zei ze.

'Wat is er nou? Ik probeer hier even rustig te zitten.'

'Hoe moet het met zondagsschool morgen?' vroeg ze.

'Zondagssch...' Het was het laatste waarvan August had verwacht dat ze ermee zou komen, maar ze was nu eenmaal een behoorlijk bijdehandje. 'Tja,' zei hij, 'daar moeten jullie maar gewoon heen, lijkt me.'

'Onze zondagse kleren zijn niet schoon.'

'Dan moet je ze wassen.'

'Er is geen zeep. Vandaag is moeders boodschappendag.'

'Gebruik maar badzeep.'

'Je kan niet met badzeep wassen! Dan gaan de vlekken er niet uit en worden de kleren helemaal stug.'

'Nou, dan zijn ze maar een zondagje stug.'

'En ze kriebelen ook.'

'Allemachtig, Alice. Dan gaan jullie maar niet.'

'Tante Marion zegt dat we in de hel komen als we niet gaan.'

'Alice, je lijkt wel een specht die op mijn kop zit te hameren. Als je een keer een zondagje overslaat kom je heus niet in de hel.'

Alice bleef met een verontwaardigde houding in de deuropening staan, haar rug kaarsrecht. August keerde haar zijn rug toe en bukte zich om te kijken wat er in de koelkast zat, ook al had hij zowat de hele middag naar de vrijwel lege schappen zitten staren. Er was niet veel meer: een beetje boter, een schaaltje met stukjes perzik, wat rugspek. August hoopte dat Alice terug zou gaan naar de woonkamer. In plaats daarvan zette ze haar handen in haar zij en zei: 'Iedereen heeft honger.

Het is moeders boodschappendag,' herhaalde ze.

August stond op het punt haar te vragen of zij wist waar Hattie de conserven bewaarde toen Franklin het in de huiskamer op een huilen zette. August en Alice vonden hem onder aan de trap met een bloedende lip en een opkomende bult op een van zijn knieën. Waar had de rest van dat zootje verdomme uitgehangen toen die jongen van de trap af lazerde? Alice achtte het nodig tegen August te zeggen dat Franklin zijn nek wel had kunnen breken. Alsof August niet wist dat deze kinderen een gevaar voor eigen leven vormden nu hun moeder er niet was. Hij haalde een zakdoek uit zijn achterzak en bette het bloed op Franklins gezicht. Er bleef een veeg op de wang van de jongen achter, maar al zijn tanden zaten er nog in en er leek niets gebroken, dus gingen ze met z'n drieën weer naar de keuken.

August zei, zo opgewekt als hij kon: 'Wat willen jullie eten vanavond?'

Alice opperde dat ze het rugspek zouden kunnen gebruiken voor een stoofpotje met sperziebonen, maar toen August haar vroeg of ze hem daarbij wilde helpen trok ze wit weg.

'Ik weet niet hoe dat moet,' zei ze. 'En bovendien hebben we geeneens sperziebonen in huis.'

'Hoezo weet je niet hoe dat moet?'

'Gewoon, ik weet niet hoe het moet.'

'Wat heb jij dan al die avonden dat je moeder eten stond te koken uitgespookt?'

Alice haalde haar schouders op.

'Leert jullie moeder jullie dan niet koken?' August floot verbaasd tussen zijn tanden.

'U weet toch dat ze niet wil dat er iemand in de keuken komt.'

Hattie had het zo geregeld dat buiten haar niemand in huis wist hoe iets moest. En wat erger was, hij had hier tot op dit moment helemaal geen weet van gehad. Er waren vast een heleboel dingen die hij niet wist.

'Wegwezen hier en neem Frank mee. En hou hem goed in de gaten. Voor je het weet loopt ie de deur uit en zó onder een auto.'

Nadat Alice de keuken had verlaten, zocht August in zijn zakken naar kleingeld. Leeg. Geen ramp, bedacht hij. Hattie had een blikje met geld voor noodgevallen – en als dit geen noodgeval was wist hij het niet meer – op de bovenste plank naast het fornuis. August peuterde het deksel ervan af. Er gleed een eenzame dollarcent over de bodem van het blikje. Hij dacht aan plekken in huis waar hij misschien geld zou kunnen vinden, zoals de zakken van zijn jasjes of broeken, maar hij had de vorige avond zijn laatste stuiver aan sigaretten uitgegeven. Hij zou naar de woonkamer kunnen gaan en onder de kussens op de bank kijken. Waar al zijn hongerige kinderen bij waren zou hij het meubilair kunnen uitkammen op zoek naar een paar stuivers.

'Floyd!' riep hij naar de huiskamer. 'Floyd!'

August doorzocht de keukenlades om te zien of er toevallig een muntje achter de vorken was gevallen. Die jongen haastte zich langzaam, zeg. 'Floyd!' riep hij weer. August haalde de inhoud van de kastjes tevoorschijn – een zak meel, wat zout en een zak gedroogde bonen die eerst uren in de week zouden moeten, als August al had geweten hoe je ze daarna moest klaarmaken – en zette die op het aanrecht alsof ze zich op magische wijze zouden samenvoegen tot een maaltijd voor zijn kinderen.

Floyd kwam de keuken in en ging tegen de deurpost staan hangen.

'Jij had ook weinig haast, hè?' August sprak op scherpe toon.

'Alice zei dat u me riep,' antwoordde hij.

'Ga jij eens even naar tante Marion en vraag of ze hierheen kan komen, of dat ze misschien nog wat kip heeft staan of zo. En niet verder vertellen,' zei August. Floyd bekeek zijn vader, de zakken meel en zout, en verliet de keuken zonder een woord te zeggen. De geluiden uit de woonkamer werden harder. August staarde peinzend naar de etenswaren op het aanrecht totdat het geschreeuw van zijn kinderen zo luid werd dat hij het niet langer kon negeren.

Hij stormde de woonkamer in en trof daar Alice en Billups aan, die aan elkaar zaten te rukken en trekken. Zodra hij binnenkwam renden de kinderen op hem af. Billups zou Alice hebben geduwd. En wie moest er nu op Franklin passen? Die was weer gevallen omdat niemand op hem lette. Waar bleef het avondeten? En wist August wel dat Floyd zomaar de deur uit was gegaan, ook al was hij de oudste en de grootste en zou hij eigenlijk op hen moeten passen? August keek de kinderen beurtelings aan. Alice, die de hardste stem had, schreeuwde: 'Waar is moeder?'

De kinderen vielen stil.

August wist zo snel geen geloofwaardige leugen te verzinnen, dus koos hij de eerste de beste die hem te binnen schoot.

'Ze is naar tante Marion gegaan om haar te helpen, want die voelt zich niet zo lekker.'

'Maar Floyd is daar net heen...' zei Alice.

August zond haar een blik als een messteek in de borst. Die snoerde haar verder de mond. Bell zat op het zitje bij het erkerraam met haar knieën opgetrokken tot aan haar kin. Ze keek August aan en begon te huilen. Grote, stille tranen biggelden over haar wangen en meteen besefte hij dat ze iets moest hebben gehoord. Je kunt in een huis vol kinderen niets verdoezelen. Hij zou iets voor haar moeten doen, maar was er niet toe in staat. Hij kon het niet opbrengen om in die grote ogen vol verdriet te kijken. God, wat zag dat kind er droevig uit. August negeerde haar en voelde zich een lafaard.

'Waarom heeft moeder de baby meegenomen?' vroeg Billups.

Bell keek naar haar vader toen die niet meteen antwoord gaf. Ze veegde haar tranen af en zei: 'Omdat Margaret een klein baby'tje is en moeder haar moet voeden.'

'Waarom zegt u het niet gewoon als we vanavond niks te eten krijgen?' vroeg Alice.

'Is dat de toon die jij tegen volwassenen aanslaat? Wil je soms een pak slaag hebben?' August had nog nooit een van zijn kinderen geslagen. De woorden klonken dan ook vreemd uit zijn mond. Alice verroerde zich niet. Ze gaf geen krimp. 'Heb je me gehoord? Heb je gehoord wat ik zei?' tierde August. 'Ik wil geen woord meer horen. Van niemand! Koppen dicht! Koppen dicht iedereen!'

August stoof met twee treden tegelijk de trap op en sloeg de slaapkamerdeur achter zich dicht. Hij trok de laden uit het dressoir en kieperde de inhoud op de vloer. Hattie had toch zeker wel ergens wat geld weggestopt voor noodgevallen? Een paar dollarbiljetten in een sok of zo? Hij tilde de matras op en keek daaronder. Hij trok de schoenendozen uit de kast en keerde de zakken van Hatties jurken binnenstebuiten. Toen hij klaar was lag de kamer bezaaid met kleren en schoenen, lagen de kussens op de grond en hing de matras half van het frame met springveren. August zat op de vloer op een stapel onderbroeken van Hattie. Hij wreef met zijn vinger over de stof en bracht die naar zijn neus. Het rook naar haar: Murphy's allesreiniger, boter en haar huid. Jezus, Hattie, dacht hij, ik heb nog nooit een andere vrouw mee naar huis genomen, en ik doe niks wat andere mannen niet ook doen. En ik ben nooit weggelopen uit dit huis. Dat is zelfs nooit in me opgekomen. August gooide haar onderbroek op de grond en beende de kamer uit.

In de huiskamer was de situatie er niet beter op geworden. Allemachtig, die Alice had toch echt een aardje naar haar moeder. Acht jaar oud, gedroeg zich als veertig, met die getuite lippen en beschuldigende ogen. De vloer lag bezaaid met snoeppapiertjes en de schaal op de bijzettafel was leeg. Franklin zat op de grond aan een butterscotchsnoepje te likken dat hij tussen zijn vingers hield. August was van plan geweest tegen ze te zeggen dat er geen avondeten was, en dat hem dat speet, maar dat ze een stevig ontbijt zouden krijgen. En hij zou ook gaan zeggen dat Hattie die avond niet terug zou komen, zodat ze niet steeds naar de voordeur hoefden te blijven kijken. Maar de moed zonk hem in de schoenen en hij bleef zwijgend midden in de kamer staan, met zijn blik op de muur tegenover hem gericht, zodat hij de kinderen niet aan hoefde te kijken. Ze wachtten tot hij wat zou zeggen, maar August stapte met gebogen hoofd om Franklin heen, liep met een wijde boog om de bank heen waarop Alice zat en liep naar de eetkamer. 'Iedereen naar bed,' mompelde hij.

August liep naar buiten en ging op de veranda achter zitten. De geluiden uit het huis drongen door de hordeur. Hij hoorde hoe Bell de jongste kinderen naar bed stuurde. Hij rookte een paar sigaretten. Na de derde riep Bell: 'Meneer Greer is voor u aan de deur!' August keek bij het schaarse licht dat door de hordeur viel op zijn horloge. Negen uur. Een perfecte tijd om naar de nachtclub te gaan.

'Zeg maar tegen hem dat ik niet meega.'

'Hij zegt dat hij naar...'

'Stuur hem weg!'

August was van plan geweest die avond naar het Latin Casino te gaan. De big band zou spelen en zijn vrienden en hij zouden piekfijn gekleed wat rondhangen bij de bar achter in de club. Na afloop zouden ze naar die club gaan waar de barkeeper in een emmer met ijs een voorraad graanwhisky uit Tennessee had staan. August was geen grote drinker, maar hij hield van het gevoel van een glas in zijn hand. Hij vond het prettig een avond lang aan iets te nippen. Uiteraard zou hij dan een vrouw tegenkomen die hem aan het lachen maakte. Daarna zou ze met hem dansen tot haar schouders bepareld waren met zweet. Vervolgens zou hij haar naar huis brengen, een kusje op de wang geven en op de drempel van haar huis afscheid nemen, nu zij rijp was voor een volgende afspraak. Wanneer hij haar dan weer zag, zou hij haar nog wat meer kussen, en zo zou weer een nieuwe affaire beginnen. Die vrouwen betekenden niets. Ze maakten zijn leven bij het verstrijken van de dagen slechts wat leefbaarder.

Het was stil in huis. De kinderen lagen vermoedelijk te huilen in bed, als ze tenminste naar bed waren gegaan. August kon de moed niet opbrengen om boven te gaan kijken hoe het met ze ging. Wat als ze nog wakker waren? En het zou ook heel erg zijn als ze met smerige gezichten en verkeerd dichtgeknoopte pyjama's in bed lagen, dingen die niet zouden gebeuren als Hattie hier was.

Ze zal wel onderweg zijn nu, dacht August. Zé zullen wel onderweg zijn. Ze had gezegd dat ze naar Baltimore gingen. Die Lawrence had daar familie. Hattie was van plan zodra ze gesetteld was de kinderen te laten overkomen. August had haar vervloekt toen ze dat zei. Hij had gezegd dat hij nog eerder het huis in brand zou steken dan ook maar een van zijn kinderen bij haar en die nobody van een nikker te laten wonen.

Hij had een wijsje in zijn hoofd, een deuntje dat Cassie jaren geleden bij Marion thuis altijd op de piano speelde. Ze had hem verteld dat het een Russisch liedje was. Zijn dochters wisten allerhande dingen waar Hattie en hij nog nooit van gehoord hadden. Bell zat altijd met haar neus in een boek. Soms liet ze haar schoolboeken in de huiskamer slingeren en als August laat thuiskwam van een nachtclub of een vrouw las hij er wel eens wat in. Zo stuitte hij een keer op een gedicht dat hij zo mooi vond dat hij het avond aan avond las. *Dit is het Loden Uur – Herinnerd, mits verduurd.* Hij kon zich alleen die twee regels herinneren en wist zelfs de titel niet meer. Het kwam hem voor dat hij nooit enige greep op iets van de schoonheid in deze wereld zou krijgen.

Met de smeulende peuk van de sigaret die hij net had gerookt, stak hij een nieuwe aan.

Floyd was niet teruggekomen. Waarschijnlijk was hij niet eens naar Marions huis gegaan. Des te beter, dacht August, anders was ze toch alleen maar hierheen gekomen om mij als oud vuil te behandelen.

Een domme vrouw en nog krenterig bovendien. Ze had Hattie en hem de piano moeten geven, want Cassie was de enige die erop kon spelen. Sinds zij niet meer naar Marions huis ging om te oefenen, stond het ding daar maar te verstoffen. Cassie had iets met die piano. Op een dag ging August naar Marion om Cassie op te halen na school en verdomd als het meisje niet bezig was uit te vogelen hoe je

'Take the "A" Train' moest spelen. Ze zei dat ze het op de radio had gehoord. Bijzonder, toch? Niet lang daarna had Hattie gezegd dat ze niet meer naar les mocht, ook al vond de vrouw om de hoek bij wie Cassie les had haar zo goed dat ze het voor niks wilde doen. Hattie had gezegd dat een negermeisje er niks aan had als haar hoofd vol muziek zat. 'Wat moet ze daar nou mee?' had ze gezegd.

Er was geen reden om de dromen van een kind op die manier te torpederen. Dan had je er maar niks aan. Cassie was toen nog maar twaalf. Denk eens aan alle moeite die August zich had getroost om hier in het Noorden, in Philadelphia, te kunnen wonen en een beter leven te krijgen. Een beter leven zou toch op z'n minst moeten inhouden dat een kind iets mag wat nergens toe dient, maar waar ze wel heel blij van wordt. Hij had tegen Hattie gezegd dat ze Cassie haar gang moest laten gaan. Hattie had geantwoord dat ze niet het idee had dat avonden in de kroeg en een goede smaak in jasjes August geschikt maakten beslissingen te nemen over haar kinderen.

August liep op zijn tenen naar binnen en pakte de zondagse likeur uit het dressoir. Hij stond in de eetkamer uit de fles te drinken en luisterde of er nog kinderen wakker waren. Als ze naar bed waren gegaan, dan was dat niet omdat ze dat van hem moesten, maar omdat ze te bang en in de war waren om iets anders te doen. Altijd als hij ze iets opdroeg, keken ze naar Hattie om te zien of ze hem moesten gehoorzamen. Ze behandelden hem als een sullige oom die langskwam om met hen te spelen, maar verder geen gewicht in de schaal legde. Hij ging 's avonds uit, zeker, maar waarom zou hij niet? Hij werkte wanneer hij kon en gaf

Hattie altijd de helft van wat hij verdiend had, of ongeveer de helft. August kende zoveel mannen die er een privéleven buiten de deur op na hielden. God, August kende mannen met vrouwen en kinderen die ze nooit opzochten en niet van plan waren ooit op te zoeken.

Voordat August met Hattie trouwde hadden zijn vrienden hem gewaarschuwd dat een lichtgetinte vrouw als zij hem alleen maar onder de plak zou willen houden. Jezus, wat was ze mooi geweest. Toen ze samen wat hadden gekregen was ze nog maar vijftien, maar ze was al een dame. Ze keek hem vaak aan alsof hij een of ander vies beest was. Ze vond August alleen maar leuk omdat haar moeder er niks van wist en omdat ze het spannend vond om uit te gaan met een plattelandsjongen boven wie ze zich verheven voelde. Als hij een mandoline had gehad en een strootje tussen zijn tanden, was ze ter plekke verliefd op hem geworden. Die moeder van haar was een ander verhaal. Die zou hem bij de enkels hebben afgezaagd. Hattie en haar zussen mochten niks van dat mens. Hattie was rusteloos. Zelfs als ze stilzat, wiebelde ze met haar voet of trommelden haar vingers op de stoelleuning. Wanneer ze erin slaagde weg te glippen van haar moeder om een eindje te gaan lopen met August, bleven haar ogen nooit langer dan een paar seconden op hem rusten. Ze speurde altijd de straat af. Hij deed haar een rode sjaal cadeau, maar die kon ze niet mee naar huis nemen, dus legde ze hem in een doos en verstopte die onder de veranda. Ze was dol op die sjaal, omdat hij volgens haar heerlijk zacht aanvoelde tegen haar wang en haar deed denken aan het briesje op haar gezicht op de eerste lentedag. Grappig dat ze toen zo romantisch was. Verder gedroeg ze zich uiteraard de hele tijd zo keurig en braaf dat ze zichzelf nauwelijks een lachje toestond. Desondanks fascineerde ze hem, en hij slaagde erin haar een beetje voor zich te winnen. Op een avond had hij haar meegenomen naar het huis van zijn broer, waar ze met hem had gedaan wat andere meisjes ook deden. Na zijn verovering was het spannende er voor hen allebei een beetje af. Hattie vond het niet zo erg toen hij wat minder vaak begon langs te komen.

Hattie had August per brief laten weten dat ze over tijd was. Hij had haar in geen weken gezien, maar zodra hij die brief had gelezen, was hij naar haar huis gerend. Hij was zeventien. Hij wist niet wat hij met zijn leven moest, omdat geen enkele van de opties ergens naar leek. Toen Hattie meldde dat ze zwanger was, besloot August dan ook ter plekke dat hij huisvader wilde zijn. Hij zou elektricien worden en met Hattie trouwen. Zij was tenslotte een van de mooiste meisjes in Germantown. Zodra ze eenmaal weg was bij haar moeder zou dat stijve er wel van afgaan. Ze zouden op zomeravonden op hun veranda karnemelk zitten drinken en naar de sterren kijken. Het zou een prima leventje zijn. Dus ging hij naar Hatties huis en sprak met haar moeder, die het volgens hem al wist, want ze keek hem aan alsof ze hem het liefst een ijspriem in zijn borst zou steken. Op weg naar buiten hoorde hij haar tegen Hattie zeggen dat die haar leven had verwoest. Ik ben niet iemand die levens verwoest, had hij gedacht. En nu was het achtentwintig jaar later en misschien had hij Hatties leven alsnog verwoest, of zij het zijne. Hij vroeg zich af of ze bij hem zou zijn gebleven als haar moeder niet een paar maanden voordat de tweeling werd geboren was overleden. Dat deden vrouwen als ze genoeg hadden van hun man, dan gingen ze terug naar hun moeder. Het kon zijn dat Hattie was gebleven omdat ze nergens had om heen te gaan.

Het was Hatties eigen schuld dat ze zo ongelukkig was. Hoe kon ze nou van hem verwachten dat hij er niet af en toe tussen uitkneep als ze altijd maar zo boos was? Hij begreep haar niet. Er waren nachten dat ze opgerold als een gebalde vuist op haar zij lag, en andere nachten waarin ze juist weer tot het licht werd met elkaar bezig waren. Dan krabde ze over zijn rug en beet ze hem in zijn schouders, en moesten ze hun gezicht in het kussen begraven om de kinderen niet wakker te maken. Maar overdag was het altijd hetzelfde liedje. Dan beantwoordde ze zijn lachjes niet en duwde hem van zich af als hij probeerde haar aan te raken. Ze neukte met hem – een ander woord had hij er niet voor – maar ze voelde geen liefde voor hem. Wist ze dan niet dat August er ook kapot van was? Dat ook hij nooit over de dood van Philadelphia en Jubilee heen zou komen? Of over het feit dat Six bijna was bezweken aan zijn brandwonden en daardoor zo was gaan malen dat hij die Avery het ziekenhuis in had geslagen? Als jonge vader had August niet geweten wat hij voor zijn kinderen wenste in het leven, maar in ieder geval niet dit. Hij besefte dat hij beter voor hen had moeten zorgen, en dat gold nog steeds trouwens, maar hij besefte ook dat er sprake was van overmacht. En waarom Hattie dat niet wilde toegeven, was hem een raadsel. Zij gaf August overal de schuld van. Ze dacht de hele tijd dat hij de oorzaak was van al het slechte dat er ooit gebeurd was, en hij hoopte de hele tijd dat hij op een ochtend wakker zou worden en haar ongelijk zou bewijzen. Als ze hem nou eens één dag niet zou haten, één uur, dan zou hij de kracht hebben zijn verantwoordelijkheden beter na te komen. Zo was hun leven nou eenmaal. Niemand anders zou dat ooit kunnen weten. Ze waren het aan elkaar verplicht bij elkaar te blijven. Dat was hun verbond.

De voordeur ging piepend open en weer dicht. 'Hattie?' August rende de huiskamer in.

Bell stond bij de trap.

'Wat moest jij zo laat nog buiten?' vroeg August.

'Gewoon een blokje om.'

'Het is bijna twaalf uur!'

Ze keek naar haar voeten. August wist dat hij de fles met de likeur moest wegzetten. Hij zou haar moeten vragen of ze Hattie en hem had zien ruziemaken en moeten proberen haar een beetje gerust te stellen.

'Vooruit, naar bed jij,' zei hij terwijl hij terugliep naar de eetkamer. 'Het is toch veels te laat voor jonge meisjes.' Bell volgde hem.

'Mag ik nog even bij u komen zitten?' vroeg ze.

'Je hebt je slaap nodig.'

'Ik denk niet dat moeder terugkomt.'

August plofte neer in een van de stoelen.

'Niks van te zeggen.'

'Ze komt niet terug.'

'Waarom zeg je dat?'

'Dat weet ik gewoon,' zei Bell. 'Ik heb ze gezien.'

'Wie heb je gezien?'

'Moeder en die vent.'

'Waar dan?'

'Op straat.'

'Vandaag?'

Bell schudde van nee. August voelde de drank opspelen.

'Nou ja, wat zou het. Misschien komt ze niet terug.'

Bell begon te huilen. August overwoog een deuntje te fluiten of iets te zeggen om haar aan het lachen te maken. Maar wat had het voor zin?

'Dan gaan we maar gewoon een potje zitten janken. D'r zit weinig anders op.'

Bell ging naast haar vader zitten, legde haar hoofd tegen zijn schouder en huilde. Hij stak een sigaret op en streelde onder het roken haar arm. Ze had een muggenbeet waar hij met zijn wijsvinger aan krabde totdat ze wegdraaide en zei dat hij moest ophouden. Bell viel in slaap.

'We zitten nou voorgoed in de puree,' fluisterde hij tegen het slapende lijf van zijn dochter.

Ze zaten nog maar een paar kilometer van Baltimore. In het uur sinds de politiewagen was gepasseerd, had Hattie geen woord gezegd. Ze had Ruthie dwars over haar schoot gelegd, zodat het hoofdje van het kind in de kromming van haar elleboog rustte. Ze bleef het meisje wiegen, ook toen het al in slaap was gevallen. Lawrence bespeurde geen tederheid in de manier waarop Hattie hun kind wiegde. Alsof ze in een pan soep roerde. Van hoeveel kinderen kon een vrouw werkelijk houden? Lawrence kwam uit een gezin van vijftien kinderen en hij had altijd de indruk gehad dat zijn moeder hem beschouwde als de zoveelste knorrende maag, het zoveelste paar voeten waarvoor de schoenen van vorig jaar te krap waren geworden. Lawrence haalde onder het rijden zijn schouders op. Wat had ze anders kunnen doen? Het waren er domweg te veel. Ruthie is voor Hattie een van de velen, dacht hij. Wat zou er van haar worden tussen al die kinderen?

Kijk nou eens hoe Hattie haar vasthield. Alsof Ruthie zomaar een kindje was, gewoon een willekeurige baby die vastgehouden moest worden. En wat, dacht hij, als Hattie nou niet van nog meer kinderen kon houden? Misschien hebben we domweg maar een bepaalde hoeveelheid liefde in ons. We worden geboren met onze afgemeten portie, en als wij zelf liefhebben en niet genoeg liefde terugkrijgen, dan neemt de voorraad af. Lawrence had niet genoeg liefgehad. Hij had het vertikt zijn portie te verbruiken en nu stroomde hij over en wilde de liefde er aan alle kanten uit. Hij zou kunnen barsten, kunnen ploffen als een ballon.

'We zijn er bijna,' zei Lawrence.

Wat zou het dat hij zowat door zijn geld heen was? Zodra ze in de stad waren zou hij een uitstaande schuld gaan innen en daarmee zouden ze het wel uitzingen tot zijn volgende pokergame. Binnen een week zou hij een huis voor hen hebben gehuurd. In minder dan een week, dacht Lawrence.

Tegen Hattie zei hij: 'We gaan met de trein naar Philly en dan halen we ze op. Ik durf te wedden dat de kleintjes nog nooit in een trein hebben gezeten. We gaan een huis zoeken met een grote tuin en misschien wel een schommel. Je zal je ogen uitkijken als je de veranda's...'

'Schei eens uit alsjeblieft! Kun je nou niet heel even je mond houden? Ik word er horendol van!'

'Jij kan toch ook eens wat zeggen, Hattie. Je hoeft er toch

niet de hele tijd als een ijspegel bij te zitten? Gedraag je verdomme eens alsof je blij bent dat je hier bij mij in de auto zit!'

Hij was onbedoeld tegen haar uitgevallen, maar ze was ook zo... Begreep ze dan niet wat voor offers híj bracht? Het was toch een kleine moeite om even naar hem te glimlachen of iets bemoedigends te zeggen?

Hattie haalde een keer diep adem. 'Toen ik klein was, nam mijn vader ons een keer mee naar familie van hem in Savannah,' zei ze. 'We gingen naar een piepklein stukje kiezelstrand dat voor negers bestemd was. Van mama mochten we niet zwemmen, maar toen ze even iets ging doen heb ik mijn jurk opgetild en ben ik het water in gerend.'

Hattie legde haar hand over het kuiltje in Ruthies knietje.

'Mijn neefje Coleman dook achter me op en spatte mijn hele jurk nat. Hij kon zwemmen, dus ging hij allerlei kunstjes doen. Hij dreef op zijn rug en spuwde het water recht omhoog als een fontein, en hij dook onder water, zodat ik alleen zijn benen nog als bruine stokjes boven het water zag uitsteken. Toen ging hij met zijn armen wijd drijven terwijl zijn gezicht steeds net boven het wateroppervlak op en neer deinde. Ik vond het zo geweldig! Het was of hij zich op het water opdrukte en dan weer verdween. Hij bleef dat eindeloos doen, en het was heel grappig om te zien, maar toen verdween hij onder water en kwam niet meer boven. Ik stond in het ondiepe gedeelte te wachten tot hij weer zou opduiken en net zou doen of hij een krab was die met zijn scharen naar me sloeg, maar dat gebeurde niet. Plotseling begon iedereen te rennen en te schreeuwen. Ik keek achterom naar het strandje en zag dat mama Colemans moeder tegenhield zodat die niet achter hem aan zou duiken. Ik liep het water uit en ging op het strandje staan. Een poosje later kwam er een man uit het water met Coleman in zijn armen en wist ik dat hij verdronken was.

Verdrinken ziet er heel anders uit dan je zou denken. Begrijp je wat ik wil zeggen?' Hattie keek naar Lawrence. 'Ik heb vanochtend nog tegen je gezegd dat ik er niet aan moest denken voor de tweede keer een stommiteit te begaan.'

'Er is niemand aan het verdrinken, Hattie. Ik ben er om je te helpen.'

'Helpen? Hulp is niet wat ik nodig heb, Lawrence. Ik zoek een veilige haven in de storm.'

Lawrence had zijn hele leven voornamelijk in zijn eerste behoeften voorzien, in de basiszaken die hij nodig had om te overleven: eten, onderdak, geld. Hattie was hem een raadsel. Er was altijd wel een verdrinkingsgeval, altijd wel een veilige haven nodig, altijd wel iets groots wat niet kon worden opgelost en waar je niet eens aan mocht denken. Terwijl het ging om het hier en nu. Deze auto, deze snelweg, Baltimore bereiken. Hij had haar ontevredenheid altijd als iets charmants beschouwd, zoals een droevig liedje, maar misschien was ze wel gewoon van nature somber en zwaar op de hand. Te zeer, wat hem betrof. Hoe kon hij voor een dergelijke vrouw zorgen, voor iemand die niet voor zich líét zorgen omdat ze altijd met waarom-vragen zat? Lawrence was er echter de man niet naar om een ingewikkelde toestand nog ingewikkelder te maken. Hij had het niet tot hier geschopt door almaar overal in te wroeten. Het was beter om dingen te sussen en haar op haar gemak te stellen, en door te kletsen.

'We zijn allebei een beetje prikkelbaar, meer niet,' zei hij. 'We zijn gewoon wat gespannen.'

'Tuurlijk,' zei Hattie. 'Gewoon wat gespannen.'

De avond voordat Hattie bij hem wegging was August tot laat op stap geweest. Toen hij de volgende ochtend wakker werd beukte de zon met twee vuisten op hem in. Het was stil in huis en hij liep naar beneden naar de keuken in de hoop dat Hattie even weg was. Maar daar zat ze aan de keukentafel, met Margaret op schoot. Hattie keurde hem nauwelijks een blik waardig toen hij binnenkwam.

'Hoe gaat het met de kleine meid?' vroeg hij.

August was dol op baby's, met hun wiebelige hoofdjes en hun geur van talkpoeder en boter. Margaret was een makkelijk kind en huilde niet veel.

'Alles goed met 'r? Ze ziet er goed uit,' zei hij.

'Het gaat prima met haar, August,' antwoordde Hattie.

Hij rommelde wat in de keukenkastjes.

'Maak geen troep in mijn kasten als je koffie zoekt,' zei Hattie.

'Ik hou haar wel even vast.'

Ze deed of ze hem niet gehoord had en hield Margaret op een arm terwijl ze met de andere in een kastje tastte.

'Het geld voor de elektriciteitsrekening zit niet in het blikje,' merkte Hattie op.

'Ik zal het er de volgende betaaldag in doen.'

Hattie legde Margaret in het biezen mandje dat op tafel stond.

'We lopen een maand achter,' zei ze.

'Het elektriciteitsbedrijf kan nog wel een weekje wachten. Ze gaan heus niet failliet.'

'Binnen een week sluiten ze de stroom hier af.'

'Heb jij niet nog ergens wat geld liggen dan? Totdat ik betaald krijg?'

'Nee, August. Ik heb niks.'

'Je krijgt het volgende week van me terug.'

'Dat krijg ik niet, August. Je betaalt nooit iets terug. Je pikt elke cent mee die ik spaar.'

'Het is hier nog een beetje te vroeg voor, Hattie.'

'Het is al twaalf uur!'

Hattie had de koffiepot gevonden en zette die met een klap neer op het aanrecht.

'Ik heb een idee,' zei ze. 'Misschien kun je wat lenen bij die jazztent waar je altijd heen gaat. Die zijn je onderhand wel wat verschuldigd. Van alle kleren die mijn kinderen niet aanhebben en alle schoenen die ze niet dragen betaalt die jazzclub van jou zijn gas en licht.'

'Moet dat nou? Ik heb er nu even geen zin in.'

'Ik óók niet. En weet je waar ik nog meer geen zin in heb? Om hier volgende week in het donker te zitten. Zorg jij maar dat dat geld er komt,' zei Hattie.

'Je kon geeneens wachten tot ik een slokje water had genomen voor je moeilijk tegen me ging doen, hè? Je zat me hier gewoon op te wachten.'

Hij maakte aanstalten de keuken uit te lopen. Halverwege de deur keek hij om en zei: 'D'r is nergens geld te halen, Hattie. Het is volgende week of niks.'

Net toen hij de deur bereikt had voelde hij een windvlaag.

Iets groots en zwarts was langs hem heen gevlogen.

'Je bent knettergek, mens!'

De gietijzeren koekenpan had hem op enkele centimeters gemist en was tegen de muur naast hem geknald. Hij kwam op de vloer terecht met een klap die zo hard was als bij een auto-ongeluk. Margaret zette het op een huilen.

'Ben jij gek geworden of zo? Als ik dat ding tegen mijn kop krijg ben ik hartstikke dood.' Op de plek waar de koekenpan er tegenaan was geslagen zat een barst in het pleisterwerk. 'Hoe haal je het in je harsens, Hattie? Doe eens een beetje rustig. D'r is een baby bij.' Hij wilde Margaret uit haar mandje nemen.

'Blijf van 'r af,' zei Hattie.

'Hattie, kappen. Ze ligt keihard te huilen.'

'Blijf van m'n kind af, jij!'

'Het is godverdomme ook mijn kind, Hattie, en ze brult de hele boel bij mekaar, en jij hebt het te druk met dat mallotige gedoe van je om voor haar te zorgen.'

'Het is jouw kind helemaal niet! Ze is niet van jou en je blijft met je tengels van 'r af!'

Hattie hief haar hand alsof ze die voor haar mond ging slaan. Dat was ook het beste geweest, dat ze die vreselijke woorden weer linea recta terug in haar keel had geduwd. Maar dat deed ze niet en de woorden bleven tussen hen in hangen. Margaret krijste. Instinctief wilde August haar opnemen. Hij kreeg huilende baby's altijd snel rustig. Hij wilde haar uit het mandje halen en eventjes wiegen. Hij wilde voor haar zingen tot ze in slaap viel. Hattie bazelt maar wat, dacht August. Ze is gewoon kwaad en flapt er maar wat uit. Maar de tranen liepen hem over de wangen. En hij voelde zich ineens hondsmoe. Hij wilde aan de keukentafel gaan zitten, met zijn hoofd in zijn handen.

'Ophouden, Hattie. Je moet ophouden, voor je dingen gaat zeggen die je niet terug kan nemen.'

'Het is al gezegd, August.'

'Zulke rotdingen moet je niet zeggen. Zulke dingen moet je niet zeggen.'

Hij wachtte tot ze het terug zou nemen, tot ze zou toegeven dat ze het uit woede en wrok had gezegd. Kom op, Hattie, laat me nou niet hier in mijn eigen keuken staan janken als een kind.

'Hattie?'

Ze schudde haar hoofd. Ze pakte Margaret op en wreef over haar ruggetje. August had de indruk dat ze haar steviger, meer beschermend, vasthield dan daarvoor. Alsof ze wilde zeggen: 'Dit is mijn kind, niet het jouwe.'

'Wie is het?' vroeg August.

'Je kent hem niet. Het doet er ook niet toe.'

'Het doet er niet toe? Jij gaat met je benen wijd! Jij was iemands hoer en dat doet er niet toe?'

'Ik wil niet dat je zo tegen mij praat, August.'

'Je hebt al die tijd gedaan alsof dat kind van mij was! Ik trek 'r kleertjes aan, ik geef 'r te eten en nou ga je mij een beetje vertellen hoe ik tegen jou moet praten?'

'Je hebt geen enkel recht van spreken! Ik slik jouw gescharrel met vrouwen en dat jij elke avond de hort op bent. Ik heb twee keer geld opzijgelegd voor de aanbetaling op een huis en het einde van het liedje was dat ik het moest uitgeven aan elektriciteitsrekeningen en kleren voor deze kinderen. Ik ben vijfentwintig jaar lang huissloof geweest.

147

Vanaf het moment dat ik 's ochtends mijn ogen opendoe totdat ik 's avonds weer ga liggen maak je mijn leven tot een straf. Denk daar maar eens goed over na voordat je mij voor iets lelijks uitmaakt.'

'Neem dat kind mee en verdwijn uit mijn huis.'

'Ik ga, maar dan neem ik al mijn kinderen mee.'

Toen had August dus gezegd dat hij het huis nog liever in brand zou steken. Hij was de keuken uit gestoven en de trap op gestormd. Een kwartier later had hij aangekleed en wel de voordeur achter zich dichtgeslagen. Hij had er niet op gerekend dat Hattie daadwerkelijk zou vertrekken. Hij wist niet hoe het allemaal verder moest, maar dat ze echt zou gaan had hij niet gedacht. Toen hij een paar uur later thuiskwam trof hij het huis verlaten aan. Op het bed lag een briefje van Hattie:

Hij heet Lawrence Bernard. Ik vertel je dat alleen maar voor het geval er wat gebeurt met de kinderen en je me moet bereiken. Ik ga naar Baltimore. Ik kom mijn kinderen later ophalen. Ik heb ze naar het park gestuurd. Boodschappen voor mij kun je bij Marion achterlaten.

August begreep niet hoe Hattie ze naar het park had kunnen sturen zonder ze te vertellen dat ze weg zou gaan en zonder iets voor hun avondeten te regelen.

Lawrence verliet de snelweg bij de afslag naar Baltimore. De skyline van de stad was lager dan die van Philadelphia en ook de lichten waren minder fel en minder talrijk. Het leek wel of deze glansloze stad een afspiegeling was van de impasse tussen Hattie en hem. Maar hoe boos en moedeloos Lawrence zich ook voelde, hij merkte tot zijn verbazing dat hij bang was dat Hattie teleurgesteld zou zijn in Baltimore en dat ze er niet zou willen blijven, of niet bij hem zou willen blijven.

'We kunnen een rondje langs de haven rijden. Daar is het mooi 's avonds, met alle boten,' zei hij. 'Ik moet even snel iets doen bij het station.'

'Het station? Lawrence, ik ben moe.'

'We kunnen ook naar Federal Hill gaan. Er gewoon even snel langsrijden zodat je een indruk van de stad krijgt. Misschien doet het je wel aan thuis denken. We zijn nu in het Zuiden, hè? De mensen zijn hier aardig.'

'Tussen het discrimineren door, als ik me goed herinner,' zei Hattie.

Lawrence riep onder het rijden steeds door welke straten ze kwamen: Light Street, North Charles Street en Calvert Street. Hij gedroeg zich natuurlijk als een dwaas door over toeristische trekpleisters te zitten bazelen, maar als hij ophield met praten zouden zijn twijfels en die van Hattie de stilte ogenblikkelijk vullen alsof die in één keer volliep met water.

'Lawrence,' zei ze, 'ik ben bekaf en Ruthie moet ergens kunnen liggen. Laten we maar gewoon naar waar we moeten zijn gaan.'

'Je hebt gelijk. Oké. We hebben ook alle tijd.'

Hij waagde het erop en legde zijn hand op haar knie. Ze trok de knie niet weg.

'Het is zo rustig,' zei Hattie. 'Thuis heb ik nooit rust, behalve midden in de nacht. En nu heb ik zelfs dat niet.' Ze wierp een blik op Ruthie. 'Zij wordt om de drie uur wakker.'

Lawrence hoorde een toenemende gejaagdheid in haar stem. Hij wreef over haar dij om haar te kalmeren. Hattie draaide zich zo abrupt naar hem toe dat ze de baby bijna liet glippen.

'Er is altijd wel iemand die iets van me wil,' zei ze bijna fluisterend. 'Ze zuigen me helemaal leeg.'

Lawrence keek strak voor zich uit. Hij durfde Hattie niet aan te kijken, uit angst dat hij zijn gevoelens zou verraden. Toen zei hij zacht, aarzelend: 'Als je eerst nog wat meer tijd voor jezelf wilt, kunnen we ze ook wat later ophalen...' Hij probeerde de opluchting niet te laten doorklinken in zijn stem.

'Nee! Nee,' zei Hattie, 'ik bedoelde niet...'

'Ik ook niet!' zei Lawrence, ook al had hij het wel degelijk bedoeld en wist hij zeker dat dat ook voor haar gold.

Hij reed door verlaten hoofdstraten en sloeg willekeurig links of rechts af. Hij wist niet precies waarom hij tijd rekte. Na een tijdje zei hij: 'We moeten alleen even bij het station langs.'

'Kunnen we alsjeblieft gewoon naar dat pension gaan? Ik ben bekaf.'

'Een minuutje maar. Ik ben zo klaar.'

'Waarom dan?'

'Ik moet iemand spreken in verband met stewardwerk,' zei Lawrence.

'Zo laat nog?'

Lawrence parkeerde voor het Pennsylvania Station.

'We zijn er al,' zei hij.

Hattie zuchtte.

'Ik loop wel even mee,' zei ze.

'O, ik ben zo terug.'

'Wat heb je toch, Lawrence? Jij wilde hiernaartoe. Laat me even mijn benen strekken en naar het toilet gaan.'

Het was bijna tien uur en de straat was vrijwel verlaten. Lawrence liep een paar passen voor Hattie uit.

'Waarom loop je zo hard?' zei ze.

Wat ben ik aan het doen? Ik moet niet in paniek gaan raken, dacht Lawrence.

In de centrale hal waren maar een paar mensen: een man achter het loket, iemand die bezig was de vloer te dweilen en een vrouw met een dienblad waarop een thermosfles en koffiekopjes stonden. Hattie had bloeddoorlopen en opgezette ogen en haar haren waren van achteren geklit. Haar rok zat vol kreukels. Ze probeerde hem met haar vrije hand glad te strijken. Ze zag eruit als een klein meisje, zo verfomfaaid en bang, en leek onder het hoge glazen dak van het station kleiner dan anders. Lawrence wees haar de wc voor negervrouwen en zei dat ze wanneer ze klaar was bij het loket op hem moest wachten.

'Ik dacht dat je alleen maar iemand heel kort wilde spreken,' zei ze.

Hij was al bezig bij haar weg te lopen en deed net of hij haar opmerking niet gehoord had. Hij liep de hal uit en een gangetje in waarin de kranten- en rookwarenwinkel al was afgesloten voor de nacht. Lawrence klopte tweemaal op de deur.

'Hé! Hoe later op de avond, hoe schoner volk,' zei de man die opendeed.

'Nog wat te beleven, Scoot?' vroeg Lawrence.

'Potje beneden. Ik dacht dat je morgen pas zou komen.'

'Ik heb nou geen tijd, Scoot. Maar ik heb die vijftig nodig die ik nog van je krijg.'

'Die heb ik nog niet. We zijn nog niet begonnen,' grinnikte Scoot.

'Je hebt vast wel wat.'

'Dat is m'n inzet. Je weet best dat ik geen contant geld heb vlak voor een grote game.'

Lawrence tikte met zijn voet op de vloer.

'Je kan tikken tot je een ons weegt, maar je kunt beter meedoen. Ray en alle anderen zijn er,' zei Scoot.

Het puikje van Baltimore was present. Lawrence zou vijfhonderd dollar kunnen verdienen, misschien wel meer.

'Ik zeg toch dat ik nu geen tijd heb?'

'Als je zo dringend geld nodig hebt, moet je lekker naar beneden gaan en kijken wat er op tafel ligt.'

'Ik heb geen tijd,' zei Lawrence.

'Dan maak je toch tijd? Wat mankeert jou?'

Scoot liep door een deur ergens achterin, waarachter een trap naar beneden school. Lawrence volgde hem door de catacomben van het station. Er hing een overweldigende geur van kolen en afkoelende machines. Boven hun hoofden draaiden motoren stationair en knarsten stalen wielen over de rails. Lawrence en Scoot liepen door een lage gang die zo smal was dat ze achter elkaar moesten lopen. Ze sloegen een hoek om, waarachter een bundel licht zich vanuit een half openstaande deur door de gang naar hen uitstrekte.

'Krijg nou wat!' zei Ray toen Lawrence en Scoot het vertrek betraden.

Om een tafel die was beladen met fiches zaten acht mannen. Boven de hoofden van de spelers hing een stratus van sigarettenrook. In een hoek bij een kleinere tafel met hapjes, thermosflessen met koffie en een fles whisky, zat een vrouw in een nauwsluitende groene jurk. Er was bij deze games altijd wel iemands vriendinnetje meegekomen. Over een paar uur zou ze met halfopen mond zitten soezen. Ze zouden haar op een gegeven moment naar boven sturen om meer drank en sigaretten te halen, en dan zouden alle mannen kijken hoe haar achterste bewoog onder de stof van haar jurk. Aan de lage zoldering hingen olielampen en de petroleumwalm verergerde de benauwdheid, de hitte en de rokerigheid.

Naast Ray op tafel lag zijn gelukssteentje. Hij liet zijn duim er afwezig overheen gaan. Hij liet zich zo wel in zijn kaart kijken, dacht Lawrence nog. Hij had nooit geleerd dat ding in zijn zak te houden.

'Heren,' zei Lawrence.

Voor Ray stonden een forse stapel fiches en een glas water. Hij dronk of rookte niet en was zo mager als een lat. Lawrence schraapte zijn keel en trok aan zijn boordje.

'Doe je mee?' vroeg een man die hij nog nooit eerder had gezien.

Lawrence keek het vertrek rond. De jongen die de bank beheerde telde een stapel twintigjes uit. Zes-, misschien wel zevenhonderd. Lawrence zou uiteindelijk zeker een keer moeten meespelen, maar niet vanavond, niet op zijn eerste avond met Hattie samen. Natuurlijk zou ze vroeg of laat toch moeten wennen aan het feit dat hij 's avonds vaak van huis zou zijn en pas laat thuis zou komen. En het was ook zo dat hij weer zou moeten gaan reizen, zeker eenmaal in de week naar New York voor de games met hoge inzet, naar Washington voor andere games, en hij zou ook aan de zwarte loterij moeten meedoen om inkomsten te hebben tussen de grote klappers door. Negen monden om te voeden vanaf nu. Lawrence keek nog eens naar het geld. Hij kon Hattie maandag in een huis geïnstalleerd hebben.

'Doe je mee of niet?' vroeg Ray.

'Tja, ik ben niet langsgekomen om toe te kijken. Maar ik moet eerst nog even wat zaken regelen.'

De spelers wisselden veelbetekenende blikken uit.

'Hoezo, zaken? Er zit hier iemand die helemaal uit Boston is gekomen om aan deze game mee te doen.' Ray pakte zijn steentje op en schudde het heen en weer in zijn vuist. 'Moeten we op je wachten soms?'

'Wij hebben ook zaken te doen. Stel je niet aan,' zei de onbekende speler.

Ray wierp een snelle blik op hem, waarna de man weer aan zijn fiches begon te voelen. Ray stond op. Hij zette een stap naar Lawrence toe.

'Je houdt het spel op en je weet dat ik er niet van hou als mensen in en uit lopen. Het is hier goddomme geen boerenmarkt. Ga maar zitten.'

De vrouw in de groene jurk zei: 'Hij is hier met een lichtbruine meid en een baby. Die staan op hem te wachten.' Voordat Ray iets kon vragen, voegde ze eraan toe: 'Ik zag ze binnenkomen toen ik koffie voor jullie ging halen.'

'O, heb je je vrouw bij je. Ik zou zeggen, laat haar dan maar hier beneden komen,' zei Ray.

'Daar is ze geen type voor.'

Ray lachte. 'Jij valt op kak? Wat jij wilt. Je hebt een uur. Eén uur.'

Ze verlieten het vertrek en Scoot stopte Lawrence twee briefjes van twintig toe.

'Weet je nog hoe je eruit komt?' vroeg hij.

'Ik kwam hier al toen jij je eerste stapjes nog moest zetten,' zei Lawrence.

'Als je niet binnen een uur terug bent, zet jij straks je laatste.'

Hij zou vanavond honderden dollars winnen, genoeg om wat eerste meubels te kopen, zodat ze vooruit konden. Hij kon wel een smoes verzinnen om zijn afwezigheid te verklaren. Hij zou haar iets op de mouw spelden. Voorlopig kon Hattie maar beter denken dat Lawrence het gokken had afgezworen. Voor haar eigen bestwil, anders zat ze maar nodeloos in angst. Ze zou wel kwaad worden, maar ze gingen naar een prettig pension, waar mevrouw James een lekker ontbijt voor Hattie zou klaarmaken en Ruthie zou bemoederen.

Lawrence liep de trap met twee treden tegelijk op. Hij voelde die tinteling in zijn keel die hij altijd kreeg als hij aan het spelen was en wist dat hij ging winnen. Het was opgelegd pandoer. Wanneer Lawrence die tinteling voelde zat alles mee. Het zou allemaal goed komen met Hattie. De ongerustheid die hij tijdens de autorit had gevoeld was verdwenen. Bij pokeren was hij het meest zichzelf: alert en optimistisch.

Met behulp van een lucifersdoosje blokkeerde hij de dagschoot van het deurslot, zodat hij weer naar binnen zou kunnen. Hattie staat op me te wachten, dacht Lawrence. Niet op August, op mij. Onvoorstelbaar!

Hij liep de centrale hal in.

'Hattie?'

Ze was er niet.

'Hattie?' riep hij.

Ze stond niet bij het loket en zat ook niet op een van de banken in de wachtruimte. Hij liep naar de toiletten en bleef staan luisteren bij de deur van de dames-wc. Er werd een kraan aangezet. Sukkel, dacht hij. Ik loop rond als een kip zonder kop en zij is zich gewoon even aan het opfrissen. Lawrence ging terug naar de centrale hal. Als Hattie hem voor de deur van de toiletten zag rondhangen zou ze denken dat hij getikt was. Hij richtte zijn blik op de gang waaruit ze tevoorschijn zou komen. Er verstreek een minuut, en nog een, en uiteindelijk vulde de hal zich met het getikketik van hakken op de marmeren vloer.

Er kwam een vrouw met een hoedendoos de gang uit gelopen. Gevolgd door niemand.

'Neem me niet kwalijk, mevrouw,' riep Lawrence. 'Mevrouw?'

De vrouw keek verschrikt op.

'Het spijt me dat ik u lastigval, mevrouw, maar mijn vrouw en kindje zouden hier op me wachten en ik kan ze... ik vroeg me af of u ze misschien had gezien in de toiletten.'

De vrouw monsterde hem en zei toen: 'Ik heb inderdaad daarstraks iemand gezien. Volgens mij is ze naar de hoofduitgang gelopen.'

Hattie was naar buiten gegaan om in de auto te wachten. Ze was moe, die arme ziel. Ruthie en zij waren waarschijnlijk in slaap gevallen. Lawrence stak de straat over en keek in de Buick. Ze waren er niet.

Hij sprintte terug naar het station. De lokettist zat te slapen in zijn glazen cabine.

'Pardon!' zei Lawrence en tikte op het raam. De man schrok wakker en keek Lawrence met kleine oogjes aan. Hij zag bleek onder de tl-verlichting en er plakten een paar haarsliertjes tegen zijn bezwete voorhoofd.

'Wat moet je? Er rijden vanavond geen treinen meer.'

'Neem me niet kwalijk meneer, maar heeft u hier een vrouw met een baby zien staan? Nog maar een paar minuten geleden.'

'Ja, die heb ik gezien,' zei de lokettist.

'Weet u waar ze heen is gegaan?' vroeg Lawrence.

'Philadelphia, denk ik. Ze heeft een kaartje gekocht voor de trein van tien uur vijfentwintig.'

'Welk perron?'

'Het is tien uur zesendertig. Die trein is al weg.'

'Welk perron?' schreeuwde Lawrence.

'Niet zo'n grote mond,' zei de man. Hij boog zich naar voren. 'Spoor negen, maar nogmaals, die trein is al vertrokken.'

Lawrence begon te rennen. Op spoor negen was helemaal niets. Geen kruier, geen perronopzichter, geen conducteur wiens dienst erop zat. Er was niet eens een nagalm van de wielen op de rails te horen, of ook maar de geringste glinstering van de achterlichten van de trein te zien. Er hing alleen nog een vleugje diesel in de lucht. Lawrence wist, hoewel hij van plan was in de auto te gaan zoeken naar een briefje of naar Hatties reiskoffertje, dat de dieseldamp het enige was wat er hier nog van haar restte.

Om vier uur 's nachts ging de voordeur open en weer dicht. August keek de woonkamer in en zag Floyd zijn schoenen uittrekken in het halletje. Het ging de verkeerde kant op met die jongen. Hij was volwassen, maar woonde nog thuis en gedroeg zich stiekem. Vaak wist niemand waar hij uithing. Maar August had wel een idee wat hij zoal uitspookte. Hij zag al helemaal voor zich hoe Floyd op een dag zou komen aanzetten met de mededeling dat hij een meisje zwanger had gemaakt, waarna er niks meer terecht zou komen van zijn leven of zijn trompetspelen. August probeerde overeind te komen, maar Bell had in haar slaap haar hoofd op zijn schoot gelegd en na al die uren in dezelfde houding waren zijn benen stijf geworden. 'Floyd!' siste August, zachtjes om zijn dochter niet wakker te maken. 'Floyd!' Tegen de tijd dat August rechtop stond, was Floyd de trap al op. August liet Bell dwars over zijn stoel liggen slapen en liep de huiskamer in. Hij nam zijn laatste slok van de likeur en rookte zijn laatste sigaret.

Tijdens zijn uren aan de eettafel had August niets besloten. Hij had niet kunnen bedenken wat hij zijn kinderen als ontbijt moest voorzetten. Hij had niet besloten of hij ze door Hattie zou laten meenemen of dat hij naar Baltimore moest gaan om Lawrence een lesje te leren. Hij stelde zich de confrontatie voor, ook al had hij Lawrence nog nooit ontmoet. Hij was vast knap, licht van tint, en nadat August hem een keer flink had geraakt zou het bloed hem uit neus en mond lopen. Maar een vechtpartij zou niet echt iets oplossen, bedacht August. Hij kon het niet uitstaan dat hij niets kon doen, dat Hattie moest thuiskomen om het probleem van Hatties vertrek voor hem op te lossen.

Op de benedenverdieping van het huis stonk het naar rook. August bedacht dat hij er maar tot de ochtend moest blijven zitten. Hij kon de aanblik van de slaapkamer momenteel niet verdragen, al zou hij er voor het licht werd toch heen moeten, anders liep hij het risico dat een van de kinderen beneden zou komen en hem hier verfomfaaid, dronken en hulpeloos zou aantreffen.

Buiten op straat draaide een motor op lage toeren. De lichtbundels van de koplampen zwenkten door de woonkamer. In die paar seconden dat de kamer verlicht werd, zag August de papieren die op de vloer lagen, de schoenen bij de deur, het vloerkleed dat in een hoek was gepropt. Dat kon zo niet. Als de kinderen in de ochtend naar beneden kwamen mocht het niet zo'n bende zijn in huis. Hij hees zich overeind uit de leunstoel en begon de kussens op de bank te fatsoeneren.

De deur ging open en daar stond Hattie met Margaret op de ene arm en haar reistas aan de andere. Ze zag eruit als zo'n negentiende-eeuwse gelukszoeker uit het Noorden.

Hattie stapte naar binnen en deed de deur achter zich dicht. August knipte de lamp bij de bank aan.

'Laat maar uit,' zei Hattie. 'Als je wilt.'

Ze stonden tegenover elkaar in de bijna geheel duistere kamer. Alleen het schijnsel van een straatlantaarn viel naar binnen.

'Heeft die vent je weer hier afgezet?' vroeg August.

'Nee, ik ben met een taxi gekomen.'

'Waarvandaan?'

'Van het station.'

'Waar is ie dan?'

'In Baltimore.'

Wat hij nu moest doen was haar beledigen, of slaan, of het donker in sturen. Zij had hem hier laten zitten met alle kinderen. Zij stond daar met het kind van een ander op haar arm. Elk weldenkend mens zou vinden dat hij haar iets vreselijks moest aandoen, maar ze was vijftien uur weggeweest en in die vijftien uur was zijn leven verkruimeld als een kluit droge aarde.

Bell kwam de huiskamer in gerend. 'Moeder!' riep ze en wilde Hattie om de nek vliegen.

'Pas op, je maakt de baby wakker,' zei ze en gaf Bell een paar klopjes op de schouder. 'Ga maar gauw naar bed.'

'Maar ik was zo...' Het huilen stond Bell nader dan het lachen.

'Het is laat,' zei Hattie.

Toen Bell naar boven was gegaan, keerde Hattie zich naar August. 'Ik ga hem niet meer zien.'

'Waarom ben je teruggekomen?' vroeg August.

'Mijn kinderen.'

'Heeft ie je wat aangedaan?'

'Niet naar vragen. Vraag me niks over hem. Ik heb jou ook nooit wat gevraagd.'

'Ik ben nooit weggelopen,' zei August.

'Daar had je ook nooit reden toe,' zei Hattie.

Ze ging op de rand van de bank zitten met de baby op haar schoot.

'Ik kan morgenochtend naar Marion gaan. Ik wist gewoon niet... waar ik vannacht anders heen moest.'

'Die kinderen hebben doodsangsten uitgestaan.'

'Denk je dat ik niet weet wat ik heb aangericht? God nog aan toe, August, ik ben kapot.'

'Jij?' Hij kon niet tegen haar zeggen dat hij zonder haar zelfs niet in staat was gebleken ze eten te geven. 'Als je morgen weer weg bent, maak je het alleen maar erger voor ze.'

'Het ruikt hier naar een drankhol. Je moet eens een beetje luchten,' zei Hattie.

August liep de kamer door en zette de ramen open, zoals Hattie had gevraagd. De nachtgeuren kwamen binnen: de dauw op het gras, de vuilnisemmers van de buren, de afrikaantjes in Hatties plantenbak op de veranda.

'Je moet niet denken dat alles weer koek en ei is tussen ons. D'r is helemaal niks koek en ei.'

'Was het dat dan ooit, August?'

'Wat denk je dat het voor mij betekent om elke dag tegen Margaret aan te moeten kijken?'

August hoorde een jankgeluidje, een zacht gesnik dat van de baby had kunnen komen, maar het hield zo snel weer op dat hij wist dat het Hattie was. De sterkedrank klotste rond in zijn maag. Hij ging voor haar staan en spreidde zijn armen. Het was geen uitnodiging om hem te omhelzen, maar een gebaar van berusting, alsof hij wilde zeggen: daar staan we dan, hier moeten we het mee doen. Hij liet zijn armen zakken en ging met een kreungeluid op de bank zitten. Er waren te veel teleurstellingen om op te noemen en er was te veel hartzeer. Ze waren de straf of de vergeving voorbij, ze waren wat ze elkaar hadden aangedaan voorbij, ze waren de liefde voorbij.

'Ik noem haar altijd Ruthie,' zei Hattie.

'Waarom?'

'Ik wil... ik zou graag willen dat jij haar ook zo noemt.'

'Ruthie,' herhaalde August.

'Alsjeblieft.'

In de donkere kamer knikte August. Hij gaf toe, ook al kon Hattie hem niet zien.

Ella

1954

Ella werd huilend wakker en wilde niet meer ophouden. Ook al wiegde, verschoonde en voedde Hattie haar, en ook al gaf ze haar een suikerklontje om op te sabbelen, wikkelde ze een warme doek om haar voetjes en wreef ze over haar buikje voor het geval ze last had van darmkrampjes. Zo gingen drie uur voorbij, drie uur van doordringend gekrijs waarvan een hond in janken zou zijn uitgebarsten. De andere kinderen konden er niet langer tegen. Die vertrokken eerder naar school en renden het huis uit met hun overhemden scheef dichtgeknoopt en losse schoenveters. August liet het kind vergeefs paardjerijden op zijn knie en ging toen naar de haven, waar hij een goede dienst had weten te versieren. Uitgerekend op deze ochtend had hij eindelijk werk gevonden. 'Ik ben om twaalf uur thuis,' had hij op weg naar buiten geroepen.

Hattie bleef alleen achter met hun dochter. Ella's gehuil werkte haar op de zenuwen, en gaf haar een wanhopig, armoedig en angstig gevoel. Ze liep naar het verandatrappetje in de hoop dat de ochtendlucht hen allebei zou kalmeren. Het was bijna negen uur en weer stil op straat, nu alle kinderen naar school waren, de vrouwen die in de blanke buurten werkten de bus hadden genomen en de mannen in pak of overall naar winkel, fabriek of kantoor waren vertrokken.

Hattie meende een vleugje houtvuurrook op de wind te bespeuren, al was het niet koud genoeg om de kachel aan te steken, en bovendien stookten ze in alle huizen in deze straat met kolen. In het najaar moest ze altijd denken aan de houtkachels uit haar kindertijd. Er kwam een buurvrouw voorbij. Ze knikte kort en vervolgde haar weg.

Hattie deed die ochtend haar huishoudelijke karweitjes met Ella in een lap stof die ze voor haar borst had gebonden. Ze waste de ontbijtkommen van de kinderen af, veegde de gemorste pap van de tafel en legde wat kleingeld klaar voor de melkboer. Het was belangrijk dat ze deed wat gedaan moest worden, ongeacht de dag of de omstandigheden. Ze haalde de herfst- en winterschoenen uit de gangkast en wisselde ze om, zoals ze elk jaar in oktober deed. Schoenen die te klein waren geworden voor de oudere kinderen gingen over naar hun jongere broertjes en zusjes, en het oudste meisje kreeg, als er geld voor was, een nieuw paar, en anders moest ze haar voeten in het paar van het voorgaande jaar persen. Hattie reikte naar de bovenste plank en haalde de doos tevoorschijn waarin ze de piepkleine slofjes en de zachte leren veterschoentjes bewaarde die Philadelphia en Jubilee negenentwintig jaar geleden een paar maal hadden gedragen. Hun schoentjes waren de enige in huis die nooit waren doorgegeven of hergebruikt. Hattie was van plan ze te laten verbronzen. Ze maakte ze schoon met behulp van wat speciale lederzeep en een zachte doek die ze voor dat doeleinde in de doos bewaarde. Ella hield van de geur en hield op met huilen.

Toen ze klaar was met haar karweitjes was het halfelf. Hattie wikkelde de baby los en ging naast haar op bed liggen, maar haar benen waren rusteloos, dus schoot ze weer overeind om de ladekast te gaan afstoffen. Er wervelden stofdeeltjes in de bundel zonlicht die schuin door het raam naar binnen viel. Ella reikte naar een klein veertje dat was opgewarreld van het donzen dekbed en sloot haar knuistje eromheen. De afgelopen zomer was er tijdens een storm kornoeljebloesem door het slaapkamerraam naar binnen gewaaid in een wemeling van roze blaadjes die pirouettes maakten door de kamer en op de vervalende lakens en plat geworden kussens op het bed neerkwamen. Ella was nog te jong geweest om te kunnen delen in Hatties verrukking.

Hattie goot wat houtglansmiddel op de ladekast, de ladekast van haar moeder, en begon het bovenblad te boenen. Jaren geleden had August er een kop thee op gezet, waardoor er een kring in het hout was gekomen. Het had weinig gescheeld of Hattie had hem een klap gegeven toen ze die kring ontdekte. Hij had beloofd hem af te schuren en opnieuw te lakken. Enfin.

Ella zat midden op het bed. Haar kin, die kin met het kuiltje, verdween in het vetrolletje bij haar hals. Terwijl Hattie de ladekast oppoetste, zong Hattie een liedje voor haar: *Mama's little baby loves shortenin', shortenin'. Mama's little baby loves shortenin' bread.* Het kind stak haar armpje uit, haar linkerarmpje, merkte Hattie op, want ze wilde zich de herinnering aan haar dochter tot op de kleinste bijzonderheden inprenten. Haar nageltjes moesten geknipt worden. Ze gaat zo slapen, dacht Hattie, en dan kijk ik hoe ze ligt te slapen en sla ik dat op in mijn geheugen, die donkerbruine krullen en haar huid met de kleur van nootmuskaat, en de manier waarop ze een geluidje maakt als van een spinnende kat voordat ze indommelt. Om twee uur zou Hatties zuster Pearl komen. Om twee uur zou ze Ella komen ophalen en dan zouden ze wegrijden, helemaal terug naar Georgia, en zou Hattie op de veranda staan en haar zien vertrekken.

Het was drie jaar geleden dat Hattie voor het laatst een baby in haar armen had gehouden. Ze was zesenveertig en had gedacht dat ze klaar was met kinderen krijgen. Toen ze niet ongesteld werd, hoopte ze dat de overgang zich aandiende. Ze had haar portie bloed, moedermelk en bevallingen wel gehad. Maar toen kwamen de gezwollen borsten, het smachten naar schaafijs en plakjes komkommer, en het welbekende kloppen in haar buik. Ze was nooit aan dat kloppen gewend geraakt, aan het feit dat er twee harten sloegen in haar lichaam. Toen ze dat voelde wist ze genoeg. Het was niet nodig naar de dokter te gaan. Op een avond in bed had ze het aan August verteld.

'Je zal de biezen mand van zolder moeten halen,' had ze gezegd.

Hij was overeind geschoten. Hattie had gevoeld dat hij lachte en ze had zin gehad om zich om te draaien en hem een draai om zijn oren te geven. Al die jaren dat ze samen ongelukkig waren geweest hadden hun lichamelijke behoefte aan elkaar niet doen afnemen. Er gingen dagen voorbij waarin ze nauwelijks een woord met haar man wisselde, maar de nachten waren een ander verhaal. Onder het vrijen zei en deed Hattie soms dingen waar ze zich voor schaamde. Midden in de nacht als ze hijgend en zwetend in bed lagen, keken ze elkaar wel eens verbluft aan. Ze wist niet wat ze van die sporadische honger naar hem moest denken. Ze was er de volle dertig jaar van hun huwelijk al door in verwarring gebracht en vernederd. Al die zwangerschappen. En erger nog, het hardnekkige verlangen van haar lichaam naar een man die de grootste vergissing van haar leven was. Ze was pas vijftien geweest toen ze elkaar hadden leren kennen. Te jong om te begrijpen dat August bij hun omgang maar op één ding uit was, en dat was haar alleen in het huis van zijn broer zien te krijgen.

Naderhand, toen hij op haar was uitgekeken en niet meer langskwam, had Hattie nooit laten merken dat ze liefdesverdriet had, liefdesverdriet van het kaliber buikpijn en slapeloze nachten. Mama had gelijk gehad toen ze zei: 'Hij wordt je ondergang', dacht Hattie. Als ik had geweten hoe alles zou uitpakken, zou ik nadat ik mijn tweeling had begraven van de kade zijn gesprongen.

'Misschien kun je eens kijken of ze je weer kunnen gebruiken bij de marinewerf,' had Hattie gezegd. 'Mevrouw Mark heeft me waarschijnlijk niet meer nodig. Ze gaat naar Florida verhuizen om bij haar kleinkinderen te zijn.'

'Niet meteen gaan tobben. We vinden er wel wat op,' had August geantwoord. 'Het zal niet zwaarder worden dan met de andere kinderen. D'r heeft 'r nog nooit eentje honger geleden.'

O nee? had Hattie gedacht.

Verderop in de gang sliepen de kinderen met hun drieen op één kamer. Hattie hoorde ze bijna groeien. Hun polsen werden langer en staken uit hun mouwen, hun voeten groeiden uit hun schoenen, hun schouders werden breder en trokken de stof van hun jassen strak. De afgelopen twee weken had zij ze 's avonds witte bonen met kluifbeentjes voorgezet en als ontbijt poedermelk met havermout. Ze waren mager. En ze hadden die hardheid die je niet graag zag in een kindergezicht.

Ella werd aan het eind van een zeldzaam warme aprilmaand geboren. Hatties weeën begonnen toen ze gebogen stond over de tobbe, terwijl ze andermans was stond te doen om een extraatje te verdienen. De hele bevalling vergde amper drie uur, en nadat de dokter was vertrokken kwamen er een paar buren van Hattie langs, vrouwen uit de straat die altijd kwamen bij geboortes en sterfgevallen, of een enkele keer een kop thee kwamen drinken op de veranda. Zij poetsten het bloed weg, zorgden voor de andere kinderen en brachten iets mee van wat ze die dag aan eten hadden klaargemaakt: een pan snijbonen, een schaal met kip. De oudste van hen, Willie, kwam ergens uit Noord- of Zuid-Carolina. Willie was al oud zolang iedereen zich kon heugen. Ze was een modderbruin getinte vrouw die zo lijzig praatte dat het klonk alsof ze pas de vorige dag uit Bugaloo was aangekomen. De jongere vrouwen vonden Willie een uit de klei getrokken figuur, ook al kwamen ze bijna allemaal zelf van het platteland. De meesten van hen waren voortdurend bezig hun hoedanigheid van noordelijke stedelingen bij te werken en op te poetsen, en de sporen uit te wissen van het anonieme zuidelijke stadje of dorpje met zijn zandwegen en deelpachtlandjes waar zij of hun familie vijf, tien of twintig jaar daarvoor vandaan waren gekomen, of ze liepen juist op te scheppen over de brede veranda's in deze of gene gegoede zwarte buurt waar ze met hun familie hadden gewoond, wat gewoon een indirecte manier was om te zeggen dat Philadelphia hen op waarde diende te schatten.

Willie had Hatties nageboorte meegenomen en begraven onder de eik voor het huis. Die boom was een reusachtig gevaarte met wortels die zo dik en sterk waren dat ze door de betonnen stoeptegels heen braken. 'Zo blijft de geest van het kind dicht bij huis,' had Willie gezegd. De buurvrouwen wilden niet toegeven dat ze in dergelijke zaken geloofden, maar ze lieten Willie wel altijd binnen in hun kraamkamer. Later klakten ze dan meewarig met hun tong en zeiden ze hoofdschuddend: 'Toch jammer dat Willie in die dingen is blijven hangen.' Maar ze waren wel zo slim dat ze de mogelijkheid om het geluk, een meevaller of een zegen, in welke vorm die zich ook mocht voordoen, af te dwingen niet bij voorbaat wilden torpederen. Als de voodookunsten van Willie enigerlei belofte inhielden dat het hun kinderen in Philadelphia voor de wind zou gaan, dan was dat mooi meegenomen. Hattie vond ze allemaal naïef en optimistisch tegen beter weten in, maar ook zij liet Willie haar ritueel uitvoeren. En natuurlijk waren ook de andere vrouwen van Wayne Street net zo gewond en geslagen door het Noorden als Hattie, alleen was zij zo overtuigd van het unieke karakter van haar eigen teleurstellingen dat ze niet zag dat ze niet de enige was die het zo was vergaan.

Om elf uur was Hattie nog steeds niet klaar met het poetsen van de ladekast. Ella was onrustig, dus nam Hattie haar in haar armen. De kamer rook naar Murphy's houtglansmiddel. Omdat ze werd afgeleid had Hattie te veel uitgegoten en lagen er klodders zo groot als een muntstuk op het houten bovenblad. Hattie depte met één hand de resten van het glansmiddel op terwijl ze Ella op de andere op en neer liet wippen. Aan de overkant van de straat was een roze lint aan de voordeur van een van de huizen gehangen. Daar was een paar dagen geleden een meisje geboren. Van een afstandje zag het lint er schoon en nieuw uit, maar wie van dichterbij keek zou zien dat de randen gerafeld waren en dat er gaatjes in zaten op de plekken waar het overal in de straat tegen deuren was geprikt. Een halfjaar eerder was het op Hatties deur geprikt vanwege de geboorte van Ella. Hattie probeerde te bedenken waar het blauwe lint zou zijn gebleven. Het was al weer een poosje geleden dat er een jongen was geboren.

'Kijk daar eens, Ella. Kijk eens naar het geboortelint.' Hattie tikte tegen het raam om Ella's aandacht te trekken, en haar vingertop liet een afdruk achter. Ze drukte Ella's vingertje tegen het glas en toen haar hele hand. De afdruk zou misschien wel een hele maand blijven zitten, misschien zelfs nog langer als Hattie het raam niet zou lappen. Ze had de neiging Ella's handje tegen alle ruiten en spiegels in huis te drukken. Lang nadat het kind naar Georgia was verdwenen zouden, wanneer de badkamer zich met stoom vulde, de contouren van haar hand zich aftekenen in de condens.

Hattie zou er met Ella vandoor kunnen gaan. Ze hóéfde haar kind toch niet aan Pearl te geven? Ze zou kunnen uitwijken naar een klein, afgelegen plaatsje met zachte winters, waar ze niemand kenden. Hattie rende naar beneden naar de keuken en telde het geld voor noodgevallen dat in de theebus zat. Veertien dollar. Daar zouden ze niet bijster ver mee komen. Ze was Philadelphia al in geen jaren meer uit geweest, maar ze had een aardig idee van de wereld om haar heen, althans van de paar staten waar ze geweest was: Georgia, waar ze was geboren, en de staten waar zij, Marion,

Pearl en hun moeder, op Hatties vijftiende doorheen waren gereisd op weg naar Philadelphia. Ze had in een van de aardrijkskundeboeken van de kinderen de route die ze destijds hadden genomen opgezocht. Naar het Noorden door de beide Carolina's, dan door Virginia en Maryland en ten slotte Pennsylvania in.

Toen Hattie, haar moeder en haar zusjes Georgia in 1923 verlieten, waren er in de negerwagons in de treinen nog geen wc's en veel van de stations in het Zuiden hadden ook geen toiletten voor negers, dus moesten ze hun behoefte buiten doen. Drie van hen stonden op de uitkijk terwijl de vierde zich ontlastte. De eerste keer kon Hattie niet van pure schaamte. Haar moeder ging als laatste en de blanke conducteur riep van een paar meter verderop langs het spoor naar hen: 'Jullie moeten opschieten, als jullie nog mee willen tenminste!' Schandalig dat haar moeder, die haar haren altijd in een knotje had, die voor blank had kunnen doorgaan maar dat vertikte, die welgemanierder en netter was dan de koningin van Engeland, met haar rok om haar middel moest neerhurken in de *kudzu* terwijl een blanke naar haar stond te schreeuwen. Dezelfde conducteur stond een paar minuten later op hen te wachten bij de deur van de negerwagon. Hij had zijn handen in zijn zakken en wiegde heen en weer op zijn hakken toen hij ze zijn kant op zag komen langs het spoor. Hij gaf mama een knipoog. Hij drukte zijn lijf tegen het hunne toen ze de wagon in klommen. Hatties moeder zei niets, maar haar hals kleurde rood en ze ademde met korte, boze stoten. Vanaf dat moment waren ze alleen nog gaan plassen als een van hen bijna verging van de pijn van het ophouden.

Het was een vreselijke reis geweest, al was er onderweg ook iets wonderbaarlijks gebeurd. Hattie was midden in de nacht wakker geworden van het geratel van de wielen op de rails en het geroffel van de regen tegen de ruiten, en ze had de dofpaarse hemelkoepel gezien waar de bomen tegenaan drukten. De reis had haar uit de saaie alledaagsheid van haar leven getild. In Georgia was ze een van de velen geweest, niet anders dan de anderen, zelfs in haar eigen ogen, maar in de trein naar Philadelphia was ze zich ineens scherp bewust geworden van haar eigen ongeschonden uniciteit. Ze voelde zich een eenzame rode bloem in een groen grasveld.

Als Hattie er met Ella vandoor zou gaan, zouden ze zich de hele tijd zo kunnen voelen, als twee rode klaprozen. Ella probeerde een zilveren dollar in haar mond te stoppen. Het was halftwaalf. Hattie prakte wat erwten in een gele kom. Ze lepelde de groene brij in Ella's mond terwijl het kind kirde als een vrolijk vogeltje en de lepel probeerde te pakken. Hattie kuste haar op haar bolletje en huilde. Ze moest niet vergeten tegen Pearl te zeggen dat Ella dol was op erwten.

Pearl friemelde aan de goudkleurige sluitgesp op haar tas. Haar man Benny wierp haar van achter het stuur een snelle blik toe. Ze diepte haar poederdoos op uit de tas en klapte die open, waarbij ze zorgvuldig het spiegeltje uit de zon hield, zodat het licht niet in Benny's ogen zou komen onder het rijden. Hoewel ze voor hun vertrek uit Macon haar haar uitgebreid had gestraight, was het vlak boven de haarlijn toch weer begonnen te kroezen. Ze had gehoopt dat het plat zou blijven zitten tijdens de twee dagen durende autorit naar Philadelphia. Ze had voor alle zekerheid haar straightener meegenomen, ook al had Benny gezegd dat ze onderweg niet in een hotel zouden overnachten.

'Negerhotels zijn waardeloos,' had hij gezegd toen ze had gevraagd waar ze zouden slapen. 'Enkel hoeren en vlooien.' Pearl huiverde. Ze vond het vreselijk wanneer hij zo vulgair praatte.

Al met al hield haar kapsel het nog best goed. Ze hadden al twee staten achter zich gelaten en het weer was wisselvallig geweest. Toch, dacht ze, zou ik best de wortels een beetje kunnen bijwerken. Ook haar neus glom een beetje, zodat ze die wat bijpoederde. Het poeder rook naar rozen. Pearl kreeg altijd een beter humeur van rozen en ze nam zich voor elk uur haar neus even te poederen om de melancholie tegen te gaan. Per slot van rekening was deze reis een blijde aangelegenheid.

Benny kneep zijn ogen tot spleetjes vanwege de middagzon die door de voorruit naar binnen scheen. Pearl zag dat hij zijn handen zo strak om het stuur had gekromd dat de pezen zichtbaar waren. Hij snoof nadrukkelijk, bijna alsof hij nieste, en zei: 'Wat is dat?'

'Mijn gezichtspoeder. Ruikt lekker, vind je niet?'

'Het slaat me op de luchtwegen.'

'O, het spijt me. Ik kan me alleen niet herinneren dat het je de andere keren dat ik het de afgelopen tien jaar heb opgedaan ook op de luchtwegen sloeg.'

Benny zond haar een vernietigende blik. Hij draaide het raampje open en drukte het gaspedaal verder in.

'Benny!' zei Pearl, die haar haar vastpakte om te voorkomen dat het kapsel in de war zou raken. Er ontsnapte een lichtbruine haarsliert die over haar voorhoofd schoot. 'Benny! Het raampje!' zei ze nog eens. Maar hij negeerde haar en ze reden nog een tijdje door terwijl de wind een puinhoop maakte van Pearls kapsel.

Na een poosje zei Benny dat hij trek had en begonnen ze uit te kijken naar een picknickplaats. Een uur later zagen ze een verweerd bordje dat scheef aan een houten paal hing. De letters waren vervaagd, maar ze konden nog net lezen wat er stond: PICKNICKPLAATS VOOR NEGERS. Benny stuurde de auto van de weg af en reed een meter of wat over een grindweg naar een veldje bij een sparrenbos. Het was een zwoele avond en ze moesten rekening houden met steekmuggen. Een vleugje veldbloemengeur verleende de lucht een zodanige frisheid dat Pearl haar longen er helemaal mee wilde vullen. Het deed haar denken aan de vage geur die bleef hangen op een vrouwenpols nadat haar parfum was vervluchtigd. De zon hing laag achter de sparren en het veldje was doortrokken van een lavendelkleurig licht.

Er hing een belofte in de avondlucht. De volgende dag zou Pearl Ella hebben en zou ze haar meenemen naar Georgia en grootbrengen alsof het haar eigen dochter was. Ze had gebeden. Wat had ze gebeden. Ondanks haar teleurstellingen en haar ziekte, ondanks uitputting en een depressie die zo diep was geweest dat ze haar tuin had laten verwilderen en niet in staat was geweest haar slaapkamer uit te komen, was Pearl er toch in geslaagd iedere avond naar de kerk te gaan om de Here te vragen of hij haar wilde zegenen met kinderen. De vrouwen van de gemeente hadden met haar te doen omdat ze haar toevlucht had moeten nemen tot het adopteren van het kind van haar zuster. Pearl had hun wijsgemaakt dat Ella in huis nemen een daad van barmhartigheid was, maar ze wist dat ze het uit vertwijfeling deed.

Pearl pakte het tafelkleed van de achterbank en Benny tilde de rieten picknickmand uit de kofferbak. Onder in de mand rammelde het bestek. Pearl bedacht dat als ze samen aan de picknicktafel zouden gaan zitten om het eten te nuttigen dat ze had meegenomen, ze wel aardig tegen elkaar moesten doen. Ze konden moeilijk in dat lieflijke schemerlicht gaan zitten – jaren geleden zouden ze het een romantische avond hebben gevonden – zonder zich hoffelijk te gedragen. En maakten Benny en zij niet samen een soort pelgrimstocht en zou het belang van hun reis niet al hun gekibbel en wederzijdse irritaties moeten overstemmen?

Benny wierp een blik in de mand. Hij ademde de avondlucht eens diep in en zijn schouders ontspanden zich. Pearl haalde de witte porseleinen borden tevoorschijn, en ook de vorken, de messen en de witte katoenen servetten. Ze pakte een afgesloten schaal met kippenboutjes en een andere met plakjes tomaat en weer een andere met crackers. Ze dekte zodat ze naast elkaar zouden zitten en zette een perziktaart naast het bord van haar man, zodat hij hem zou kunnen bewonderen. Benny moest grinniken om de manier waarop Pearl zo netjes mogelijk schrijlings op de bank probeerde te gaan zitten.

Pearl bad voor het eten: 'Heer, wij danken U voor deze heerlijke spijzen en voor onze veilige reis. Ook danken wij U' – ze aarzelde even en keek naar Benny – 'voor de aanstaande uitbreiding van ons gezin.'

Benny schraapte zijn keel. 'Amen,' zei hij. Er klonk geen boosheid in zijn stem.

Ze schepte hem het eerst op. Het was vast vanwege de gezonde lucht en de lange reis dat ze zo'n eetlust hadden. Pearls kip was nog nooit zo mals geweest en haar tomaten hadden nog nooit zo zoet gesmaakt. Voordat Pearl met haar ogen kon knipperen, had Benny al drie crackers soldaat gemaakt. Toen ze allebei tegelijk van de tomaten wilden nemen, raakten hun handen elkaar. Pearl sloeg glimlachend haar ogen neer en Benny schoof een heel klein stukje dichter naar haar toe.

'Niet elke vrouw weet van een maaltje langs de weg iets bijzonders te maken,' zei Benny. Hij had haar al heel lang geen complimentje meer gemaakt.

In het wegstervende licht konden ze niet zien wie er in de auto zaten die over de grindweg op hen af kwam gereden. Ze hadden net een tweede keer flink opgeschept toen de chauffeur het groot licht aandeed, hoewel het daarvoor nog niet donker genoeg was, en op dat moment wist Benny dat Pearl en hij niet welkom waren. Hij veegde zijn vingers een voor een af aan Pearls katoenen servet, drukte het tegen zijn lippen en zorgde ervoor dat er geen kruimels meer bij zijn mondhoeken zaten. Pas toen stond hij op en trotseerde de koplampen, met een hand boven zijn ogen tegen het felle schijnsel. Pearl vroeg zich af of de eigenaar van de auto met de lampen had geknoeid om ze krachtiger te maken. Pearl en Benny zaten in de val, als gevangenen in een zoeklicht.

Pearl bleef zitten. Ze zette Benny's bord op het hare. Het geluid van de tegen elkaar tikkende porseleinen borden vermengde zich met dat van de stationair draaiende motor. Benny legde zijn hand op Pearls onderarm ten teken dat ze stil moest blijven zitten. Ze rechtte haar rug en schouders, ook al waren haar handen klam en voelde ze het maagzuur bijten.

De koplampen gingen uit en alle portieren van de auto gingen tegelijk open. Benny taxeerde de vier mannen die uitstapten. Ze waren van gemiddelde lengte en aan de magere kant, behalve de chauffeur, die forser was dan de anderen. Niet forser dan Benny zelf, maar hij zag er geducht uit. Als hij de picknickbank zou kunnen optillen, zou hij er met een goeie zwaai twee man mee kunnen uitschakelen. Hij zou het tafelkleed over hen heen kunnen gooien zodat ze even niks zagen en dan met een vork in hun wangen of rug kunnen prikken. Of hij zou een bord kapot kunnen slaan en met een scherf een van hen in de buik kunnen steken. Hij zou zijn vingers in hun oogkassen kunnen steken en er eentje tegen de keel kunnen stompen en zijn adamsappel voelen meegeven onder zijn vuist. Benny bedacht, zoals wel vaker wanneer hij tegenover blanken stond, hoe ze eruit zouden zien als ze op de balsemtafel in de rouwkamer van zijn begrafenisonderneming lagen. De mannen kwamen langzaam op hem af gelopen, met een bewust dreigende houding, de grootste voorop. Ook dat was aanstellerij, want zelfs een kind snapte dat imponeergedrag van vier blanken op een verlaten stuk snelweg in Virginia nergens voor nodig was. Ze wisten allemaal dat Benny niets kon uitrichten.

De grote man bekeek Benny's leren instappers, glanzende manchetknopen en katoenen overhemd met gestreken boord. Zijn lippen vormden een dunne streep, strak en nadrukkelijk.

'Zijn jullie verdwaald?' zei hij met lijzige tongval. Voordat

Benny kon reageren, zei een van de andere mannen: 'Geef die man eens antwoord. Heb je niet gehoord dat ie je een vraag stelde?'

'Nee m'neer. Ik bedoel ja m'neer, ik heb gehoord, maar nee m'neer, wij niet verdwaald zijn. Wij alleen wat eten op deze bank.'

Nee m'neer? Ja m'neer? Zo had Pearl Benny nog nooit horen praten.

'As d'r geen bord staat met "voor kleurlingen" d'r op dan betekent dat dus "enkel voor blanken", hè?' zei de forse man.

'En as d'r wel eentje staat met "voor kleurlingen" dan betekent dat ook "enkel voor blanken", als wij dat zeggen,' zei de andere man.

'Nou m'neer, dan ik mij vast vergist. M'n vrouw en ik honger. Wij geen last willen geven.'

'Weten jullie soms niet dat hier in Virginia de mooie plekjes voor blanke mensen bestemd zijn? Of dachten jullie soms dat we deze mooie bank hier voor jullie hebben neergezet?' Hij zweeg even. 'Waar komen jullie weg?'

'Zeker. Zeker. Wij uit Georgia komen en nog nooit zo'n eind gereisd.' Hij grimaste. 'Wij regels hier nog niet zo goed kennen, begrijpt u?'

'Dus jullie zijn buiten je eigen staat?'

'Ja m'neer, dat klopt.'

Pearls ogen prikten. Ze wist dat als die mannen naar haar keken, ze zouden zien dat haar ogen glazig stonden van de tranen en dat ze zouden denken dat dat kwam omdat ze bang was. En bang was ze, want ze konden haar man zomaar afmaken en God weet wat met haar doen, maar ze was verdomme ook kwaad. Haar knieën knikten van woede en haar tenen kromden zich. Ze had zin haar schoenen uit te trekken en naar ze te smijten. Schurftig, half uitgehongerd blank uitschot. Rooie koppen. Rood van de drank, volgens haar. Eeltige klauwen met opgezwollen knokkels.

Een van de mannen zette een paar stappen in de richting van Pearl. Ze kreeg haast een hartverzakking. Hij legde zijn vingertoppen op de rand van de picknickmand. Uitschot, dacht Pearl opnieuw. Wat moeten ze ons haten! Kijk eens naar mijn porseleinen serviesgoed en mijn fraaie bestek, wilde ze zeggen. Ik woon in een groot huis met een veranda er helemaal omheen, en fruitbomen in de tuin. Ze wilde dat die mannen zich nietswaardig en arm voelden wanneer ze straks teruggingen naar hun krotten en hun afgeleefde vrouwen.

De man zei: 'Zo te zien heb je vrouw staan kokkerellen. Ken ze d'r wat van, boy?'

'Ja m'neer,' antwoordde Benny. 'Nou en of, m'neer.'

De forse man keek naar de andere man en toen weer naar Benny, en zei: 'Maak maar gauw dat je wegkomt.'

'Dankuwel m'neer. Wij zullen gelijk onze spullen pakken en vertrekken.'

'Ik heb niks gezegd over spullen pakken. Maak dat je wegkomt heb ik gezegd.'

Benny zweeg. Zijn naast zijn lijf hangende handen balden zich tot vuisten. De aderen op zijn slapen klopten.

De forse man vervolgde: 'Jullie hebben je spullen op de tafel voor blanken gelegd en nou zal je ze daar motten laten leggen. Belasting. Betalen jullie belasting?'

Benny reageerde niet. De forse man zette een stap naar hem toe.

'Ik vraag je wat. Betaal jij belasting?'

Benny slikte moeizaam. 'Ja, wij belasting betalen.'

'Ja wat?'

Weer reageerde Benny niet.

De forse man legde zijn hand op Benny's borst en duwde. Benny wankelde, maar viel niet. Het getjirp van de krekels was oorverdovend. De zware schoen van een van de mannen schraapte over het steengruis.

'Ja m'neer,' zei Benny. 'Ja m'neer, wij belasting betalen.'

'Nou, dan komt er nog wat bij. En nu wegwezen, voordat ik me bedenk.'

Pearl legde haar handen op de tafel en duwde zichzelf overeind. Ze aarzelde, want ze besefte dat ze haar been over de bank zou moeten zwaaien en dat dat uitschot dan haar ondergoed zou zien. Ze kon zich niet bewegen. Ze schoof naar links en toen naar rechts in een poging uit te vinden hoe ze zich het beste van de bank af kon manoeuvreren.

De forse man zei: 'Wil je vrouw liever bij ons blijven?' Ze lachten.

Pearl tilde bevend haar been op en voelde de koele lucht tegen de binnenkant van haar dij. Ze draaide zich snel om, zodat ze de tranen op haar wangen niet zouden zien. Terwijl ze naar de auto liep, onvast ter been omdat haar hakken geen houvast vonden in het grind, floot een van hen haar na en zei: 'Misschien mot ze toch maar hier blijven.' Ze hoorde Benny langzaam achter haar lopen, zoals je wegloopt van een dier dat zou kunnen aanvallen.

In de auto zeiden ze lange tijd niets en keken ze elkaar een hele tijd niet aan. Beiden keken regelmatig in de achteruitkijkspiegel om te zien of de felle koplampen niet in zicht kwamen. Het avondlicht kleurde paars en ging over in volledige duisternis. Hun auto was de enige op de weg. Pearl zat met haar handen stijf gevouwen in haar schoot en maakte ze los om haar rok over haar benen glad te strijken en de zoom omlaag te trekken. Ze voelde ergens tocht vandaan komen, maar kon niet bepalen waarvandaan en rukte aan de hendel van het raampje.

'Zou je alsjeblieft willen ophouden met dat gehannes?' zei Benny. 'Ik spring er dadelijk nog van uit mijn vel.'

'Door jou zou ik mijn hele vel wel willen afstropen en weggooien,' mompelde Pearl.

'Wat zeg je?' wilde Benny weten. 'Als je wat te melden hebt, dan graag hardop.'

'Al dat getreiter en geduw!' riep ze uit.

'Wat had je dan gewild dat ik deed? Wat kon ik anders?'

'Je hoefde toch niet zo diep door het stof te gaan? Je had je waardigheid kunnen behouden! Ik heb me nog nooit zo vernederd gevoeld!'

'O jawel. Dat heb je wel, dat weet je donders goed. Jij hebt zo lang thuis gezeten met je theepartijtjes en je tuinierclubje, dat je denkt dat je kunt doen alsof we niet zijn wat we zijn, maar jij weet net zo goed als ik dat we, als ik mijn waardigheid, mijn godvergeten waardigheid, had willen behouden, aan de hoogste boom hadden gebungeld.'

'Die mannen waren het nog niet waard mijn schoenveters vast te maken. Ik kon die zelfvoldane smoelen niet uitstaan, Benny. Ik kon het niet uitstaan.'

'En dacht je dat ik dat wel kon?'

Juffrouw Prisby sloeg, bot als ze was, horkerig als ze was, toen ze het huis in Wayne Street verliet de deur met een klap achter zich dicht. Van de bijstand stuurden ze haar elke week langs. Thuiscontrole noemden ze dat, om te kijken of Hattie nog steeds in aanmerking kwam voor de uitkering die ze elke maand ontving. Hattie dacht dat ze nog liever crepeerde van de honger dan dat ze haar nog één keer binnenliet. Misschien dat ze diezelfde middag nog naar het bijstandskantoor zou gaan om te zeggen dat ze geen uitkering meer hoefde. Het deed er nauwelijks meer toe, want over minder dan twee uur zou ze haar kind weggeven, alsof het een hondje was. Het kind van haar ouderdom, haar jongstgeborene, zou meegaan met Pearl. Wanneer Hattie Ella over drie of vijf jaar terug zou zien zouden ze vreemden voor elkaar zijn. Haar dochter zou 'tante' tegen haar zeggen, of 'mevrouw'. Hattie zou Ella aankijken en proberen niet van haar te houden. Ze zou zichzelf er voor de zoveelste keer van moeten overtuigen dat ze gedaan had wat moest, dat ze Ella een halflege koelkast en winters zonder kolen had bespaard. Nu kon ze haar nog houden. Maar. Ella zou een eigen kamer krijgen. In een wereld vol hortensia's, uitgestrekte gazons en ijsjes in de zomer. Een wereld zonder afdankertjes. En zonder juffrouw Prisby.

Juffrouw Prisby was vier maanden geleden voor het eerst langsgekomen, en hoewel Hattie het aan niemand had verteld – een steunuitkering was iets waar je niet over praatte – was het algauw in de straat bekend. De volgende ochtend wilden de buurvrouwen, wier kinderen ook de afgetrapte schoenen en opgelapte bloesjes van hun oudere broers en zussen moesten dragen, en bij wie de kasten ook vol stonden met blikken wasbonen, niet meer met haar praten. Ze groetten met een kort knikje en liepen haar huis voorbij alsof ze melaats was. Dat je op zwart zaad zat was tot daaraan toe, ieder van hen zat op zwart zaad, maar op het bijstandskantoor papieren gaan zitten invullen waar dat allemaal in stond deed je niet. Steun trekken was een schande, te zeer een brevet van onbekwaamheid. Maar Hattie kon niet tegen de hongerige blikken van haar kinderen, en toen Ella kroep kreeg, werd ze almaar niet beter omdat er geen geld was voor de dokter. Marion gaf steeds vaker berichtjes door van Pearl, die zei dat ze het zo erg vond dat het niet goed ging en dat ze graag wilde helpen. Toen had Marion haar verteld van de uitkering, waarop Pearl had geschreven:

Hattie,
Het hele voorjaar door hebben we hier alleen maar regen gehad. De forsythia stond in bloei, en de kornoelje, en die paarse dingetjes die vroeger, toen wij klein waren, aan de zijkant van ons huis groeiden (weet je nog dat mama daar zo dol op was?) en toen barstte er een ongekend noodweer los, en lag alles tegen de vlakte. Al had het ook wel iets. Het pad en de tuin lagen bezaaid met witte en paarse bloemblaadjes. Maar de laatste paar dagen is het rustig, zonnig weer geweest. Het gazon ligt er weer mooi bij, en ziet er volgens Benny beter uit dan dat van de Parsons van hiernaast.

Mevrouw Parsons heeft me er, toen het niet goed met me ging, doorheen geholpen. Het is een lieve vrouw, ze is net als ik diacones in de kerk. Ze is als een zuster voor me, een geweldige steun. Ze kwam elke dag kijken hoe het ging, zelfs toen de dokter niet meer kwam en Benny raar ging doen. Mannen gaan altijd raar doen als het om vrouwenzaken gaat. Deze keer had ik de wieg van zolder gehaald en die in de zonnige achterkamer gezet. Daar had ik de kinderkamer gepland. Het is er prettig, heel fris. Jij hebt hem nooit gezien natuurlijk. Heeft Marion je verteld wat er met me aan de hand was? Ik hoor nooit wat van jou. Je zult het wel te druk hebben, en je hebt ook geen telefoon, dat is tegenwoordig toch zo'n gemak.

Intussen ben ik er weer helemaal bovenop, maar de dokter zegt dat ik het beter niet nog eens kan proberen. Mevrouw Parsons vindt dat maar onzin. Wat weten dokters daar nou van, zegt ze. Raar hè, dat sommige dingen binnen een familie zo ongelijk verdeeld kunnen zijn. Marion en jij zijn in dat opzicht rijk gezegend, terwijl ik net Sara, de vrouw van Abraham, ben.

Vorige week sprak ik Marion. Ze zei dat het prima ging met haar meisjes. Maar ze zei ook dat jij het de laatste tijd nogal moeilijk had. Dat er nooit wat van August is terechtgekomen en zo. Marion zegt dat hij niet werkt en dat jij een uitkering krijgt. Ik wil niet betweterig overkomen. Ik heb altijd wel gedacht dat het leven in het Noorden vol valkuilen zat, maar hier moet toch echt een oplossing komen. Ik dacht dat Benny en ik misschien zouden kunnen helpen. Wij hebben hier zoveel ruimte. En een prachtige grote tuin, en met Benny's zaak gaat het heel goed. Ella zou hier gelukkig zijn. Dat weet ik zeker. Met zoveel frisse lucht en zon, en op de zwarte middelbare school hier hebben net drie meisjes eindexamen gedaan die naar Spelman College mogen. Er zijn zoveel mogelijkheden, zelfs hier in Macon. Weet je nog dat papa en mama zich lang geleden bij de Vereniging ter Verheffing van de Neger aansloten? Nou, ik ben altijd contributie blijven betalen, en de vereniging heeft heel goed werk gedaan, en ik ben er zeker van dat het alleen nog maar beter wordt. Benny zegt dat dit soort gezelschappen niks tegen luiheid kunnen uitrichten, maar die heeft nou eenmaal overal aparte ideeën over. Ik heb tegen Marion gezegd dat ik graag met je wilde praten. Ik heb er niet bij gezegd waarover. Ik weet dat je erg hecht aan je privéleven, maar ik weet ook dat je elke zondag bij haar langs gaat, en ik dacht dat ik je misschien volgende week bij haar thuis zou kunnen bellen.

Hoe dan ook, ik stuur je hierbij twintig dollar, zodat je even verder kunt. Ik hoop dat je ze wilt aannemen.

God zegene en behoede je,
Pearl

Hattie had de brief weggegooid en was een maand lang niet naar Marion gegaan. Maar elke keer dat juffrouw Prisby langskwam, was Hattie gedwongen onder ogen te zien hoe uitzichtloos het ervoor stond. Haar zussen zeiden haar niet recht in haar gezicht dat ze zichzelf en haar familie te schande had gemaakt, maar dat was wel wat ze dachten, en Hattie wist dat ze gelijk hadden. Zelf kon ze haar armoede en haar ontgoocheling wel verdragen, maar haar kinderen konden dat niet, Ella kon dat niet. Twee keer in de maand stuurde Pearl een envelop waar een biljet van tien dollar in zat. Hattie hield het geld. Ze verfoeide zichzelf, en ze verfoeide Pearl, maar ze gaf het geld tot op de laatste cent uit.

Hartje zomer schreef Pearl opnieuw:

Ik hoop dat je over mijn voorstel nadenkt. Ik weet dat je niet veel waarde hecht aan wat August zegt, maar hij is voor.

Gods zegen,
Pearl

Hattie stak de brief in haar tas en ging naar Marion. Toen ze daar aankwam zat Marion op de schommelbank die ze op de veranda hadden opgehangen zichzelf koelte toe te wuiven.

'Wat weet jij hiervan?' vroeg Hattie, terwijl ze Marion woedend de brief voorhield.

'Wat ik weet is dat je hier niet als een bezetene de veranda hoort op te stormen, nadat ik je een maand lang niet heb gezien. Wat heb je daar?' antwoordde Marion, terwijl ze haar hand uitstak naar het van een monogram voorziene vel postpapier.

'O,' zei ze toen ze het gelezen had.

'Nou?' zei Hattie.

'Typisch Pearl om een totaal verkeerde voorstelling van zaken te geven. Het is niet zo erg als het overkomt.'

'Nou, op mij komt het anders over alsof August en Pearl dit achter mijn rug om hebben bekokstoofd, samen met jou, vermoed ik,' zei Hattie.

'Niemand bekokstooft wat dan ook. Alleen toen August hier toevallig langskwam om met Lewis te praten...'

'Sinds wanneer komt August zonder mij bij jullie langs?

Als Lewis en hij sinds jullie trouwen meer dan tien woorden met elkaar hebben gewisseld is het veel.'

'Dat weet ik allemaal niet, maar het enige wat hij gezegd heeft was dat het misschien geen slecht idee zou zijn als Pearl Ella meenam, nu jullie de eindjes amper aan elkaar kunnen knopen.'

Hattie sloeg haar hand voor haar mond, als om een kreet te onderdrukken. Ze haalde een keer diep adem, liet haar hand weer zakken en zei: 'Mijn ene zus probeert mijn bloedeigen kind van me af te pakken, en mijn andere vertelt leugens om dat te verdoezelen. Ik heb niet veel gevoel voor eigenwaarde meer over, Marion, maar zou je me alsjeblieft de waarheid willen vertellen?'

'Dat heb ik gedaan. August was hier om… Hij wilde geld van Lewis lenen, maar hij wilde niet dat jij daar iets van wist. En dus beloofden we hem er niks over te zeggen.'

'Hij kwam hier om geld bedelen?' vroeg Hattie. 'Waarom?'

'Dat weet ik niet, Hattie.' Marion wilde Hattie bij de hand pakken, maar Hattie deed een stap achteruit om buiten bereik van haar zus te blijven. 'Lewis en hij raakten zo wat aan de praat, en toen zei hij dat hij aan Pearl had gedacht.'

'En?'

'En toevallig sprak ik Pearl de volgende dag en heb ik er terloops iets over gezegd.'

'Aha.' Hattie pakte de brief, vouwde hem op en stopte hem weer in haar tas. 'Bedankt,' zei ze, terwijl ze het trapje van de veranda af liep.

'Hattie, wacht!' riep Marion.

'Laat me met rust, Marion. Laat me alsjeblieft met rust.'

Die avond kwam August 'I wish I was in Dixie' fluitend thuis, zoals hij altijd deed, weer of geen weer, in goede of slechte tijden, altijd floot hij Dixie. Aan tafel schepte Hattie met zoveel geweld de aardappelpuree op zijn bord dat er spetters van op zijn stropdas terechtkwamen. Na het eten schoten de kinderen als bange katjes alle kanten op. Zodat August in zijn eentje zat opgezadeld met het stilzwijgen van Hattie, het gekletter van het bestek tegen de borden en het geruis van het water dat in de gootsteen liep. Ze draaide zich met een ruk om en keek hem aan.

'Ging je me nog vertellen dat je Pearl hebt laten weten dat ze mijn kind mag hebben, of was je van plan Ella te ontvoeren en haar zelf naar Georgia te brengen als ik lig te slapen?'

August tastte naar zijn sigaretten. Van Hattie mocht hij in huis niet roken, daarom tikte hij met de hoek van het pakje op tafel.

'Dat heb ik helemaal niet tegen Pearl gezegd.'

'Dat heb je helemaal niet tegen Pearl gezegd.' Hattie schudde haar hoofd. 'Dus dat heeft ze allemaal verzonnen toen ze me schreef?'

'Ik heb haar niet gezegd dat ze Ella kon komen halen. Het enige wat ik gezegd heb is dat we heel erg krap zaten en misschien wel...'

'En zou het misschien ook wel kunnen dat je achter mijn rug om bij de man van mijn zuster om geld bent wezen bedelen? En dat je, toen je toch bezig was, dacht dat je best kon zeggen dat Pearl mijn kind wel mocht hebben?'

'Zo is het helemaal niet gegaan, Hattie.'

'Waar had je dat geld voor nodig, August? Ik kan me niet

herinneren dat er opeens vlees in de koelkast lag. En je hebt het zeker niet in het aflossingspotje gedaan.'

'Het ging maar om een paar dollar. En ik heb ze al weer terugbetaald.'

'Ik hoop dat ze het waard was.'

'Het ging niet om een vrouw, Hattie. Ik heb alleen maar vijftien dollar geleend en tegen Lewis gezegd dat ik over het aanbod van Pearl liep te denken. Da's alles.'

'Je hebt mijn kleine meisje verkocht voor een paar dollar en het geld dat Pearl elke week stuurt!'

'Wat voor geld? Ik heb nooit geld van Pearl aangenomen. En ik heb ook nooit gezegd dat ze Ella mocht hebben. Hattie, luister nou 's, ze hebben zovéél daar. En het is ook niet zo dat we d'r nooit meer terug zouden zien. Ze zou gewoon in Macon zijn, bij je zus. Je bloedeigen zus, Hattie, tot we er hier weer wat beter voor staan.'

'En wanneer denk je dat het zover zal zijn, August? Wanneer je door je vriendinnetjes heen bent? Is het zover wanneer je er genoeg van hebt om almaar mooie overhemden te dragen en elke avond uit te gaan?' Ze sloeg met de vlakke hand op de keukentafel. 'En je hebt ook nog het gore lef om hier elke avond vrolijk fluitend binnen te komen.'

'Jij denkt dat ik niet weet dat ik voor brood op de plank moet zorgen voor al die kinderen? Jezus, eentje is niet eens van mij.'

'Laat Ruthie hier buiten!'

'Ik ga elke dag naar de werf, maar elke keer zeggen ze: "We hebben niks voor je." En dat ik elke dag zingend thuiskom... dat klopt. Ik kom binnen, laat de kinderen paardjerijden op mijn knieën, en probeer ze aan het lachen te maken. Veel meer heb ik hun niet te bieden.'

'Ik heb geen enkele behoefte aan jouw zielige verhalen zolang juffrouw Prisby elke week in mijn laden en kasten komt neuzen. Je vraagt je af waarom ik niet naar je lach? Je mag van geluk spreken dat ik je niet in je slaap van kant maak. Een flinkere vrouw zou dat allang gedaan hebben.'

'Jij hebt nog nooit geprobeerd te begrijpen wat er allemaal van een man verwacht wordt.'

'Kom nou alsjeblieft niet aanzetten met dat negers het zo moeilijk hebben. Ik heb steun aangevraagd omdat jij je geld over de balk smijt. Ik weet dat het moeilijk is!'

'Weet je waar ik die vijftien dollar voor nodig had? Voor de vakbondscontributie. Ik dacht dat het me een beter loon zou opleveren, maar die blanke jongens hebben d'r alleen maar whisky van zitten drinken. Ik wil óók niet dat Ella weggaat, maar zie je niet dat het het beste zou zijn? We zijn straatarm, en dat zal zo blijven. Pearl en Benny zwemmen in het geld. Ella zal meer hebben dan wij d'r kunnen geven.'

'Oké, waarom geven we ze dan niet gewoon allemaal weg, August? Het hoeft niet bij Ella te blijven. Wat dacht je van Franklin? Hoeveel van onze kinderen denk je dat iemand anders onder zijn hoede wil nemen omdat jij dat vertikt te doen?'

'Nou moet je niet doordraven, Hattie. Niet doordraven. We hebben het nu over Ella. Diep in je hart weet je dat dit 't beste is. Ze gaat terug naar waar onze wieg stond, prima land, prima lucht.'

'Onze wieg stond niet op dezelfde plek,' siste ze. 'Jij kwam uit een hutje, ik uit een huis op een heuvel. Wat dat betreft hebben we totaal niks gemeen, als je dat maar weet. Land-arbeider die je bent. Nikker.'

August stond op van tafel en sprong met opgeheven hand op Hattie af. Hij had haar nog nooit geslagen. Ze week geen centimeter, ook al kwam hij zo dichtbij dat ze het zweet kon zien parelen op zijn voorhoofd. Zijn geheven hand bleef trillend steken.

'Je bent een koude vrouw, Hattie,' zei hij. Hij liet zijn hand zakken en liep de keuken uit.

Terwijl zij hem, een en al verontwaardiging en gekwetste trots, het vertrek uit zag lopen, besloot Hattie dat ze Ella aan Pearl zou geven. August was nu eenmaal onverbeterlijk. Hij dácht misschien wel dat hij probeerde er iets van te maken, maar hij zou nooit veranderen. Ik mag niet zo onverantwoordelijk, zo zelfzuchtig zijn, dacht ze, want het gaat hier wel om mijn dochtertje en ik heb geen andere keus.

Pearl en Benny staken de Mason-Dixonlijn over en reden Pennsylvania binnen. Hier konden ze veilig stoppen, en dus zetten ze de auto langs de kant van de weg en stapten uit om even de benen te strekken en te plassen. Pearl liep een flink eind het bos in dat zich naast de weg uitstrekte. De zon was nog maar net op en de dauw drong ter hoogte van haar enkels door haar kousen. De bossen in het Noorden ruiken anders dan die bij ons, dacht ze, meer naar boombast en minder naar aarde en mos. Ach, wat een onzin, we zijn nog maar net de grens over en die bomen veranderen niet meteen omdat we Negerland uit zijn.

Afgevallen eikels drukten tegen de zolen van Pearls schoenen en in de bal van haar voeten. Ze had de neiging haar pumps uit te trekken en met haar blote voeten over de aarde te schuiven. In Macon ging Pearl nooit het bos in de buurt van hun huis in. Ze hurkte neer achter een dikke boom, met één hand tegen de stam voor steun, terwijl ze met de andere haar korset naar voren trok zodat dat niet smerig zou worden. Ze bleef er zo lang gehurkt zitten dat haar dijen zeer begonnen te doen en er zich een grote plas onder haar vormde. De koele lucht streek aangenaam langs haar achterwerk, maar onwillekeurig keek ze toch even om zich heen of ze niemand zag.

Dit is de laatste ochtend van mijn kinderloosheid, dacht Pearl. Hoe dichter ze bij Philadelphia kwamen hoe meer ze jubelde vanbinnen. De blanken bij de picknickplaats deden er niet meer toe, net zomin als het misprijzen van Benny en zelfs de boosheid van Hattie. Ze zou wel tot het inzicht komen dat ze de juiste beslissing had genomen. Als zelfs die sukkel van een August het begreep...

Toen ze overeind kwam kraakten Pearls knieën. Een meter achter haar stond een kastanjeboom die door eekhoorns zo goed als leeg was geplukt. Ze liep verder het bos in om te kijken of ze er nog een kon vinden. Ze vroeg zich af of Ella ooit een kastanjeboom vol kastanjes had gezien. Waarschijnlijk had ze een hele hoop dingen nog nooit gezien: magnolia's, suikerbietvelden, de paarden waarop sommige plattelanders soms naar de stad kwamen. Ze hoopte maar dat het kind niks mankeerde. Marion had gezegd dat Hattie er afgeleefd en ziekelijk uitzag. En dan te bedenken dat Hattie haar ervan had beschuldigd Ella te willen kopen! Ze stuurde haar dat geld zodat die kinderen tenminste iets in hun maag kregen, en Hattie had er omkoopgeld van gemaakt. En ze had het geld aangenomen, toch?

Hattie was altijd iemand geweest van wie het moeilijk was om te houden. Ze was te stil, je wist nooit precies wat ze dacht. En ze was de hele tijd boos en deed heel verongelijkt als er niet aan haar hoge verwachtingen werd voldaan. Toen ze nog klein waren liep Pearl Hattie overal achterna. Maar Hattie hield altijd iets van zichzelf achter, hoezeer Pearl haar ook verafgoodde, hoeveel Pearl ook van haar hield. En ze hield nog altijd van haar, hoewel Hattie haar het gevoel gaf dat ze volkomen mislukt was. Zelfs nu, arm als ze was in dat huis propvol kinderen, was Hattie naar wat je zo hoorde nog even trots als toen ze als kinderen nog in Georgia woonden en hun vader de enige zwarte in de stad was met een eigen bedrijfje. Zelfs de uitkering had haar trots denkelijk niet geknakt. Pearl moest zichzelf ervan doordringen dat Hattie degene was die een mislukkeling was, en niet zij. Hattie was met de verkeerde man getrouwd en was een mislukkeling.

Toen Pearl Benny had verteld dat Hattie eindelijk om was, had hij bijna onverschillig gereageerd. O, hij had meteen de kinderspulletjes van zolder gehaald en de man die de kinderkamer opnieuw kwam behangen betaald, en hij had vriendelijk geglimlacht en geknikt toen de mensen hem in de kerk feliciteerden, maar hij had nooit met een woord over Ella gerept wanneer Pearl en hij alleen waren. Vlak voor ze naar Philadelphia waren vertrokken was Pearl het huis binnengekomen met een armvol nieuwe kinderkleertjes, waarop Benny een bedenkelijk gezicht had getrokken.

'Ik had gedacht dat je na al die ellende die we gehad hebben wel blij zou zijn met een dochter,' zei ze.

'Een nichtje,' zei Benny, waarna hij weer in zijn krant dook.

Die man bracht zoveel tijd door met dode mensen dat hij nauwelijks nog wist hoe hij met levende moest omgaan.

Pearl vond een boom die nog vol kastanjes zat. De takken wemelden van de eekhoorns en Pearl vroeg zich af of Ella het soort kind zou worden dat bang was voor dieren. Ze probeerde zich voor te stellen hoe het kind eruitzag. Was het bleek als ivoor, zoals Hattie, of kaneelbruin, zoals August? Had het sluik, lichtbruin haar, of zwart met krulletjes? Het was vast een schattig kindje. Alle kinderen van Hattie, in elk geval de kinderen die Pearl had gezien, waren mooi. Veel kastanjes waren uit de boom gevallen en lagen in hoopjes op de grond. Pearl trok haar onderrok uit en propte die vol met kastanjes. En door dat kastanjes rapen voelde ze zich zorgeloos als een kind. Er bleven takjes aan haar trui haken en kruimelige kluitjes aarde aan haar rok, maar ze bleef kastanjes rapen tot de zijden onderrok ervan uitpuilde.

Toen ze naar de weg terugliep hoorde ze dat Benny haar riep. Met haar onderrok tot een soort knapzak geknoopt stapte ze tussen de bomen uit op het grind van de berm, met rode konen en een beetje duizelig.

'Kijk eens hoeveel kastanjes ik gevonden heb!' zei ze.

'Is dat jouw onderrok?' vroeg Benny.

'Ik geef ze straks aan Hattie, dan kunnen we ze met elkaar poffen. Leuk, hè?'

Hij zuchtte. 'Ik denk dat er meer bij komt kijken dan alleen kastanjes.'

'Nou ja, misschien helpt het om het ijs te breken, wanneer we samen kastanjes poffen zoals toen we klein waren.'

'Stap maar in,' zei hij. 'We hebben nog minstens vijf uur voor de boeg.'

Ze stopten nog één keer langs de kant van de weg, voor een broodje ham, dat ze zo snel opaten dat de motor de tijd niet kreeg om af te koelen voor ze weer verder reden. Iets na het middaguur staken ze de Schuylkill over en reden ze Philadelphia binnen.

Ik zou eigenlijk Ella's spullen moeten inpakken, dacht Hattie. Ze wreef met haar wang over het zachte plekje boven op het hoofdje van het kind, waar ze nog geen haar had. Ze stond in de deuropening en speurde de straat af om te zien of de Buick van Pearl en Benny er al aan kwam. Ella was al zo groot dat ze zich met haar vuistje aan allerlei dingen kon vasthouden, aan Hatties neus of kin, of aan een haarlok. En ze had geleerd kusjes te geven, hoewel ze haar mond in een ronde O openhield. Zuigkusjes noemde August ze.

Hij was dolblij geweest met haar, net als met alle andere kinderen. Hij behandelde hen alsof ze berenwelpjes in een circus waren, en daarom waren zij op hun beurt dol op hem. Wanneer hij zich stond te scheren liet hij de kleintjes bij zich in de wasruimte, en keken ze zo verrukt naar hem als naar een film. Hij leerde hun de liedjes te fluiten die hij op de radio had gehoord. August was een grappenmaker, en ze waren gek op hem. Hattie zorgde enkel dat ze in leven bleven, en naar haar lachten ze nauwelijks wanneer zij de kamer binnenkwam. Maar dat was de enige manier waarop Hattie moeder kon zijn. Ze trok Ella stijf tegen zich aan.

Misschien dat ik het met jou beter zou kunnen doen, fluisterde ze in het oor van haar dochtertje. Misschien dat ik deze keer... Maar het was te laat, alles was al beslist.

Ella's vuistje sloot zich om Hatties oorlel, en het meisje giechelde. Ik zou haar haar blauwe jurkje aan moeten trekken en haar spullen moeten inpakken, dacht Hattie opnieuw. Maar het blauwe jurkje was voor als er bezoek was of als ze ergens heen gingen, en bovendien hadden ze nog een uur samen. Hattie besloot de melkflessen buiten te zetten. En misschien dat ze ook nog kon vegen voordat Pearl kwam. De veranda lag onder de afgevallen bladeren, en die van Hattie was de enige die nog niet was geveegd.

Ella maakte kirgeluidjes naar de vlinders die rond de struiken bij het verandatrappetje fladderden. Het was haar eerste herfst. Hattie vroeg zich af wat ze ervan dacht, en of ze had gemerkt dat de zomer was overgegaan in het gerooste geel en oranje van het najaar. In elk geval zou Ella de winter van het Noorden niet hoeven te verduren. Hattie zelf was er nooit aan gewend geraakt. Van heimwee had ze nooit last gehad – het Zuiden zat niet meer in haar – maar van de winters in het Noorden kreeg ze winterhanden en werd ze neerslachtig. En zo'n winter had haar twee kinderen gekost. Ella wrong zich in allerlei bochten.

'Ah, je wilt die vlinders hebben,' zei Hattie. Ze pakte een weckfles en wist er twee in te vangen. Ze weigerde nog eens op de klok te kijken, maar was zich even bewust van het verstrijken van de tijd als van haar eigen hartslag. De vlinders, wit als papiersnippers, fladderden rond in de weckfles. Ella keek gefascineerd toe. 's Zomers vingen Hatties dochtertjes vuurvliegjes. En dan trokken ze het lichtgevende deel van de buik van het insect af en schoven dat als een ring om hun vinger. 'Prinsessensmaragden!' schreeuwden ze, terwijl ze de straat door renden met de verblekende groene gloed om hun vingers. Ella sloeg met haar handjes op de pot met de vlinders.

'Wat 'n schattig gezicht! Als je een paar gaatjes in dat deksel prikt en wat gras op de bodem legt blijven ze wel tot vanavond leven,' zei Willie. Ze stond midden op het trottoir en leunde op een stok.

'Het is zonde om ze dood te laten gaan. Ik wou ze eigenlijk weer vrijlaten als ze er genoeg van heeft,' zei Hattie.

'Alles komt ergens aan z'n end. Daar bij die struik of in die pot. Maakt hun geen ene fluit uit, lijkt me.'

Willie gebaarde naar Ella. 'Ziet d'r gezond uit. Je zult maar met 'n kwakkelig kind opgescheept zitten. Hoewel, 'n kwakkelige vent is nog erger.' Ze grinnikte. 'En ze zit goed in het vlees. Dat komt van de winter goed van pas. Een dik kind redt 't wel, ook al krijgt het niks anders as wasbonen en moedermelk. 'n Dik kind redt 't best in 'n schrale winter.'

'Klopt,' zei Hattie. 'U hebt helemaal gelijk. Nou ja, ik heb me er al eerder doorheen geslagen.'

'Dat hebben we allemaal. Kom, ik moet weer 's verder. Je moet gauw weer 's langskomen. Krijg je wat van me waar je goed van kan slapen. Je ziet d'r nogal pips uit.' En Willie liep weer verder.

Het was waar dat veel kleine kinderen, ook Hatties eigen kinderen, het prima gered hadden op wasbonen en kool. Volgend voorjaar zou Ella wat ouder en sterker zijn, en dan zou Hattie ergens een dienstje kunnen nemen. Misschien dat mevrouw Mark dan terug was uit Florida, en anders kon Hattie misschien een baantje krijgen als kokkin in een klein restaurant. August, Marion en Pearl wilden haar kind van haar afpakken, en daarom strooide Pearl met twintig-dollarbiljetten alsof het penny's waren. Ze wilde altijd al iets van me, dacht Hattie. Ik heb nooit geweten wat het was, maar vanaf dat we klein waren heeft ze zich altijd bij me proberen in te dringen, zoals spinnen zich indringen in de cocon van een vlinder, en hem van binnenuit opvreten tot alleen het omhulsel nog over is.

Ik kan dit niet, dacht Hattie. Als ik mijn kind weggeef ga ik eraan kapot. Dat overleef ik niet. Misschien is het egoïstisch dat ik haar geen pianoles en een eigen keukenschort gun, maar ik ben er niet sterk genoeg voor. Ik zou in stukken uiteenvallen en wegwaaien in de wind.

Tegen Ella zei ze: 'Onze tijd komt nog wel.'

Het huis rook vaag naar meeldauw, als wasgoed dat op een regenachtige dag te lang buiten is blijven hangen. Het deed Hattie denken aan dingen waar ze een pesthekel aan had, zoals haren in het afvoerputje of dat het stucwerk in de badkamer zwart zag van de schimmel. Ze maakte de huiskamer aan kant en zette de pot met de vlinders op het bijzettafeltje naast de bank. Aan de overkant van de straat hingen de laatbloeiende rozen van haar buurvrouw slap aan hun steel. Ineens bedacht Hattie dat ze rozen moest hebben om de woonkamer een fleuriger aanzien te geven. Zelf had ze niks met rozen, maar Pearl hield van zoete, weeïge dingen.

Hattie besloot aan de overkant van de straat een paar rozen af te snijden. Maar net toen ze haar keukenschaar had gepakt en ermee de veranda op was gelopen kwam de Buick van Benny voor het huis tot stilstand. 'Jullie zijn vroeg,' fluisterde ze. Het zonlicht fonkelde op de verchroomde bumpers van de Buick en schitterde op de motorkap alsof die Gods zegen had ontvangen, en daar stond ze, voor haar huurhuis, op het punt een paar rozen van haar overbuurvrouw te gaan pikken. Ze voelde zich niet opgewassen tegen de strijd die ze moest aangaan om Ella te behouden.

'Jullie zijn vroeg,' zei ze, luider dit keer.

Marion was met hen meegekomen. Pearl zat voorin naast Benny haar neus te poederen. Haar handen trilden. Ze keek naar Hattie, die met het kind op de arm op het trappetje van de veranda stond. Háár kind, háár Ella. Hattie was ouder geworden, zoveel was zeker. Ze had meer rimpels en oogde ernstiger dan vroeger. Ze zag er ook moe uit, en het haar van het knotje in haar nek liet los, maar lang als ze was stond ze fier rechtop, en ze had nog altijd iets over zich waardoor Pearl zich lichtelijk sjofel en slof voelde. Ze deed de poederdoos weer in haar tasje.

Hattie keek vanaf het verandatrappetje op haar neer. Benny deed het portier voor Pearl open. Hij was altijd al welgemanierd geweest. Pearl poederde haar neus als was ze een prinses. Ze zag er goed uit, weldoorvoed, de nagels verzorgd. Ze stapte uit de wagen, streek haar rok glad en liep naar het huis. Ja, ze zag er goed uit, alleen was ze niet helemaal zeker van zichzelf. Haar ogen waren op Ella gericht. Hattie en zij keken naar elkaar en daarna naar het kind. Marion verbrak het zwijgen.

'Hattie, liefje, wat is er met je? Wat doe je hier buiten met die schaar? Je ziet eruit alsof je aan de kruidenbitter hebt gezeten.' Ze keek schichtig van de ene zus naar de andere.

'Het is winderig geworden. Vinden jullie het niet winderig?'

Hattie haalde een keer diep adem en stapte van het trappetje. 'Jullie zullen wel moe zijn na die lange rit, al hebben jullie er zo te zien snel over gedaan. Heb je er snel over gedaan, Benny?'

'Ja, best snel, Hattie.' Hij nam zijn hoed af wanneer ze tegen hem sprak.

Er viel weer een stilte. Marion zei: 'Zouden we niet eens naar binnen gaan? Wat denken jullie?' Ze wrong zich langs Pearl en Hattie, en hield de voordeur open. 'Vooruit mensen.'

'Je ziet er goed uit, Hattie,' zei Pearl. 'En het kindje... Het huis is geschilderd sinds de laatste keer dat ik hier was. Maar dat was in... nou ja, dat was een hele tijd geleden. Heremijntijd. Enfin, dit was altijd al een keurige straat.'

Pearl kon zich niet herinneren dat ze ooit iets zó graag gewild had als Ella in haar armen nemen. 'Een lekker rustige straat.' Haar stem trilde.

Ineens werd Hattie overspoeld door een vlaag van medelijden met Pearl, zoals ze daar stond, opgetut en wel, met haar handschoenen aan en veel te zwaar bepoederd. Als de situatie anders was geweest had ze haar even een kneepje in de schouder gegeven. Ella drukte haar gezichtje tegen Hatties hals, iets wat ze altijd deed als er vreemde mensen waren.

'Daar vergeet ik zowaar bijna mijn kastanjes! Benny, haal die kastanjes even.'

Haar man liep terug naar de auto. De vrouwen gingen het huis binnen.

De kamer was een en al schaduw. Pearl ging midden in

het vertrek staan. Haar armen hingen slap langs haar lijf en ze keek om zich heen alsof ze zich onverwacht in een balzaal bevond. Hattie bood aan koffie te zetten en liep naar de keuken.

Plotseling zei Pearl: 'Mag ik het kindje even vasthouden terwijl jij koffie zet?'

'Ik neem aan dat iedereen melk wil?' vroeg Hattie. Terwijl ze zich omdraaide en de gang in liep kuste ze Ella op haar voorhoofd en trok ze even aan haar oorlel, omdat haar dochtertje daar altijd om moest lachen.

Ze zette water op. Er zat nog een klein beetje koffie in een blik dat achter in de kast stond, net genoeg voor twee of drie kopjes. Terwijl ze Ella met één hand op haar heup in evenwicht hield pakte ze met haar andere een dienblad uit de buffetkast, plus de mooie kopjes, het melkkannetje en de suikerpot. Ella probeerde steeds het serviesgoed te pakken zodat Hattie bijna de schoteltjes liet vallen. Het meisje begon te dreinen, daarom maakte Hattie het puntje van haar pink nat, doopte dat in de suikerpot en stak hem in Ella's mond. Ze leunde tegen het aanrecht en fluisterde lieve woordjes in Ella's oor terwijl het kindje de suiker van haar pink zoog. Hattie had het gevoel alsof ze van de aarde af gleed.

Marion kwam de keuken in. 'Hulp nodig? Zal ik anders Ella even overnemen terwijl jij dat doet?'

'Nee!' zei Hattie. 'Nee, ik red me wel.'

'Het zal er toch van moeten komen, meid.'

'De koffie is klaar. Wil jij het blad meenemen?' vroeg Hattie.

Benny had de spullen uit de auto midden in de kamer op

de grond gezet: een mand vol appels, eentje vol snijbonen, een paar dozen met deksel en een grote tas die zo te zien barstensvol kleertjes zat. Daarnaast lag Pearls onderrok met de kastanjes. Het leek wel alsof hij een heel schip gelost had. Hattie bracht Ella van haar ene heup over naar de andere.

'Ik ben blij met de spullen die jullie hebben meegenomen, en ik ben jullie erg erkentelijk voor alle moeite die jullie hebben gedaan, maar' – Hattie haalde een keer diep adem – 'jullie kunnen die spullen beter houden. Ella blijft bij mij. Jullie kunnen haar niet voor een emmer snijbonen overnemen.'

'Hattie! Ik heb die spullen meegenomen omdat je mijn zus bent. Dat doe ik toch altijd als ik op bezoek kom? Ik had ook van alles voor Marion bij me. Toch?'

Pearl keek naar Marion.

'Hoe kun je nou zoiets zeggen?' zei Pearl.

'Ik help je wel om alles weer in de auto te krijgen,' zei Hattie tegen Benny. Hij schudde zijn hoofd en nam haar op van onder zijn wimpers.

'Ik vind dat je die spullen moet houden, wil je dat doen? Dat zou ik prettig vinden, ook al...' zei hij.

'Wat bazel je nou, Benny!' riep Pearl. 'Hattie, ik dacht dat je die spullen goed zou kunnen gebruiken!'

'Jij hebt geen flauw idee van wat ik wel of niet kan gebruiken, en ik zou het op prijs stellen als je er niet naar ging raden,' zei Hattie.

'Ik ken niemand die zo stinkend eigenwijs is als jij. Iedereen kan zien dat je niet buiten onze hulp kunt. Kijk nou eens hoe dit huis erbij ligt.'

'Pearl!' zei Marion.

'Het spijt me, Hattie. Het spijt me verschrikkelijk. Je moet het me maar niet kwalijk nemen. Ik ben een beetje over mijn toeren,' zei Pearl. 'Volgens mij zijn we allemaal een beetje overstuur. Laten we eerst maar eens koffie drinken. Ga nou zitten, dan drinken we eerst koffie, goed?'

'Ik blijf liever staan, als je het niet erg vindt,' zei Hattie, terwijl ze Ella over haar onderrug wreef.

'Ik meende het allemaal niet zo. We moeten dit uitpraten. We hadden een afspraak, Hattie. Het is allemaal beklonken. Je hebt zelf gezegd dat ik maar moest komen.'

'En nou zeg ik wat anders.'

'Maar Hattie... wees nou even praktisch. Denk eens aan al het eten en alle kleertjes, en dat jullie met zijn allen boven op elkaar zitten in dit huisje. Ik snap best dat het niet gemakkelijk is, maar het is gewoon het beste. Voor Ella.'

'Jij snapt er helemaal niks van. Jij hebt nooit kinderen gehad, dus je hebt geen flauw idee hoe moeilijk zoiets is. Zo is het toch, Pearl?'

Pearl begon te huilen. Hattie ging voor haar staan, terwijl ze Ella heen en weer wiegde. Ze had medelijden met de huilende Pearl. Ze had medelijden met haar om haar eenzaamheid. Benny keek naar zijn vrouw alsof ze een vreemde voor hem was, alsof ze iemand was die zo van straat binnen was komen lopen. Maar, dacht Hattie, het is niet aan mij om haar problemen op te lossen. Ze wilde dat ze wegging. Ze wilde rust hebben, een uurtje stilte voordat de andere kinderen thuiskwamen uit school.

'Het heeft weinig zin hiermee door te gaan,' zei Hattie.

Van de andere kant van de kamerdeur kwam een gefloten

deuntje. De deurknop werd omgedraaid. August stapte de kamer binnen.

'Zijn jullie d'r al?' Hij zag dat Pearl zat te huilen, dat Benny naar zijn schoenpunten stond te staren en dat Marion erbij zat alsof ze iemands bejaarde tante was. En dat Hattie, zijn Hattie, als een soort donderwolk midden in de kamer stond.

'Ik heb het idee dat 't niet helemaal soepel loopt allemaal. Dat had ik eerlijk gezegd ook niet verwacht,' zei hij.

'Alsjeblieft, August, zeg jij eens wat tegen haar,' zei Pearl. 'Ze zegt dat ze Ella niet wil meegeven, maar dat was toch de afspraak? Dat weet jij ook.'

'Heeft geen enkele zin. Voor haar ben ik nog minder dan een kakkerlak.'

'In 's hemelsnaam, August. Alsjeblieft! Kun je niet gewoon...'

'Zal ik jullie 's wat zeggen? Iedereen doet maar alsof dat kind niks met mij te maken heeft. Jullie doen allemaal alsof ze uit een ei is gekropen. En niemand bedenkt dat ík het ook wel 's vreselijk zou kunnen vinden als ze weggaat.'

'Maar we waren het erover eens!' zei Pearl. 'We waren het er allemaal over eens!'

'Dit is óns kind, Pearl. Je hebt het recht niet te doen alsof je beter bent dan ons. Een blinde kan zien dat jij dat vindt, en daar neem je niemand mee voor je in. Jullie hebben dezelfde ouders. De zaken zijn voor Hattie wat anders uitgepakt, maar dat jij trots as 'n pauw rondparadeert deugt voor geen meter.'

Hattie keek naar August, verrast dat ze in hem een medestander vond en nauwelijks in staat te geloven dat dat echt zo was.

'Ik hoopte stiekem dat jullie al weg zouden zijn als ik thuis zou komen want ik wou niet zien dat d'r nog een van mijn kinderen van me zou worden afgenomen.'

'Ze wordt niet van ons afgenomen,' zei Hattie. 'Ik heb me bedacht.'

August knikte. 'Ik was zelf half en half van plan om Pearl te bellen en te zeggen dat ze niet hoefde te komen. Alleen al het idee dat ik nog een kind zou verliezen was onverdraaglijk. Ik dacht dat overleef ik niet, maar toen besefte ik dat het deze keer anders was.'

'Waar wil je naartoe, August?' vroeg Hattie.

'Ik moet dit tegen je zeggen, Hattie, ook al wil je het niet horen. Jij was erbij toen onze twee kleintjes stierven, jij hebt ze bemoederd, liedjes voor ze gezongen en ze gewiegd, maar uiteindelijk heeft het allemaal niks geholpen.'

De stem van August brak.

'Ik ga je hier niet staan vertellen wat je moet doen, maar je moet wel goed beseffen dat dit wat anders is. Ella gaat niet dood. Dat deed heel veel pijn, Hattie, en dat doet dit ook, maar je moet wel begrijpen dat dit wat anders is.'

Hattie keek August een hele tijd aan. Niemand zei wat. Uiteindelijk knikte ze, en hij knikte terug.

Pearl stond op en deed een stap in de richting van Benny, maar die zat met zijn hoofd in zijn handen en keek niet naar haar. Benny zal nooit van Ella houden, besefte Pearl. Ze had zichzelf aangepraat dat hij dat wel zou doen. 'O!' zei ze hardop, en zonk weer terug op de bank.

Hattie legde een hand onder het hoofdje van Ella. De haartjes van het kind kriebelden tegen haar handpalm. Ze ging met haar vingers langs de mollige kuitjes, langs de kuiltjes in haar knietjes en over de doorschijnende teen-nageltjes. Na een tijdje nam August Ella in zijn armen en zong haar zo zachtjes toe, dat ze in slaap viel. Hattie zag hoe hij met zijn neus tegen haar aan wreef en herinnerde zich weer zijn stralende lach toen ze hem had verteld dat ze in verwachting was. En ze herinnerde zich ook haar eigen paniek en woede. Het had weinig gescheeld of ze was naar Willie gegaan voor een middeltje waarmee ze een einde zou kunnen maken aan haar zwangerschap. En Hattie was beslist blij dat ze dat niet gedaan had, want kijk eens wat een mooi kind ze op de wereld had gezet. Hattie was dankbaar voor Ella's leven, ook al had ze daar dan maar kort een plekje in gehad. Toch kon Hattie er niet omheen, hoe ondraaglijk het ook was: ze zou opnieuw een van haar kinderen verliezen. En onwillekeurig vroeg ze zich – God sta haar bij – af, of het niet gemakkelijker geweest was als Ella nooit had bestaan en Hattie niet een halfjaar lang haar moeder was geweest. Hoe moest ze hier in godsnaam weer mee leren leven? Ze keek de kamer rond alsof ze een antwoord zou kunnen vinden op het gezicht van August, of van Marion, of van Pearl. Maar uiteindelijk bleef haar blik rusten op Ella. Op dat moment was het geen troost te bedenken dat wat ze deed het beste was voor het kind. Ze kon maar beter helemaal niet denken en gewoon doen, want als ze niet in beweging kwam zou ze tegen de vlakte gaan en niet meer overeind zijn te krijgen. Hattie ging staan en liep naar boven. Een paar minuten later kwam ze weer naar beneden met Ella's biezen mandje en een bruine tas.

'Dit zijn wat spulletjes van haar,' zei ze tegen Pearl. 'Er zit een babypopje in dat ik voor haar gemaakt heb. Jouw spullen zijn vast en zeker veel luxer, maar ze is gek op dit popje en het ruikt naar mij, dus dat kun je aan haar geven als ze onderweg gaat jengelen.'

Pearl keek naar haar zus alsof ze iets wilde zeggen, maar niet wist wat dat dan zou moeten zijn.

Hattie nam Ella over van August. Het kindje maakte snuifgeluidjes en drensde een beetje. Daarom legde Hattie haar tegen haar schouder en wreef over haar rug.

'Soms is ze onrustig in haar slaap,' zei ze tegen Pearl. 'Dan moet je haar opnemen en zo over haar rugje wrijven, anders wordt ze wakker en begint ze te krijsen.'

Ze is nog maar een paar minuten mijn kind, dacht Hattie. Ze wou dat Ella wakker werd zodat ze nog één keer haar ogen kon zien.

'Ga nou maar gauw, voordat ze wakker wordt,' zei Hattie.

Ze overhandigde haar dochtertje aan Pearl. Dit overleef ik niet, dacht ze.

Marion en Benny, Hattie en August, en Pearl met Ella in haar armen, liepen naar buiten. Benny hield het portier open, zodat Pearl en Ella zich naast hem konden installeren. Hij trok langzaam op. Pearl wuifde met één hand, net zo lang tot ze de bocht om waren.

'De kinderen komen zo thuis uit school,' zei Hattie.

'Je hebt gelijk,' zei August.

Ze liepen het huis in en droegen de manden met etenswaren naar de keuken. De vlinders in de weckfles leefden nog. August draaide zich om en zei: 'We komen er wel overheen, Hattie.'

Ze pakte de weckfles van tafel en smeet hem tegen de

207

muur achter August. Samen keken ze toe hoe de vlinders zich daas aan de glasscherven ontworstelden.

Alice en Billups

1968

Alice stond in haar ochtendjas boven aan de trap. De zon was nog niet op. Buiten op de oprit klonk de doffe klap waarmee een autoportier werd dichtgeslagen. Royce was in de auto gestapt die hem naar zijn kantoor zou brengen en de chauffeur had het portier achter hem gesloten. Daarna hoorde ze het gebrom van de motor langzaam wegsterven toen de auto de straat uit reed. De staande klok sloeg het halve uur en de houten traptreden kraakten van de kou. Het zou nog twee uur duren voor Eudine kwam. Dat ze uitgerekend deze ochtend alleen naar beneden moest gaan om het fornuis aan te steken en water op te zetten leek haar niet eerlijk. Eudine had er al moeten zijn, keurig in dienstkleding, om koffie in te schenken en voor het geroosterde brood te zorgen, terwijl Alice haar instrueerde met betrekking tot het partijtje van die avond. De gasten zouden niet voor negenen komen – dat duurde nog een eeuwigheid – maar de cateraars moest achter de vodden gezeten worden, het beste servies moest uit het dressoir worden gehaald en de drank nog worden afgeleverd.

Alice liep naar beneden. In de hal bukte ze zich om de hoek van het kleedje recht te leggen waar Royce bij het naar buiten gaan tegenaan had geschopt. Hij schopte elke keer weer tegen het kleedje, en hij nam ook nooit de moeite om het licht aan te doen of de verwarming aan te zetten.

Maar natuurlijk bofte ze enorm met hem. Er waren maar heel weinig zwarte dokters, en dan was hij er ook nog eens een uit zo'n vooraanstaande familie. Ze liep door de koude kamers van de benedenverdieping. Ach, wat wist Royce van *liefdes strenge, eenzame plichten?* Een paar jaar geleden had hij met alle geweld naar een voordracht van de dichter Robert Hayden gewild, waar Royce heel inlevend had zitten knikken toen Hayden die regel had gereciteerd. Maar later, toen Alice iets over het gedicht had gezegd, kon Royce het zich niet meer herinneren en had hij haar medelijdend aangekeken, alsof hij wilde zeggen: onnozele, naïeve Alice... helemaal weg van zoiets onbenulligs. Het ging er, had ze te laat beseft, alleen maar om bij de voordracht gezien te worden met de zwarte elite van de stad, niet om de gedichten te onthouden. Wat dat aangaat maakte ze nog steeds heel veel fouten, zelfs na vijf jaar huwelijk.

Alice deed de verwarming aan en ging in de keuken zitten wachten op het gesis van de waakvlam en het gegorgel van de radiatoren. Nog maar net zeven uur! Ze gaf niet graag toe dat ze zich eenzaam voelde, maar ze zat met smart te wachten tot ze de klik van Eudines sleutel in het voordeurslot hoorde. Was haar broer Billups maar hier. Alice miste hem vooral 's morgens vroeg. Hoe vaak was hij niet om een uur of zes aan komen zetten, met slaperige ogen na een nacht vol vreselijke dromen? Dan dronken ze samen thee tot hij weer wat tot rust was gekomen, waarna hij haar op de wang kuste en weer vertrok, naar een of ander deeltijdbaantje dat hij had. De laatste paar maanden waren zijn bezoekjes af-genomen tot eens in de twee weken. Hij had haar zelfs niet teruggebeld over het partijtje. Zelfs moeder had gebeld om te zeggen dat ze kwam. Moeder, die nooit belde, die niet van partijtjes hield, en die, dacht Alice wel eens, ook niet van Alice hield.

Hattie woonde maar een halfuurtje bij haar vandaan, maar Alice ging de laatste tijd nooit meer bij haar langs. Ze zag haar ouders en familie alleen wanneer ze bij háár op be-zoek kwamen en bij háár thuis aten, waarbij ze door haar hulp in de huishouding bediend werden. Ze zouden alle-maal op haar partijtje komen. Ze zouden haar prachtige spullen bekijken, op haar canapés en sofa's zitten, en met haar praten alsof ze nooit een van hen was geweest. Als Bell van het toilet kwam zou ze gekscherend zeggen dat ze een maand de huur zou kunnen betalen als ze de handdoeken die daar lagen verkocht. Het probleem was natuurlijk dat ze jaloers waren. Maar het was ook waar dat de gezinsleden, als ze allemaal bij elkaar waren, haar deden denken aan een stel solitaire zwerfkatten die met zijn allen in één kooi bijeen-gedreven waren. Dat Floyds concert de aanleiding voor het partijtje was scheelde een stuk. Hij was een jaar of vijftien weg geweest, vanaf de tijd dat Alice een meisje van een jaar of tien was. Ze wist alleen hoe hij eruitzag van zijn foto's in de krant. Moeder knipte alles over hem uit en stuurde de knip-sels naar iedereen in de familie. Wie zou hebben gedacht dat Hattie sentimenteel kon zijn? God, wat zag ze ertegen op dat ze straks zouden komen. Alice kwam zo abrupt overeind dat ze bijna haar stoel omvergooide. Vijf minuten later stond ze buiten op straat, verhit en panisch in de koude buitenlucht.

Alice had al een halfuur gelopen toen de Saint Mark, de lutherse kerk, in zicht kwam. Ze moest even een paar minuten warm worden. De koude ochtend, die zo kalmerend had gewerkt toen Alice naar buiten was gelopen, had er flink ingehakt. De kerk torende dreigend boven de straat uit, drie verdiepingen hoog met een steile granieten trap die naar de rode dubbele deuren leidde. Royces familie was er al zeventig jaar lang lid van. Een van de voorste banken droeg de naam van de familie, dezelfde bank waarop Alice elke zondag zat, terwijl de rand van haar schoonmoeders hoed tegen de zijkant van haar gezicht prikte.

Toen Alice en Billups tieners waren gingen ze vaak stiekem naar een katholieke kerk. Dan spijbelden ze, hingen eerst wat rond in het park om sigaretten te roken, en namen daarna de trolleybus naar Our Mother of Consolation, Old Saint Mary of Holy Trinity. Daar biechtten ze om de beurt al hun zonden op bij de priester in de biechtstoel. Alice deed haar verhaal met vlakke stem en somde de feiten op alsof ze een boodschappenlijstje voorlas. Ze had het al zo vaak verteld dat ze ongevoelig was voor het effect dat het op de toehoorder had, en als de priester naar adem hapte of geschokt zweeg, verraste haar dat bijna. Voor ze weer naar buiten gingen staken Billups en zij altijd een paar kaarsen op voor hun zielenheil. Maar vaker deden ze het omgekeerde. Dan fluisterden ze een naam, altijd dezelfde naam, en bliezen een kaars uit zodat zijn ziel verloren zou gaan. Maar goed, nu waren Alice en Billups volwassen mensen en wisten ze allebei dat er geen enkele manier bestond waarop je de wereld van een kwaadwillende ziel kon bevrijden.

Boven aan de trap was er op het spekgladde bordes al zout gestrooid. Een oudere man kwam de kerk uit gelopen met een witte emmer. Een paar tellen lang zag Alice niet wie het was, dik ingepakt in zijn jas als hij was, en met een sjaal om. Maar toen herkende ze zijn gebogen schouders en de manier waarop hij zijn hoofd schuin naar voren stak, alsof hij naar iets in de verte stond te turen. Alice hapte naar adem. Ze kon zijn gezicht niet zien, maar hij was het absoluut. Hij droeg dezelfde gleufhoed en bewoog nog steeds even schichtig als een knaagdier.

'Thomas!' probeerde Alice te roepen, maar haar mond ging alleen maar open en dicht als een vissenbek. Telkens als ze hem tegenkwam had ze hetzelfde visioen: ze sloeg hem met haar vuisten, krabde hem tot bloedens toe met haar nagels en gaf hem daarna een knietje in het kruis, zodat hij op het trottoir viel. Maar ze was te bang om zelfs maar een vinger naar hem uit te steken, laat staan hem te lijf te gaan. Hij kwam langzaam haar kant op, terwijl hij handenvol zout op de treden strooide. Ze zei tegen zichzelf dat ze deze keer geen duimbreed zou wijken, dat in elk geval, en als hij haar bereikt had zou hij haar wel aan moeten kijken en een teken van herkenning moeten geven. Hij kwam dichterbij, zijn hakken klakten op de treden.

Alice had nog nooit een man gekend met schoenen die zoveel lawaai maakten. Toen ze klein was had het geluid ervan weergalmd in zijn lege huis. Hij had maar heel weinig meubilair. Het staande schoolbord in de keuken en de vierkante tafel waaraan hij het huiswerk van Alice en Billups nakeek, en het tweezitsbankje in de kleine salon, waar Alice altijd met haar opengeslagen schrift tegen haar knieën gedrukt zat te wachten. Wanneer hij de deur van de salon achter zich op slot deed klonk er een zachte klik, en opnieuw wanneer hij haar daar opsloot. Dan wachtte hij aan de andere kant van de deur en voelde hij even aan de kruk om zeker te weten dat Alice er niet uit kon. Ze was alleen in het kamertje. Daarna vulde het huis zich met het getik van zijn schoenen op de tegels van de hal. Daarna klonk het geklak van zijn hakken op de houten vloer van de kleine eetkamer. En daarna niets meer, wanneer hij over het langwerpige tapijt in de gang naar de keuken liep.

Alice keek vanaf de trap naar hem op. Hij was nu niet ver meer. Wacht, dacht ze. Blijf nog even staan. Hij is er bijna, nog even en je kunt hem krabben. Maar naarmate hij dichterbij kwam leek de lucht om hen heen verder samen te trekken, en haar zijn kant op te duwen, tot het was alsof ze naast elkaar stonden, en ze zijn geur van krijt en schoenleer kon ruiken. Ze draaide zich om en maakte dat ze wegkwam.

08.30 uur

'Billy! Billy, ben jij daar?' riep Alice. Ze drukte voor de vierde keer op de bel. 'Billy!' Zijn gebouw telde maar drie appartementen. Alice drukte op alle drie de zoemers. Een vrouw die ze nog nooit had gezien deed op eenhoog een raam open en stak haar hoofd naar buiten.

'Hee juffie. Schei 's uit met dat gedoe! Hij is er niet, dat lijkt me duidelijk. Godallemachtig!'

Alice trok haar mantel strakker om zich heen. 'Billy!' riep ze nog eens. Haar tenen deden zeer van de kou. De zolen van haar tennisschoenen waren flinterdun. Maar ze was vastbesloten Billups te waarschuwen dat Thomas niet ver uit de buurt was. Alice speurde de straat af om te zien of hij haar soms vanaf de kerk was gevolgd. 'Billy!' schreeuwde ze.

De buurvrouw deed opnieuw haar raam open. 'Ik heb je toch gezegd dat hij er niet is?'

'Zou u alstublieft even bij hem aan willen kloppen? De derde deur.'

'Juffie, ik probeer nog wat te slapen! Ik heb hem sinds gisteren niet meer gezien.'

'Hoe was het met hem?' Billy was zo kwetsbaar, met zijn slapeloosheid en zijn hoofdpijnen.

'Als je niet gauw ophoepelt bel ik de politie.'

'Maar ik ben zijn zus!'

De vrouw deed het raam dicht. Alice liep de trap af en bleef midden op het trottoir staan. Ze wierp nog een laatste blik op Billups' raam. Het gordijn bewoog. Of was het de weerspiegeling van de boomtakken in de ruiten?

'Billy?' riep ze, wat zachter dit keer. Alices ogen liepen vol tranen. Ze keek naar de verlaten straat en kreeg ineens een vreselijk voorgevoel. Het was alsof de ijzeren hemel, de bijtende kou en de voorbijvliegende minuten – het was al halfnegen, het was al februari, ze was al vijfentwintig! – haar slechtgezind waren. Alice huiverde, draaide zich om en liep naar huis. Het kwam ongetwijfeld doordat het zo'n vreemde ochtend was dat ze zo'n onbeschermd gevoel had.

Een wit bestelbusje kwam de oprit af gereden toen Alice over het gazon naar de voordeur van haar huis liep.

'Wie was dat?' riep Alice toen ze naar binnen liep. 'Eudine?'

Eudine kwam de hal in gelopen als een grote kat, met lange, sluipende passen. Ze zag er keurig uit, met haar haar in een wrong, haar oogverblindend witte schort en haar gezicht – niet alleen de huid, maar haar hele gezichtsuitdrukking – glad als gesmolten karamel. Alice trok haar mantel nog dichter om zich heen, alsof ze zo haar spijkerbroek en tennisschoenen, die onder de modderige, smeltende sneeuw zaten, verborgen kon houden. Ze werkte een losse haarsliert weg onder haar wollen muts.

'Wie was dat in dat bestelbusje?' vroeg Alice opnieuw.

'De cateraar.'

'De wat? De cateraar? Maar die zou toch pas vanmiddag komen?'

'Ik zou 't niet weten,' zei Eudine.

Natuurlijk wist ze het wel. Eudine wist alles over het huishouden. Ze was de meest efficiënte persoon die Alice ooit had gekend, elke morgen om vijf uur op en steevast een kwartier te vroeg op haar werk.

'Nou, dan hebben ze dus een fout gemaakt,' zei Alice. 'Waarom heb je ze niet weggestuurd?'

Eudine gaf geen antwoord. Ze was ondoorgrondelijk, zo leeftijdsloos en onberispelijk. Haar ogen hadden dezelfde karamelkleur als haar huid. Haar gezicht was een rimpelloos meer, onpeilbaar diep. Aan een vrouw met zo'n gezicht kon je alles opbiechten, zelfs de meest vreselijke dingen, zonder dat ze een spier vertrok. Toen ze haar aannamen had Alice gehoopt dat Eudine en zij op vertrouwelijke voet zouden raken, zoals in die films waarin de vrouw des huizes aan haar kaptafel zit en haar diepste geheimen toevertrouwt aan het hulpje dat haar haar halskettingen afdoet en die in het juwelenkistje legt. Of waren het alleen blanke vrouwen die hun huispersoneel in vertrouwen namen? Of alleen blanke vrouwen die hun zwarte hulpjes hun vertrouwelijkheden opdrongen? Misschien was Alice niet meer dan een imitatie van een rijke blanke vrouw in een groot huis. Ze wist niet precies wat ze imiteerde. Dat wil zeggen, wat ze precies nastreefde was vrijwel altijd onduidelijk.

'Ik ga ze gewoon bellen.'

De papieren voor het partijtje lagen op een bureau in de woonkamer. Weken van lijstjes: het benodigde tafellinnen, de menu's, de telefoonnummers van de bloemisten, de uitzendorganisatie die voor extra personeel zorgde en de cheffin van het cateringbedrijf, die door Alice de dienst was opgezegd. Dat mens had zich gedragen alsof ze zelf de vrouw des huizes was. Op zeker ogenblik had ze Alice gewoon niet meer geraadpleegd. Voor een vlotter verloop van zaken, had ze gezegd. Alsof Alice het partijtje voor haar broer niet zelf kon organiseren.

'Weet je, Eudine, ik durf te wedden dat dat vreselijke mens er op de een of andere manier mee te maken heeft,' zei Alice, terwijl ze door de stapel op haar werktafel rommelde waarbij ze onbewust allerlei kladjes en facturen met theevlekken van het bureaublad schoof. 'Ze was gewoon vast van plan me in de wielen te rijden.'

'Ik geloof niet dat het aan haar lag,' zei Eudine.

'Hè?' Alice keek niet op van haar paperassen. Het viel niet mee om alle finesses in het oog te houden.

'Ik geloof, ik denk dat dokter Phillips misschien een paar mensen wilde... Ik bedoel, dat hij nog wat dingen op eigen houtje heeft besteld.'

'Royce? Nee, onmogelijk. Hij zei dat hij zich nergens mee zou bemoeien. Ik heb me met alle finesses beziggehouden.' Alice knipperde een paar keer snel met haar oogleden. Ze voelde hoe haar keel langzaam werd dichtgeknepen.

'Komt die andere cateraar straks nog wel?' Alice wilde de vraag gewoon met krachtige stem stellen, maar toen ze haar mond opendeed kwam er alleen een iel meisjesstemmetje uit.

Eudine staarde haar aan. 'Ik geloof van niet,' zei ze zacht.

'Ik ga... Ik ga boven even bellen om uit te zoeken hoe de vork in de steel zit,' zei Alice weer.

Haar wangen brandden van schaamte. Ze vroeg zich af wanneer Royce haar cateraar had afgezegd, en hoe hij haar verder nog in verlegenheid had gebracht, en wanneer hij met Eudine had samengespannen. Alice kon haar zelfgenoegzame lachje voelen. Ze liep langzaam de trap op, met opgeheven hoofd en rechte rug. Boven aangekomen bleef Alice staan, pakte met beide handen een vaas en smeet die op de vloer. Wat een genot, wat een opluchting toen die in stukken vloog.

Mistroostigheid kroop als een ijstijd door het huis. De morgen was zo goed als voorbij en het enige wat Alice had gedaan was haar spijkerbroek uittrekken en haar ochtendjas weer aandoen. Zo verstreek de tijd wel vaker: Alice die maar wat aan lummelde tot er van de dag nog maar een snippertje over was; het huishouden riep, ze moest zich op tijd kleden voor het diner, voordat Royce thuiskwam uit het ziekenhuis, en ze moest de boodschappen doen en andere dingetjes kopen, wat Billups zelf nooit lukte. Alice zuchtte. Het was duidelijk dat de dag er niet beter op zou worden. Ze wilde weer in bed kruipen en alle dagen in bed blijven liggen totdat het voorjaar werd. Maar wat dan? Het voorjaar zou komen, met zijn schelle kleuren, en de mensen zouden opgetogen rondwandelen, blij dat de winter voorbij was, en Alice zou dan ook blij moeten rondwandelen. In de zomer zouden Royce en zij de julimaand doorbrengen in het huis op Martha's Vineyard met de grote, frisse kamers, waarin de champagnekleurige gordijnen opbolden in het briesje, de ijsblokjes in de kristallen glazen tinkelden als een windklokkenspel en de gesprekken al even subtiel en frivool tinkelden. Het zou naar toffee en opdrogend zeewier ruiken, ze zouden witte kleren dragen en er zou nog veel meer blijdschap zijn. Zoveel blijdschap. Het was bijna even vermoeiend als deze meedogenloze februarimaand.

De voordeurbel galmde. Alice snelde naar de trap en tuur-
de omlaag terwijl Eudine de deur opendeed. Billy! Hij was
haar wekenlang niet komen opzoeken. Hij zag er goed uit,
gegroeid leek het wel. Terwijl ze naar beneden rende ving
Alice een glimp van zichzelf op in de spiegel. Ze had haar
krulspelden nog in, haar gezicht was nog ongewassen. Ze
vond het vervelend dat Billups haar zo onverzorgd zag,
maar wat was ze blij, wat was ze verrukt dat hij gekomen
was.

'Billy!' Ze racete de hal door om hem te begroeten. 'Eudine! Thee!' riep ze.

Alice pakte haar broer bij de arm en nam hem mee naar
de woonkamer. 'Ik heb de hele tijd aan je lopen denken. Ik
ben vanochtend zelfs nog bij je langs geweest, maar je was
niet thuis. Dat partijtje van vanavond. Was je het vergeten?'
Ze zweeg en deed een stap terug om hem keurend op te nemen. 'Hoe gaat het met je?'

'Heel goed, Alice,' zei hij.

'Waarom blijf je daar nou met je jas aan staan?'

'Je hebt me nog geen kans gegeven om...'

'Goh, wat zie je er fris uit. Wat heb je de laatste weken
allemaal uitgevoerd? Is dat een nieuwe jas? Hij is prachtig.
Waar heb je hem gekocht?'

'Alice, ik moet...'

'Donkerblauw. Persoonlijk vind ik zwart of grijs mooier
voor een herenjas. Zelf koop ik altijd zwart of grijs, maar...
Heb je hem van Royce gekregen? Die heeft zoveel kleren. Je
zou eens moeten kijken of er tussen zijn ouwe pakken nog

iets voor jou bij zit. Je zou ze natuurlijk moeten laten uitleggen, maar...'

'Alice! Alice, alsjeblieft! Ik wil met je praten.'

'Met me praten? Lieve hemel, wat klink je serieus. Waarover dan wel? Het is nog niet eens lunchtijd. Veel te vroeg om zo ernstig te zijn, Billy!'

'Het is al halfeen, Alice.'

'Echt waar? Zo laat al? De tijd vliegt werkelijk vandaag. En ik moet nog zoveel doen.' Ze keek de kamer rond. Eudine had de flessen die zonder koeling konden al uitgestald, de chique asbakken neergezet en op de bijzettafeltjes onderzettertjes klaargelegd. Met een kreetje sprong Alice van de bank. 'Ik moet nu echt eerst in bad. Je wacht toch wel, hè, Billy?'

'De thee,' kondigde Eudine aan, die de kamer binnenkwam met een zilveren dienblad met alle theebenodigdheden.

'Eh, ik...' zei Alice, die van Eudine naar de trap keek en vandaar weer naar Eudine. 'Goed, één kopje zal nog wel gaan.'

'Ik moet met je praten,' zei Billups opnieuw.

'O, Billy! Dat heb ik je nog niet verteld.' Alice wachtte tot Eudine het vertrek had verlaten. Toen ging ze naast Billups zitten en zei zachtjes: 'Ik had zo'n verschrikkelijke ochtend. Ik heb hem weer gezien, op de trap voor onze kerk. Hij had diezelfde gleufhoed nog.'

Billups verstrakte.

'Ik zou hem overal herkennen,' fluisterde Alice. 'Ik heb niks gezegd. Ik had wat moeten zeggen.'

'Het was hem niet,' zei Billups.

'Het was hem wél,' reageerde Alice.

'Alsjeblieft, Alice, kunnen we het over iets anders hebben?'

Elke keer dat Alice Thomas zag, maakte dat haar broer van slag. Meestal vertelde ze het hem niet eens. In het afgelopen jaar had ze Thomas gezien in de buurt van haar favoriete schoenenwinkel, en in het centrum bij Bonwit Teller, het grote warenhuis. Hij leek geen spat ouder geworden, maar sommige mensen behielden nu eenmaal jarenlang hun jeugdige uiterlijk.

'Die klakhakken van hem, Billy. Ik ben meteen naar je flat gerend om je te waarschuwen dat hij in de buurt was.' Het was alsof Alice de zandgebakjes weer rook die Thomas hun elke week opdrong wanneer Billups en zij bij hem thuis kwamen. Alice opgesloten in de salon, Billups samen met Thomas in de keuken.

'Ik dacht dat ik moest kotsen,' zei ze.

'Ik wil het er niet over hebben.'

Alice leunde naar voren. 'Wat zou je doen als je hem nu weer zag?'

Billups gaf geen antwoord.

'Wat zou je doen?' vroeg Alice.

'Niks,' zei Billups.

'Maar als hij je nou zou aanspreken?' drong ze aan.

'Dan nog niks!'

Billups' handen trilden. En hij had zulke grote, sterke handen. 's Winters zaten ze vol kloven en zagen ze er asgrauw en hard uit. Als Billups Thomas nu zou tegenkomen, zou hij hem ongetwijfeld met die handen doodmaken. Hij zou net zo lang op hem inslaan tot hij eruitzag als een to-

222

maat waarop iemand was gaan staan. Het was vreselijk om zijn dikke vingers zo te zien trillen.

Toen Billups zijn theekopje weer op het dienblad op het tafeltje zette, gleed het van het schoteltje en viel in stukken op de houten vloer.

'O, arme Billy!' zei Alice. Billups balde zijn handen in zijn schoot tot vuisten. Het leek alsof hij in tranen zou uitbarsten. De plas gemorste thee breidde zich uit naar het Perzische tapijt.

'Eudine!' riep Alice. 'Eudine!'

Ze verscheen met een emmer en een dweil om de rommel weg te werken. Ze keek naar Billups. Alice zag iets in haar blik. Een oordeel? Medelijden? 'Houd je maar bij je werk, Eudine,' zei ze.

'Alice!' riep Billups.

Alice sloeg haar armen om haar broer heen. Hij verstijfde in haar omhelzing.

'Hij is door God vervloekt. Daar ben ik van overtuigd,' zei ze. 'Hij liep mank. Hij heeft vast een ongeluk gehad, of...'

'Ik wil het er niet meer over hebben!' schreeuwde Billups.

Moeder en papa, hun broers en zussen, niemand van hen die zich om Billups bekommerde. Niet dat ze verwachtte dat ze zouden begrijpen waar hij behoefte aan had, want Billy en zij hadden nooit iemand iets over Thomas verteld. Het was Alice die haar broer steunde als hij nachtmerries had, Alice die een flatje voor hem had gevonden in het betere deel van de stad en die bijsprong met de huur, Alice die ervoor zorgde dat hij er netjes bij liep, in de beste kleren. Ze wist dat het nodig was een oogje in het zeil te houden, ook al beweerde Billups zelf van niet. Ze was de enige die er voor hem was. Het kostte haar de grootste moeite om hem niet na te roepen toen hij de voordeur met een klap achter zich dichtsloeg.

13.30 uur

Nadat ze het twee keer had geprobeerd had Eudine het opgegeven en had ze niet meer naar boven geroepen om Alice te raadplegen over het hoe en wat van het partijtje. Des te beter, Eudine redde het prima alleen, en trouwens, Alice kon haar op dit moment ook helemaal niet velen. In plaats daarvan inspecteerde ze de kamers op de eerste verdieping, hoewel de meeste niet gebruikt werden en niet schoongemaakt hoefden te worden. Waar zou Billups met haar over hebben willen praten, vroeg ze zich af, terwijl ze van de extra badruimte naar de logeerkamer liep. Het beviel Alice niets dat hij haar iets wilde vertellen wat ze nog niet wist. Ze wist altijd alles van hem. Ze hadden altijd een eenheid gevormd. Royce zei dat Billups' enige echte probleem was dat hij zich zo overgaf aan zijn sombere stemmingen. Volgens hem moest hij zijn dagen actiever invullen en meer bewegen. Bespottelijk. Royce was enkel gespitst op de verheffing van het ras, en Billy was gewoon een van zijn vele verbeterprojecten.

Royce bood gratis zijn diensten aan in de sloppenwijken en schonk regelmatig geld aan de christelijke organisatie van dr. Martin Luther King, die streed voor meer burgerrechten, en aan de verkiezingscampagne van Edward Brooke. Maar natuurlijk bestelde hij ook zijn overhemden in Londen. Toen hij erachter kwam dat Alice altijd naar een zwarte kleermaker in de buurt van Wayne Street ging, had hij dat aan zijn moeder verteld, die haar vervolgens had meegesleept naar een zaak in het centrum, waar de blanke naaister nog uit de hoogte had gedaan toen ze voor Alice was neergeknield om haar zoom af te spelden. De familie van Royce gedroeg zich verbitterd, triomfantelijk en onaantastbaar, en was even koud als de verst verwijderde ster. Alice hunkerde ernaar net zo te worden. Maar tegelijk haatte ze hen. Vijf jaar lang had ze geprobeerd het hun naar de zin te maken en nog altijd behandelden ze haar als een hond die zich niet goed liet africhten.

Royce wilde graag een kind. Meteen na hun huwelijk had hij een van de extra slaapkamers als kinderkamer laten inrichten. En niemand die er nog een voet in mocht zetten. Alice opende de deur met de sleutel die hij onder in zijn sokkenla bewaarde. Op het behang prijkten gele eendjes met zuidwestertjes op. Geschikt voor zowel een jongen als een meisje, had hij gezegd. Maar er kwam maar steeds geen kind. Royce mokte en maakte haar verwijten. Vertwijfeld nam hij haar mee naar specialisten in New York en Boston. Het feit dat Alice maar geen kinderen kreeg was het enige waarover hij zich ooit werkelijk emotioneel had getoond. Maar hierin zou hij zijn zin niet krijgen. Daar zorgde Alice wel voor. Het was geen daad van verzet, hield ze zichzelf voor, elke keer dat ze een nieuwe strip van 28 pillen aanbrak. Ze was alleen maar tijd aan het rekken tot het tussen hen weer wat beter ging. En ze was nog altijd jong. Er was nog tijd zat, meer dan genoeg. Terwijl ze de kinderkamer uit liep stak Alice de sleutel in de zak van haar ochtendjas. De deur liet ze wijd openstaan.

De naaikamer bevond zich aan het eind van de gang. Alice had al snel nadat die was ingericht haar belangstelling verloren, maar de naaimachine had ze niet weggedaan, omdat die haar herinnerde aan het hoekje in de woonkamer in Wayne Street, waar Hattie haar geïmproviseerde naaiatelier had. Wat zou moeder destijds niet hebben overgehad voor zo'n naaikamer. Hattie had een gruwelijke hekel aan Wayne Street. Daar zaten ze, zei ze altijd, opeengepakt als ratten in een hol. En ze kon er niet tegen dat alles er zo armoeiig was. Om de paar jaar schilderde ze de woonkamer in een of andere aparte kleur: oudroze, casanovablauw, of zeewindgroen.

Een paar maanden geleden had Hattie Alice meegenomen om een huis te bekijken dat ze hoopte te kopen. Er waren in de loop van de jaren tal van verhoopte huizen geweest. Het huis was nauwelijks groter dan dat in Wayne Street, maar dat hoefde ook niet. De meeste kinderen waren inmiddels volwassen en het huis uit. Hattie had Alice rondgeleid door de kamers. 'Eindelijk!' zei ze steeds maar. 'Eindelijk!' Over twee dagen zou ze bij de bank de papieren gaan tekenen. Het was natuurlijk absurd dat ze erop gerekend had dat August zijn steentje zou bijdragen, maar Hattie was diep teleurgesteld geweest toen de koop niet doorging. En ze had Alices hulp geweigerd. Misplaatste trots, niet geld, had Hattie weggehouden van het enige waarvan ze ooit had toegegeven dat ze het graag wilde hebben.

Hun hele leven hadden de kleine Shepherdjes Hattie horen beweren dat het gezin verloederde omdat ze geen eigen huis hadden. Het feit dat ze huurden maakte hen arm en ordinair. Ze stonden machteloos, zei Hattie, en waren over-geleverd aan de grillen van de huisbaas. 'Al die jaren,' had Alice haar eens tegen August horen zeggen, 'en nog hebben we niks bereikt. Wil jij dan niks aan je kinderen nalaten?'

Toen Alice nog klein was rekende Hattie regelmatig uit hoeveel ze in de loop van de jaren in Wayne Street aan huur had betaald. Nog dagen daarna raasde ze door het huis, wijzend naar de barsten in de badkuip of de krassen op de vale plinten. Die woedeaanvallen waren gevaarlijk. Ze had Franklin een keer een enorm pak slaag gegeven omdat die tijdens een hoosbui een raam open had laten staan, waar-na de vloer van de slaapkamer was kromgetrokken. Hij was toen nog maar acht. Hattie had hem de gang op gesleept en hem net zolang afgetuigd tot hij het van angst en van de pijn in zijn broek had gedaan. Alice had een week lang jodi-um op de striemen moeten doen.

Het moet moeder mateloos ergeren wanneer ze hier komt, dacht Alice. Al die kamers en salons, en nergens een kind te bekennen. Al die kamers vol met mijn dure spul-letjes. Alice liep terug naar haar slaapkamer en ging op de rand van het bed zitten, met haar handen slap in haar schoot. Het partijtje zou om negen uur beginnen. Volgende week of volgende maand zouden ze wéér gasten hebben, en daarna weer, en weer, en weer, en weer. Al die gesprekken die in al deze kamers gevoerd zouden worden, al dat ge-neuzel, al dat gastvrouw spelen, al dat doen alsof. Alice kon zich niet voorstellen dat ze opgewassen zou zijn tegen de jaren die kwamen. Het voelde alsof het huis om haar heen de muil van een dier was dat haar met huid en haar had ver-slonden.

Alice stapte uit de badkuip. Haar huid tintelde helemaal van het warme water. Ze spoot haar lievelingsparfum (gardenia) op en koos de sieraden uit die ze die avond ging dragen. De nauwsluitende, platina halsketting met de diamanten, haar tennisarmband, en parels voor in haar oren. Ze bleef naakt voor de spiegel staan. De sieraden gaven haar steun, maakten haar onverschrokken. Ik ben een welgestelde vrouw, dacht ze. Ik hoef voor niemand meer bang te zijn. Alice deed haar onderrok en ochtendjas aan en liep naar beneden om tegen Eudine te zeggen dat ze haar avondjurk nodig had.

De deur van de strijkkamer stond open. Alice liep door de keuken de strijkkamer in. Het achterste raam was helemaal beslagen, maar toch kon ze nog net zien dat er op een van de kale takken van de beuk in de achtertuin een felrode vogel zat. Toen Alice opzij keek en Billups en Eudine in innige verstrengeling zag had ze bijna gezegd: 'Moeten jullie eens kijken! Een rode kardinaal in februari!' Omdat zowel de vogel als de verstrengeling onmogelijk waar kon zijn, dacht Alice dat ze zich beide verbeeldde en kneep ze haar ogen stijf dicht. Toen ze weer keek was de vogel gevlogen. Maar Eudine was er nog wel (ze was bezig haar haar glad te strijken), evenals Billups, die van haar was weggesprongen en zijn keel schraapte. Alice liep achteruit de keuken weer in. 'Neem me niet kwalijk,' stamelde ze. Alsof zíj degene was die iets onbehoorlijks had gedaan.

Billups kwam de keuken in. 'Ik heb... Ik wou je dus vertellen...' Hij bleef steken. Hij keek naar Eudine, die hem uit de strijkkamer achterna was gekomen en een paar passen van hem vandaan was blijven staan. Ze knikte Billups bemoedigend toe. Toen hij zijn blik weer op Alice richtte hadden zijn ogen iets lichts en verhevens gekregen.

'We gaan met elkaar,' zei hij.

Alice ergerde zich aan de dwingende klank van zijn stem. Aan deze bekendmaking van wat hij achter haar rug om had gedaan, dit besluit dat hij buiten haar om genomen had. Eudine stond met de kin vooruit. Haar ogen waren strak op Billups gevestigd, alsof Alice lucht was.

'Serpent,' fluisterde Alice. 'Vuile slet.'

Eudine trok aan het borststuk van haar schort, hoewel dat al recht zat, en zei: 'Ik denk dat ik maar beter kan gaan.'

'Je moet je schamen!' schreeuwde Alice. Ze maakte aanstalten om Eudine achterna te gaan, de gang in. Maar Billups versperde haar de weg.

'Rustig nou, Alice. Je windt je alleen maar op.'

Hij legde zijn hand op de schouder van zijn zus. Ze verstrakte.

'Ik begrijp dat dit als een schok komt, maar ik heb vanochtend geprobeerd... Ik heb een paar dingen wat eh... wat anders aangepakt. Ik...' Billups keek de kamer rond alsof hij hoopte dat er iets was waardoor hem deze discussie bespaard zou blijven, iets wat hem zou oppakken en met hem van Alice zou wegvliegen.

'Ik ga volgende week verhuizen. Ik heb iets gevonden wat ik mij kan permitteren met mijn...' – Billups aarzelde even – 'met mijn salaris.'

Alice stond recht voor haar broer, trillend als een terriër, maar ze zei geen woord.

'Alice? Alice?' zei hij. 'Misschien dat ik ook maar moet gaan. Dit is niet zo'n geschikt moment, met dat partijtje en zo.'

'Dit is precies waar ik het altijd over heb, Billy,' zei ze ten slotte. Haar stem klonk laag en gespannen. 'Jij kunt geen goeie beslissingen nemen. Een afspraakje met een dienstmeid? En verhuizen? Naar welke buurt dan wel? Jij kunt je niks behoorlijks permitteren.'

'Ik heb een baan. Ik ben aangenomen als archiefbediende bij het Girard-ziekenhuis, tegen een jaarsalaris van 5600 dollar. Ik heb genoeg van dat deeltijdwerk en van alsmaar weer iets anders.'

Moest je hem daar nou eens zien staan. Apetrots.

'Maar dat is vrouwenwerk,' zei Alice.

'Het is prima werk,' reageerde Billy zwakjes, met neergeslagen ogen.

Arme Billy! Hij was niet opgewassen tegen zoveel veranderingen. Dat zou hij nooit allemaal aankunnen.

'Je denkt weer eens niet na, Billy,' zei Alice. 'We hebben het hier al vaker over gehad. Je weet dat een deeltijdbaantje het beste voor je is. Je hoeft in principe helemáál niet te werken. Er is geld zat.'

'Jíj hebt besloten dat een deeltijdbaantje het beste was,' zei Billups. 'Jíj hebt besloten dat ik die dure flat moest nemen. Ik kan op eigen benen staan.'

'Door een of ander flutbaantje in het ziekenhuis.'

Billy schudde zijn hoofd. 'Ik wíst dat je zo zou reageren. Ik werk er al twee maanden en ik heb er tegen jou niks over gezegd omdat ik wist dat dit je reactie zou zijn. Kijk hier dan.' Billups haalde een paar opgevouwen papiertjes uit zijn zak. Het waren de cheques die ze hem elke week had gestuurd maar die hij niet geïnd had. 'Ik heb me prima gered zonder,' zei hij.

'Dus jij denkt dat je mij niet nodig hebt? Vanwege dat stomme baantje? En dan Eudine! Dat meen je toch niet? Die maakt bij mij de wc schoon.'

'Wie denk je wel dat je bent, dat jij zou mogen uitmaken wie goed genoeg is voor wie? De familie van Royce vindt dat jij hun wc's zou moeten schoonmaken.'

'Maar ik wou je alleen maar gelukkig zien! Ik heb het allemaal gedaan voor jóúw geluk.'

'Ik heb nooit ergens om gevraagd. Het spijt me dat je je zo schuldig voelt, maar daar kan ik niks aan doen.'

'Schuldig? Ik heb geprobeerd je te helpen!'

'Je wilde jezelf vrijkopen. En wat ben je ermee opgeschoten? Kijk nou eens naar jezelf, Alice. Je bent zo'n heerszuchtige blanke bitch geworden, maar dan zwart. Je zit hier in dit grote huis, daas van de pillen die Royce je gegeven heeft, je zwalkt door het huis als een zombie of staart wat uit het raam. Vergeet die hele zooi, Alice. Je wordt er stapelgek van.'

'Nou heb ik het zeker weer gedaan. Je gaf me altijd al de schuld toen we klein waren, en nou krijg ik weer de schuld omdat ik me hierover opwind!'

'Jij was niet degene die door Thomas elke week in de keuken werd gepakt!'

De twee staarden elkaar geschokt aan. Billups had het nooit eerder hardop gezegd. Hij moest een keer diep inademen om zijn evenwicht te hervinden.

'Ik geef jou nergens de schuld van, Alice. Vroeger dacht

231

ik dat je het aan iemand had moeten vertellen, omdat jij de oudste was en op mij zou moeten passen. Maar dat denk ik al heel lang niet meer. We waren nog maar kinderen. Maar je moet er een keer over ophouden. Ophouden met je te verontschuldigen, ophouden met er eindeloos in te blijven hangen. Weet je wat ik graag wil, Alice? Normaal zijn. Ik ben nu drieëntwintig. Ik wil graag trouwen. Ik wil gewoon elke dag naar mijn werk gaan. Ik wil zelf mijn rekeningen betalen, mijn eigen gang gaan, een man zijn.'

'Ik ben met Royce getrouwd zodat ik voor jou zou kunnen zorgen,' zei Alice.

'Jij bent met Royce getrouwd omdat je het beter wilde hebben dan de anderen.'

'Heb je echt zo'n lage dunk van me?' vroeg Alice. 'Hoe durf je te zeggen dat ik niet om je geef?'

'Dat heb ik niet gezegd.'

Niet ook nog mijn Billy, dacht Alice. De enige op deze wereld die me nodig heeft, die niet op me neerkijkt of me kleineert. Niet hij ook nog. Ze stonden zwijgend tegenover elkaar. Na een tijdje bracht Billy zijn gewicht van de ene voet over op de andere en trok zijn jasje recht alsof hij op het punt stond weg te gaan.

'Billy?' zei Alice zacht. 'Weet Eudine het van Thomas? Misschien dat ze dat zou moeten weten. Misschien dat ik het haar zou moeten vertellen.' Alice riep naar de woonkamer: 'Eudine!'

Zelfs toen Alice de tinteling van zijn klap tegen haar wang voelde, zag ze dat hij zelf nauwelijks kon geloven dat hij haar had geslagen. Ze viel neer door de kracht van de klap. Ze moest geroepen hebben, want Eudine kwam de keuken in gerend en hielp haar op een stoel. Alices lip klopte en op de plek waar haar ochtendjas was opengevallen was haar bovenbeen koud. Een van de parelknopjes was op de grond gevallen. Billups bukte zich om het op te rapen, maar Eudine wuifde hem weg.

'Ze is maar zo'n kwetsbaar popje, Billups,' zei ze. 'Je had haar niet mogen slaan.'

'Ik weet het,' zei hij, bijna in tranen. 'Ik weet het.'

'Ga maar even een stukje lopen om weer wat bij zinnen te komen,' zei Eudine.

Ze had het tegen Billups, maar Alice was degene die opstond. Ze liep langs de in het zwart gestoken cateraars in de eetkamer. Ze wuifde de vrouw met een armvol gentianen en witte aronskelken uit de weg en ook een andere vrouw die met een blad vol zilveren lepels en vorken kwam aanlopen. Niemand riep haar terug, waar Alice dankbaar voor was.

17.30 uur

De dag had zich van donkerte naar donkerte bewogen, en weer bevond Alice zich boven aan de trap, net als die ochtend. Over drieënhalf uur zouden de gasten arriveren. Royce kon ieder ogenblik thuiskomen. Alice probeerde al een tijdje zichzelf op te peppen en zich verder aan te kleden voordat Royce thuiskwam, zodat ze in elk geval dát gedaan zou hebben, om zich zijn reprimande en alle gevolgen van dien te besparen. Ze wreef over de kant van haar gezicht waar Billups haar had geraakt. Haar ene mondhoek was licht opgezwollen. De familie zou erover roddelen. Ze sloeg haar armen om haar knieën tegen de kou die zich tegen de avond boven nestelde.

'Mevrouw Phillips?'

Alice reageerde niet.

'Mevrouw Phillips,' riep Eudine nog eens. 'Ik haal nog even mijn laatste spullen uit de keuken en dan ga ik. Mag ik... Mag ik boven komen in plaats van hier te staan schreeuwen?'

'O nee, niks daarvan!' Alice holde de trap af, maar toen ze in de hal tegenover Eudine stond, wist ze ineens niet wat ze moest zeggen of welke toon ze moest aanslaan.

'Nou, dat is het dan wel zo'n beetje, denk ik,' zei Alice. Ze wilde vragen hoe het met Billups was, waar hij naartoe was gegaan en of hij later nog naar het partijtje zou komen, maar het lukte haar niet te erkennen dat Eudine mogelijk iets over haar broer wist wat ze zelf níét wist.

'Zou u dan nu willen afrekenen?' zei Eudine.

'Afrekenen?'

'Mijn loon.'

'O, ja. Ja.' Alice had geen contant geld om Eudine mee te betalen en ze was te zeer in de war om haar chequeboek te zoeken of iets anders te bedenken, daarom zei ze: 'Ik stuur het je wel. Ik moet eerst nakijken hoeveel uur je gewerkt hebt.'

'Er valt niks na te kijken. Ik heb deze week drie dagen gewerkt. Dus heb ik recht op drie dagen loon.'

'Dokter Phillips moet maar een cheque uitschrijven, omdat het de laatste keer is.'

'Ik snap niet...' Eudine zuchtte. 'Oké. Het zou fijn zijn als u er niet te lang mee wachtte.' Ze liep naar de keuken.

De cateraars waren met veel gebonk en gekletter bezig in de eetkamer, een stel betaalde vreemden dat het huis voor Alices familie in gereedheid bracht. Het zoveelste stel vreemden. Nog even en Eudine zou vertrokken zijn. Ze zou de volgende ochtend niet terugkomen, en ook de ochtend daarna niet, en datzelfde gold voor Billups. O, dit lege huis!

'Je kunt toch niet zomaar weglopen!' riep Alice. 'Je weet best dat er eerst dingen uitgepraat moeten worden.'

'Wat wilt u dat ik zeg?' vroeg Eudine, terwijl ze zich naar Alice toe keerde.

'Dat het je spijt. Heb je niet eens het fatsoen om te zeggen dat het je spijt?'

'Het spijt me dat u er op die manier achter moest komen van Billups en mij. En het spijt me wat Billups vanmiddag gedaan heeft.'

'Daar heb jij niks mee te maken!' zei Alice. 'Geen woord hierover tegen hem. Je zou zijn naam niet eens in de mond mogen nemen!'

Eudine schudde haar hoofd. Alice onderging haar afkeuring als een tweede klap in haar gezicht. Woedend rende ze naar haar werktafel in de salon en haalde een enveloppe uit een la.

'Aanpakken en wegwezen,' zei ze, terwijl ze een dun stapeltje briefjes van twintig uit de enveloppe haalde. 'Ik hoop nooit meer aan je te denken. En dat na alles wat ik voor je gedaan heb!'

Alice wapperde met het geld voor Eudine heen en weer, maar toen die niet naar voren kwam om het aan te pakken, smeet Alice het haar in het gezicht. Ze zou zelfs naar haar gespuugd hebben als ze daar aan gedacht had. De met zoveel minachting weggeworpen bankbiljetten fladderden tussen de beide vrouwen in en landden uiteindelijk in de buurt van Alices voeten. Zelfs in haar verachting was ze weinig doeltreffend. Een man in livrei achter een cocktail-trolley bleef even in de deuropening van de salon staan en staarde met open mond naar het tafereel van de briefjes van twintig op de vloer en de vrouw des huizes die als een feeks in een badjas stond te krijsen. Alice begon zo hard te snikken dat ze ervan dubbelklapte en met haar handen op haar dijen moest steunen om haar evenwicht te bewaren.

Eudine haalde een zakdoek uit haar tas en stak die Alice toe. Hoewel het gebaar louter praktisch was en ieder mede-gevoel miste, kwam het Alice als het grootst denkbare blijk van medemenselijkheid voor. Ze was een uitgehongerd schepsel dat een hap eten, hoe schamel ook, aangeboden had gekregen. Ze knielde neer op het tapijt. Eudine ver-dween even, maar keerde terug met een glas water. Ze bleef naast de huilende vrouw staan, de blik tactisch afgewend, totdat Alice enigszins was bedaard.

'Dan ga ik nu maar,' zei ze, terwijl ze haar het glas aangaf. 'Anders ben ik pas heel laat thuis.'

Alice veegde haar betraande ogen af met de mouw van haar ochtendjas. 'Blijf je wel scharrelen met mijn broer?' vroeg ze zacht.

'Zo mag u dat niet noemen.'

'Hij heeft veel problemen, weet je. Het is een goeie jon-gen, maar hij kan niet voor zichzelf zorgen. Hij dénkt mis-schien wel dat hij dat kan, maar het is niet zo. Wat gaan jul-lie doen, samenwonen in Philadelphia-Noord? Hij is niet gewend aan dat soort...'

'Ik woon niet in Philadelphia-Noord.'

'Nou ja, waar dan ook, maar...'

'Niks geen gemaar. Ik woon niet in Philadelphia-Noord. Niet dat daar iets mis mee zou zijn. Het maakt niet uit of je nou hier woont of daar. Ik wil gewoon niet in een hokje gestopt worden.'

'Ik heb je nooit in een hokje gestopt.'

'U hebt nooit iets anders gedaan, en nou bent u boos omdat ik weiger er nog langer in te blijven zitten.'

'Ik wou je alleen maar helpen!'

'Helpen? Door de hele tijd uit de hoogte tegen me te doen zeker. Jij bent echt starnakelgek, weet je dat? Als je me niet loopt af te kammen sjouw je wel als een hondje achter me aan, alsof ik je als een kleuter moet aanhalen.'

Alice had het gevoel dat ze op het punt stond iets belangrijks aan de weet te komen, alsof er de hele tijd iets geweest was wat ze had moeten weten, en dat ze, als ze het eenmaal wist, vrij zou zijn. Ze wreef over haar wang. Ze wou dat ze Eudine bij de hand zou kunnen nemen. Haar handpalmen zouden warm zijn, droog, en een beetje vereelt. Helende handen. Het tegenovergestelde van de ongevoelige, klinische aanrakingen van Royce of de grote, trillende kolenschoppen van Billups.

'Ik ben altijd alleen geweest, snap je. En ik heb nooit iemand gehad aan wie ik dingen kon vertellen. Er is me zoveel overkomen. Je hebt echt geen idee. Vandaar dat ik soms niet goed wist wat... wie ik nou eigenlijk was. Ik heb van alles geprobeerd te zijn, maar het is me nooit echt gelukt. En het was net of jij... Ik had het idee dat jij wel wist hoe je zoiets aan moest pakken.'

'Ik weet niet meer dan jij,' zei Eudine.

'Jij kent Billy,' zei Alice terwijl ze zich naar voren boog. 'Denk je... denk je dat Billy me in de steek zal laten?' fluisterde ze.

Dat was niet de goede vraag. Zodra de woorden haar mond verlieten besefte Alice dat ze de verkeerde vraag had gesteld, maar niet wist wat de goede was. Eudine keek van haar weg. Alice had zichzelf voor schut gezet. Ik heb mezelf voor schut gezet, dacht ze. Maar wat blijft er van me over wanneer ik Billy niet meer heb om voor te zorgen? Wat voor leven zou ik hebben als we allebei geestelijk niet zo verminkt waren? En bovendien, stel nou eens dat mijn verminking niet dezelfde is als die van Billy. Alice had altijd gedacht dat Thomas hun gedeelde kruis was, maar het zou kunnen, het zou natuurlijk kunnen dat er iets was veranderd, en dat alleen zíj, Alice, zichzelf geestelijk verminkt had. Dat was voor haar de afgrond, dat was de uiterste rand. Alice schrok ervoor terug als was het werkelijk de rand van een steil klif.

Ze ging staan, veegde de tranen uit haar ogen en stopte een losse streng haar achter haar oor.

'Je hebt geen idee wat er allemaal bij komt kijken om voor mijn broer te zorgen. Het zal je helemaal in beslag nemen,' zei Alice.

'Hij kan heel goed voor zichzelf zorgen. Je moet hem met rust laten.'

'Dat heb ik geprobeerd.'

'Dat is niet waar.'

'Het gaat je niet lukken. Ik ben de enige die het kan.'

'Triest dat je dat denkt,' zei Eudine. 'Alleen al voor jezelf.'

De voordeur zwaaide open. Billups stond op de drempel. Hij zag bleek van de kou.

'Billy!' riep Alice uit.

Ze zouden het weer goedmaken, dat móést gewoon. Alice stapte op haar broer af. Maar ook Eudine stapte naar voren. Billups boog zijn bovenlijf in de richting van zijn vriendin en lachte. Zijn lach zei: het spijt me, ik wilde je niet teleurstellen, en ik ben zó blij dat je er nog bent. Toen ze elkaar in de armen vielen sneed dat door Alice heen als een eerste flits van migraine, even onverwacht als adembenemend.

Het schijnsel van de kroonluchter in de woonkamer en het licht dat door de bewerkte kristallen glazen en zilveren kandelaars in al zijn glinstering werd opgevangen, werd weerspiegeld in het erkerraam. Daar stond Alice, klein en onbeduidend, op de voorgrond. Buiten was het gaan sneeuwen. De vlokken, wit en dik als de pluizen van een paardenbloem, lichtten op in het licht van de straatlantaarn. Een man kwam met gebogen hoofd op het huis af. Hij had de kraag van zijn donkere jas opgeslagen. Toen hij onder de lantaarn door liep zag Alice dat hij een gleufhoed droeg.

'Billy! Zie je hem?' zei ze, wijzend naar de gestalte die naderde door de sneeuw.

'Bel de politie! Daar heb je hem!' Alice keek naar Eudine en haar broer. 'Wat staan jullie daar nou? Zien jullie hem dan niet?'

Ze liep dwars door de kamer naar de telefoon op haar werktafel en begon een nummer te draaien. Billups en Eudine keken elkaar veelbetekenend aan.

'Billy, we moeten iets doen!' riep Alice.

Billups nam zijn zuster voorzichtig de hoorn uit de hand

en nam haar mee naar het erkerraam. Hij legde zijn arm om haar schouder om een eind te maken aan haar getril.

'Het is Royce, Alice,' zei hij. 'Zie je wel?'

'Royce?'

'Ja, Alice. Niks aan de hand. Het is Royce maar.'

Alice keek door het raam. Het was waar. Het was inderdaad haar echtgenoot die eraan kwam. Hoewel hij bezorgd naar haar keek en zijn hand heel lief groetend opstak, wist Alice zeker dat Royce haar na afloop van het partijtje zou overreden om zich te verontschuldigen bij Floyd en haar gasten. Hij zou twee pillen in haar hand schudden en tegen haar zeggen dat ze haar rust nodig had. De avond zou verdergaan zonder haar, terwijl zij boven in de slaapkamer lag, onder dekens die op haar neer drukten alsof er iemand op haar lag, en met lippen vol kloofjes door de warme, droge lucht. Ze zou diep in de nacht wakker worden en zich tegelijk vederlicht en loodzwaar voelen, alsof haar hoofd een ballon vol water was. Ze was deze dag volledig tekortgeschoten. Ze was niet gekleed, ze had haar huishouden niet goed bestierd en ze had Eudine ontslagen. Ook Billups zou weggaan. Hij zou het huis uit gaan en over de gladde tuintegels weglopen, totdat zijn gestalte in de vallende sneeuw zou oplossen, alsof er achter hem een gordijn werd dichtgetrokken. Kort daarna zouden zelfs zijn voetafdrukken verdwijnen. Alice wist dat deze dingen stonden te gebeuren, en ze leunde met haar hoofd tegen de borst van haar broer. Ze wou dat de man buiten werkelijk Thomas was, zodat Billups en zij weer dezelfde vijand en dezelfde angst zouden kunnen hebben.

Franklin

1969

Er doemt een sampan op. Laag op het zwarte water en binnen granaatbereik van mijn post op de kust komt hij aangezeild uit de mist die bij het vallen van de avond is neergedaald.

Gisterochtend heb ik mijn orders gekregen. Ik maak deel uit van het tien man sterke onderdeel dat zal worden ingezet op een eiland aan de rand van een grote baai. Ik moet het strand in de gaten houden terwijl de anderen mijnen leggen. We varen om 04.00 uur uit. Bij de briefing kreeg ik te horen dat ik vooral moest uitkijken naar inheemse vaartuigen, jonken en sampans. Later die dag, toen Pinky, Mills en ik onderweg waren naar de mess, riep de luitenant over zijn schouder: 'En verkloot dit nou niet, matroos Shepherd!' Mills en Pinky moesten lachen. Pinky zei: 'Je kunt 's nachts niet uitkijken naar sampans in de baai.' Ik vroeg waarom niet, en het enige wat hij zei was: 'Dat zul je wel zien.'

Er zitten drie mannen in de sampan, een voorin, een achterin en een in het midden. Hun spits toelopende strooien hoofddeksels hebben ze stevig op hun hoofd gedrukt. Ze komen aangepeddeld uit een inham aan het andere eind van het strand. Hun armen bewegen in sierlijke neerwaartse bogen. De riemen glijden in het water, dat enkel rimpelt. De riemen komen weer boven en opnieuw rimpelt het water, terwijl het vaartuig naar voren schiet. De man in het midden

241

laat zijn hand over het wateroppervlak scheren. Tussen zijn benen staat een grote zak waar iets zwaars en zachts in zit. In het midden zit hij vol kreukels en het bovenste deel is naar voren gezakt.

De sampan is zwart en van hout, net een halve meter hoog, en de voor- en achterkant krullen omhoog als bij een banaan. De mannen zitten rechtop als tandenstokers en knijpen hun ogen tot spleetjes vanwege het licht van mijn zaklantaarn. De boot maakt geen slagzij.

Ik los twee waarschuwingsschoten.

'Maak jezelf bekend!'

De mannen in de boot steken hun handen in de lucht en door hun haastige bewegingen valt een van hun riemen in het water.

Vissers in sampans zijn niet te vertrouwen. Bij onze briefing zei de luitenant dat we er niet zonder meer van mochten uitgaan dat het vissers waren. Ze komen op die bekende, kalme manier van ze aangepeddeld, maar grijpen dan onder hun stapels visnetten en halen granaten of een M-10 tevoorschijn. Sommigen hebben zelfs napalm bij zich. Dat heeft de luit me niet gezegd, maar dat hoorde ik van Mills en Pinky, en ik geloof ze op hun woord.

'Ga staan! Ga staan met jullie handen omhoog.'

Ik hoor het natte, zuigende geluid van soldatenkistjes achter me. Mills schreeuwt: 'Laat vallen! Laat vallen, verdomme!' ook al heeft geen van de mannen in de boot iets in zijn handen.

Eerst gaat er eentje staan, dan een tweede. De boot wiebelt en slingert. Er worden nog twee waarschuwingsschoten gelost. 'Ik zei dat je moest gaan staan, klootzak!'

Dit, besef ik, is mijn eigen stem, waarmee ik hees en over-
spannen naar ze sta te schreeuwen, hoewel ik weet dat ze
langzaam overeind moeten komen, en een voor een, omdat
de boot anders omslaat.

'Die middelste wil godverdomme niet gaan staan!' Ik kijk
snel even naar Mills, die links naast me staat. 'Hij wil god-
verdomme niet gaan staan!'

Ik had even mijn target uit het oog verloren. En je mag
nooit je target uit het oog verliezen. De man in het midden
komt eindelijk overeind, en de boot slaat bijna om. Hij zakt
door de knieën om zijn evenwicht te bewaren. Het scheelt
niks of ik schiet hem neer. Het scheelt niks. Een van de man-
nen blijkt een vrouw te zijn. Zij staat steviger op haar benen
dan de beide anderen. Ze draait haar hoofd langzaam naar
ons toe en kijkt naar ons alsof we een stel wilde apen zijn.

'Wat zit er in die zak?' roep ik. Ze reageren niet.

'Ze spreken geen Engels,' zegt Mills.

'Ze snappen ons bliksems goed. Ze doen maar alsof. Gooi
die zak overboord!' Ik gebaar met de loop van mijn geweer.

Ik los een vijfde waarschuwingsschot, deze keer in het wa-
ter vlak bij de sampan. De man in het midden grijpt de zak en
gooit hem overboord. Hij zinkt geluidloos naar de diepte.

'En nou oprotten,' zeg ik. Ik hou de vrouw angstvallig in de
gaten. Zij ziet er geniepiger uit dan de anderen. Zij is degene
die straks de granaat gooit, als het tot gooien komt. Mills ge-
baart dat ze moeten wegwezen. Hij beweegt zijn geweer twee
keer snel heen en weer.

'Opsodemieteren. Godverdomme, opsodemieteren.'

'Shit, Shep. Ze gaan ervandoor!' zegt Mills. Ik vertel hem
niet over het brandende gevoel onder aan mijn rug. Vroeger

dacht ik dat die pijn van de spanning kwam, maar tegenwoordig weet ik dat het een voorteken is. Die zak op de sampan heeft mijn rug in lichterlaaie gezet.

'Als de gesmeerde bliksem oprotten!' schreeuw ik nog eens, hoewel een van de vissers met de overgebleven roeispaan is begonnen te peddelen en de sampan heel langzaam wegvaart.

Mills loopt hoofdschuddend weg. Ik ben weer alleen en loop heen en weer op mijn kleine stukje grond, een smalle strook zand aan de rand van het eiland. Ik beeld me in dat de zak van de vissers vol speciaal geprepareerde granaten zit die straks aan zullen spoelen en dan in het zand zullen ontploffen.

Ik tuur het duister in. Een handvol dikke grijze wolken drijft voorbij de hoog aan de hemel staande halvemaan. De baai en het strand baden nu eens in het maanlicht en zijn dan weer in het duister gehuld, om vervolgens weer in het maanlicht te baden en daarna weer in duister te worden gehuld. Nu de maan schuilgaat achter de wolken zie ik alleen vage contouren: grote rotsblokken die uit het water oprijzen, onze eigen jonk die een kleine kilometer verderop op het strand ligt, de silhouetten van de leden van mijn onderdeel, die op hun knieën in het zand liggen. Op de zandbanken stoten de schildpadden onder luid gesis met hun schilden tegen elkaar. Ik hou mijn hoofd schuin en luister of ik ook nog menselijke geluiden hoor, meer geplas van peddels, meer sampans die over zee komen aanglijden.

Over een paar uur zullen we onze missie volbracht hebben, de jonk weer inladen en hier wegvaren. Achter mij is de groep bezig gaten in het zand te graven. Toen ik pas getrouwd was heb ik een tijdje naast een slager gewoond. Als ik voorbijkwam was hij altijd aan het werk. Hij neuriede onder het werk, waardoor ik de indruk kreeg dat hij een gelukkig mens was. Het geluid van de spades die door het natte zand gaan doet me denken aan dat van zijn mes dat door het vlees sneed.

Ik ben bang dat de mist boven het water de kust op zal kruipen en boven het zand zal blijven hangen zodat ik slangen niet bijtijds op me af zal zien kruipen. Mijn nek doet zeer van het gespannen afspeuren van het zand. Ik strijk langzaam, zachtjes, over de haan van mijn geweer, en voel de druk onder mijn vingertop toenemen, tot ik nog maar een fractie verwijderd ben van het bevredigende moment dat ik de trekker zal overhalen. Ik steek nog een sigaret op. Ik heb een brief aan mijn vrouw geschreven – mijn ex-vrouw, zou ik eigenlijk moeten zeggen – en dat was de eerste keer in zowat een jaar dat we contact hadden. Ik denk dat ze nu definitief genoeg van me heeft. Ik krijg nooit genoeg van haar.

Sissy. Ze is in Philadelphia. Als ze bij haar zus is, zit ze waarschijnlijk met opengesperde mond te lachen en druk met haar vingers te gebaren als ze praat. Maar de kans is groter dat ze wat down is en met haar handen gevouwen in haar schoot uit het raam zit te staren. Ik ken al haar stemmingen en weet hoe ze zichtbaar zijn op haar gezicht, maar ik ben nog steeds diep onder de indruk van de lippen, ogen en wangen die samen dat gezicht vormen waar ik van hou. Tussen alle andere gezichten waar ik van had kunnen houden. Mijn Sissy.

Toen we op de dag van ons trouwen over de drempel van ons flatje stapten waaide er een esdoornblad mee de kamer in. Het was karmijnrood, met randen die nog donkerder, bordeauxrood, waren. Sissy zei dat de herfst een en al bloed en goud was, en ik hield het blad omhoog en zei: 'Nou, hier hebben we dan het bloed.' We liepen naar buiten om te kijken of we ook goud zagen. Ik vond op het trottoir een geel blad zonder een spatje bruin. Ik kan me niet voorstellen dat ik zoiets met iemand anders zou doen, zoiets mals als op straat naar gevallen bladeren gaan zoeken, maar met haar was er niks mals aan. Ik gaf haar het gouden blad en ze legde het op het rode blad en wikkelde beide bladeren in een zakdoek die ze met de strijkbout keurig glad streek. We hadden geen linten, daarom knipte ze een stuk uit de voering van haar trouwjurk, wikkelde dat om die zakdoek en legde die in de schuifla onder het bed. Dat was nog maar twee jaar geleden.

De wolken wijken en de maan licht de omgeving scherp uit. Er liggen honderden kleine eilandjes in deze baai. Op sommige plaatsen liggen ze zo dicht bij elkaar dat mijn tenen, als ik op mijn rug tussen ze door zou drijven, langs het ene zouden schuren, terwijl mijn kruin zijn buurman zou raken. De kleinste zijn niet meer dan een flinke modderkluit, niet groter dan een stoeptegel, maar wel helemaal begroeid met bloemen. Ik weet eigenlijk niet of je ze wel bloemen kunt noemen, ze zijn wasachtig en stekelig, en geven licht als neon-reclames. Mills wist te vertellen dat deze baai een van de zeven wereldwonderen is, maar ik had er nog nooit van gehoord. Ik ga over het grootste eiland. Het midden is een gro-

te jungle. Ik wou dat ik dit allemaal onder andere omstandigheden had kunnen bekijken, zonder geweer en een jonk vol bommen.

Ik heb geen idee hoe Mills aan al dat bier van hem komt. We hebben sinds de reveille zitten drinken. Er schittert iets aan de hemel. Het kan geen ster zijn, daarvoor knippert het te veel, en ook geen vuurpijl, want het steeg niet op om daarna uit te doven, of een vliegtuig, want het blijft op één plek hangen. Ik heb nog nooit zoveel niet te identificeren lichten aan de hemel gezien als in de tijd dat ik hier zit. Pinky zei dat het spookt in de hemel boven de baai. 'Dat kan niet,' zei ik. 'In de hemel kan het niet spoken.' 'Je zult het wel zien,' zei hij. Daarna lachte hij en wist ik dat hij me zat te stangen.

Nog geen meter van de kust hoor ik iets plonzen. Ik pak bliksemsnel mijn geweer. Er komt iets uit het water dat het op me gemunt heeft. Ik schiet het zo meteen aan flarden. Ik maak er gatenkaas van. Het breekt door het oppervlak. Een vis, het is godverdomme een vliegende vis. Hij zweeft een meter of dertig en duikt dan weer onder. Ik laat mijn geweer zakken. Vlak naast de plek waar de vis onder water is verdwenen drijft iets zwarts en bolronds. Het beweegt niet, dus het moet een van de eilandjes zijn. De kleinere zijn niet groter dan een bijzettafeltje. Zo eentje moet het zijn. Kan niet anders.

Ik stink naar verschaalde sigarettenrook en bedorven vlees. Ik proef die geur in mijn mond. Mijn tong en tanden zitten onder de groenige aanslag. Ik moet er niet aan denken hoe mijn adem ruikt. Daarstraks heb ik wat crackers en een blikje tonijn gegeten, en verder heb ik alleen bier en koffie gehad. Ik kan me de dag niet meer heugen dat ik niet voortdurend het gevoel had dat ik moest overgeven. Mijn baard is in onregelmatige plukken gegroeid. Onder de haren zitten groepjes rode bultjes.

Ik zou graag geloven dat Sissy me zo niet zou herkennen, maar dat is onzin. Ze heeft me in al mijn lelijkheid gezien. Als ik weer op het schip terug ben begin ik met een nieuw regime: alleen nog 's avonds na het eten bier. En ik zorg dat ik niet meer vecht en in de bak kom. Dat moet lukken, ik moet mezelf in de hand kunnen houden. Dat is me eerder ook gelukt, al denk ik soms dat ik niks meer ben dan een dronken zatlap, en dat ik me op de momenten dat ik nuchter, gladgeschoren en bruikbaar ben alleen maar voor mezelf verschuil.

Vorige week kreeg ik een brief van Sissy. Ze schreef: 'Je hebt een dochtertje. Ze is 13 september geboren. Ik had het je niet willen vertellen, maar ze lijkt sprekend op jou, tot de groenbruine vlekjes in haar ogen aan toe. Ik heb geen idee wat je gaat doen nu ik het je verteld heb. Ik weet ook niet of ik eigenlijk wel wil dat je iets doet. Ik wou het je niet vertellen, maar ik weet dat wat je geheim probeert te houden op de meest onverwachte momenten uitkomt. En ik wil niet dat mijn kind een leugenaar als moeder heeft. Ze is nu vijf maanden. En ze heet Lucille.

Ik heb Sissy ontmoet op het Kippenbotjesstrand. Zo noemden de blanken het omdat ze zeiden dat wij overal kippenbotjes achterlieten. Het is namelijk het enige gekleurde strand van Atlantic City. En toen zijn wij het ook zo gaan noemen. Schandalig, hè? Er lagen hier en daar wat botjes in het zand. Moeder is een keer met ons meegegaan en heeft alles de hele middag hoofdschuddend en met haar tong klakkend aangezien. 'Negers weten niet hoe ze iets netjes moeten houden,' zei ze. Het strand zag er niet zo beroerd uit als wat zij ervan maakte, en het kwam ook niet zozeer doordat wij zo vuil waren, als wel doordat de gemeente het nooit schoonmaakte, wat ze wel met de blanke stranden deden. Meeuwen schoten in duikvlucht omlaag en pikten naar de botjes. Ze braken ze met hun snavel open, aten het merg eruit en lieten de lege kippenbotjes in de zon liggen bleken. Ik weet nog dat je goed moest uitkijken, want voor je het wist had je een botsplintertje in je voet. Die zomer had oom Lewis een spiksplinternieuwe Buick gekocht, maar hij nam er nooit meer dan vier van ons in mee. Hij zei dat het geen gezicht was, een auto volgestouwd met negers.

Ik zag Sissy in de rij staan voor een flesje fris bij de man die het strand op en neer liep en een draagbare koelbox met zich meezeulde. Ze had een bruin moedervlekje op haar wang, en het eerste wat ik dacht was dat ze er ondanks dat smetje knap uitzag. Ik was nog maar net van de middelbare school, maar ik had al wel de nodige meiden gehad. Ik hield van meiden met stevige dijen en een smal filmsterrengezicht à la Dorothy Dandridge. Sissy had dat moedervlekje, maar de manier waarop ze haar flesje vasthield was heel bijzonder, alsof het van breekbaar porselein was. Ik heb die dag niet met haar gepraat, maar die hele week zat ik te bedenken hoe ik haar zou kunnen krijgen. Ik was snugger genoeg om te beseffen dat ik niks verkeerds mocht zeggen en me netjes moest gedragen, misschien zelfs een paar kleine beloftes zou moeten doen. Ik zou haar vertellen dat ik een goeie baan had als leerling-elektricien op de marinewerf. Ik zou de Buick van oom Lewis lenen en haar meenemen naar een concert in het Latin Casino in de stad. Ik zou haar stoel aanschuiven, haar trakteren op een cocktail en haar diep in de ogen kijken met mijn Romeo-blik waar ik goed op geoefend had. Wanneer ik haar thuisbracht zou ik haar mogen zoenen, en daarna zou het nog maar een kwestie van weken zijn. Ik wist precies hoe ik het moest aanleggen. Ik zou de volgende week beginnen.

Maar de zaterdag daarop was ze er niet. Ik dronk mijn flesje fris en trapte lol met mijn vrienden, maar ik bleef de hele tijd in de gaten houden of ik haar niet zag, en hoe langer ik haar niet zag hoe beroerder het strand eruit ging zien. De zon voelde te heet aan en de in zwembroek gestoken lijven om me heen glommen van de zonnebrandolie en zaten onder de moedervlekken, de puisten en het haar. Ik verdeed mijn middag met van het ene eind van het zwarte strand naar het andere te lopen. Zo ver was dat niet, maar toch ver genoeg om mijn voetzolen aan het zand te schroeien en mijn neus en mijn schouders te verbranden. De meeuwen werkten me op de zenuwen. Ik was zo uit mijn doen dat ik die avond niet uitging. De hele volgende week probeerde ik mezelf ervan te overtuigen dat wat ik voelde alleen maar teleurstelling was over het feit dat ik de kans om wat met een leuke meid op de achterbank te rommelen was misgelopen. Maar toen ze ook de volgende zaterdag niet kwam opdagen bonkten mijn slapen.

Die week informeerde ik her en der naar haar, en zo kwam ik erachter hoe ze heette en waar ze woonde. Dat viel nog niet eens mee, want ze kwam niet uit ons deel van de stad. Dus nam ik de bus naar Philadelphia-Zuid. Ik was daar nog nooit eerder geweest. Ik had mijn hele leven in dezelfde stad gewoond, maar was daar nog nooit geweest. Ik weet nog hoe verbaasd ik was over de rust en de fraaie rijtjeshuizen. Ik had me voorgesteld dat er overal rotzooi in de goten zou liggen en dat er op elke straathoek ongure negers zouden rondhangen. Sissy deed open en ik nam meteen mijn hoed af toen ik haar zag. Ze bleef naar me staan kijken aan de andere kant van de hordeur, en ik stond daar met mijn hoed in mijn handen en zei: 'Ik ben Franklin Shepherd. Het spijt me dat ik je stoor, maar ik heb je op het strand van Atlantic City gezien en nou vroeg ik me af... ik vroeg me af of we niet eens samen een avondje konden gaan wandelen.' Zo praatte ik anders nooit, maar toen ik daar zo voor haar stond liep mijn hoofd leeg en kreeg ik alleen nog maar van die ouderwetse stoplappen uit mijn mond. Ze glimlachte, knikte en zei dat ik vrijdagavond maar moest terugkomen, en dat deed ik. Ik was toen negentien, en Sissy tweeëntwintig. Een halfjaar later waren we getrouwd.

Vanavond heb ik de zon niet zien ondergaan. Toen het donker werd waren we met onze jonk de omgeving aan het inspecteren. Ik was dronken en zat met Mills en Pinky te kaarten. Het ene moment was het nog klaarlichte dag, en het volgende was het donker geworden. Ik zorg altijd dat ik de zon zie ondergaan, zelfs als ik dienst heb. Dan ga ik aan dek om te zien hoe de hemel donker wordt. Het helpt me te bedenken dat dit vreemde oord nog altijd tot de aarde behoort, en dat ik daar nog altijd met beide benen op sta.

Bij de briefing zeiden ze dat de vijand zich overal op dit eiland schuilhoudt. Als ik het bos bij het strand een eind in zou lopen, zou ik daar een dorpje vinden. De mensen die daar wonen zouden me hakkend en struikelend door de jungle ho-

ren aan komen, en tegen de tijd dat ik er was waren zij allang in de bush verdwenen, met baby's en al. Het protocol schrijft voor dat we elk dorp dat we op vijandelijk gebied aantreffen platbranden. Maar dat hoeven we niet te doen, in plaats daarvan leggen we landmijnen. De vijand peddelt met zijn sampans naar het strand, meert zijn jonken af, of komt de jungle uit. Dan komen ze beladen met spullen het strand op en worden door die mijnen aan stukken gereten. Hun trommelvliezen gaan aan flarden en hun benen worden van hun romp gerukt.

'Shit!' hoor ik iemand achter me zeggen. Ik draai me om en zie dat een van de jongens terugdeinst van een gat in het zand. 'Fuck, fuck, fuck,' zegt iemand. Ze hebben een mijn geactiveerd, maar het is een blindganger. Ik wil niet sterven als een stinkende zatlap, op patrouille ergens langs een strand zo ver van huis dat ik net zo goed op de maan had kunnen zitten. Ik heb een dochtertje in Philadelphia dat niet weet dat ze me nodig heeft. Lucille bestaat uit van alles dat van mij komt – misschien heeft ze wel mijn mond en mijn kin, of misschien is ze wel goed in rekenen, net als ik – en ze weet niet eens dat ik ergens op dezelfde wereld rondloop als zij. Ze is nog maar heel klein, maar als ik aan haar denk zie ik haar als een wat ouder meisje van een jaar of vier, vijf, in een lichtgroen jurkje. Ze zegt papa tegen mij, of misschien pap, en alle moeite die ik moet doen om te bewijzen dat ik haar waard ben heb ik al achter de rug.

Het donkere ding dat zo'n meter of vijftig uit de kust drijft dobbert op en neer. Ik geloof niet dat het daarstraks ook bewoog. Ik zou een van de jongens kunnen vragen eens te kijken, maar die denken sowieso al dat ik gek ben. Daarom sta ik ook op de uitkijk in plaats van dat ik mijnen leg. Ik richt mijn zaklantaarn erop, maar het licht komt niet zo ver. Drijft het dichter bij de kust dan een paar minuten geleden? Misschien is het ook wat donkerder dan de andere eiland-jes. Alles wat daar drijft heeft alleen maar vage contouren, maar dit is geloof ik zwarter dan de rest. Ik loop tot aan mijn knieën het water in. Ik wou dat ik me kon herinneren of ik het overdag heb gezien, of daar inderdaad een eilandje lag. Ik heb gehoord dat de vijand over kleine zwarte duikbootjes beschikt met een periscoop die niet breder is dan een kachel-pijp. De legerleiding heeft ons hier gewoon als schietschijf neergepoot. Dat donkere ding dobbert inderdaad op en neer. Zeker weten.

Eerder vandaag, toen we van verkenning terug waren, trokken Mills, Pinky en ik onze kleren uit en renden we zo de zee in. Ik verwachtte een stevige, zanderige bodem, zoals bij onze stranden thuis. Maar in plaats daarvan gleed ik uit in de slijkerige drekzooi onder het oppervlak. Het water ziet er heel schoon uit, heel helder en warm. Ik had me er de hele middag op verheugd te gaan zwemmen, maar het zeewater voelde als stroop aan mijn lijf. De anderen joelden en doken kopje-onder. Maar ik kon wel janken, en waadde het water uit. Ik wilde de Atlantische Oceaan. Ik wilde het Kippenbot-jesstrand, waar het water altijd net iets te koud is, de golven je de adem afsnijden en de zandkorrels langs je kuiten schu-ren als je op een ondiepe plek gaat zwemmen.

Het is 03.00 uur. In het zand ligt een aangespoelde kwal die licht lijkt te geven. Alles hier voelt alsof de zee het heeft uitgespuugd. Ik heb mijn antwoord op Sissy's brief de hele tijd bij me gehad in mijn zak. Ik haal de brief tevoorschijn en hurk neer in het zand bij een van de lichten die mijn groep heeft uitgezet. Ik strijk het papier glad op de kolf van mijn geweer en schrijf: 'Ik zou graag Lucille in mijn armen willen houden, haar hart voelen kloppen en haar ziel door haar ogen naar buiten zien kijken.' Mijn handschrift is krabbelig en onvast. De brief geeft niet de indruk dat hij is geschreven door iemand die het vaderschap waardig is. Wat ik heb geschreven schiet in al zijn bloemrijkheid tekort. Wat ik wil zeggen is: waarom proberen we niet een gezinnetje te zijn. Ik ben hier en ik leef nog. Geef me nog een kans een fatsoenlijk mens te worden. Maar Sissy wil dat allemaal niet meer horen, daarom zeg ik maar dat ik over een maand verlof krijg. Ze houdt ervan dat de dingen helder zijn, en mijn verlof is het enige feitelijke wat ik haar kan bieden. Het papier is klam doordat het de hele tijd in mijn zak heeft gezeten, en ik moet hard drukken met mijn stompje potlood. Ik stop de brief weer terug in mijn zak.

Ik schrijf nooit iets over mijn leven hier. Er valt niet veel te vertellen wat Sissy iets zou zeggen. Het lauwe bier, het eeuwige wachten en alle klusjes die we doen om de tijd door te komen, zoals alle draden en kabels controleren die we de vorige dag al gecontroleerd hebben of de relingen poetsen, ook al zijn ze niet vuil. Vroeger vond ik die discipline een goeie zaak, maar tegenwoordig vraag ik me af of de hoge pieten wel in de gaten hebben dat er mensen sneuvelen. Het is idioot, ja, respectloos om steeds hetzelfde stuk dek te laten dweilen terwijl er mensen doodgaan. Mills zegt dat het tijdens een missie beter is. Beter dan wat, vraag ik dan. Ik ben al op heel wat missies geweest en krijg zo langzamerhand het gevoel dat ik minder mens ben dan toen ik hier aankwam. Ik weet niet of ik

wat ik aan menselijks ben kwijtgeraakt ooit nog terugkrijg. Ik
probeer me vast te houden aan dat beeld van Lucille in haar
mooie groene jurkje, maar ik heb nog een ander droombeeld,
waarin ik over een jaar of wat op straat tegenover Lucilles
school sta. Elke dag kijk ik hoe ze aan Sissy's hand de trap-
pen beklimt. Ze heeft me nog nooit gezien, en ik weet dat dat
het beste is. Niemand houdt er ooit rekening mee dat hij wel
eens zo'n loser zou kunnen worden, zo'n schooierstype waar
een normaal mens ieder oogcontact mee vermijdt, zo'n verlo-
pen ouwe vent met een leverkwaal en klitten in zijn haar, en
met een kamer in een of ander luizig logement. En niemand
houdt er ooit rekening mee – dat deed ik ook niet voordat ik
Sissy's brief kreeg – dat zo'n ouwe vent waarschijnlijk een
vrouw en kinderen heeft die hem hebben moeten vergeten.

Mijn eenheid is bijna klaar met het mijnenleggen. Als het
erop zit gaan we aan boord van de jonk, doen de laatste din-
gen en varen weg.

Toen Sissy en ik in Bevere Street woonden ging ik vaak naar
Fat's, een kroeg bij ons in de buurt. Het was een morsige
tent waar het stonk naar gemorst bier en Lucky Strikes.
Soms kwamen de jongens uit het Zuiden er bij elkaar om
nostalgische liederen te zingen, ouwe kerels met gebarsten
knokkels, waterige ogen en een schorre stem, die zichzelf
begeleidden met twee lepels die ze als kleppers gebruikten.
Het waren allemaal bluessongs over slavenarbeid of over
een krombenige vrouw die hen in Alabama in de steek had
gelaten. Maar als die ouwe knarren gingen zingen voelde ik
mijn hart opengaan. En dat meen ik letterlijk: in mijn borst
ging er een luikje open. Nooit heb ik iets zo intens beleefd

als die songs, geen liefde, geen spijt of verbazing, en zelfs
– tot ik in deze oorlog verzeild raakte – geen angst. Als ik
dat deel van mezelf eerder had leren kennen was ik net als
Floyd muzikant geworden. Maar daarvoor is het nou te laat.
Dat zeg ik altijd, al vraag ik me af waar ik nog wél tijd voor
denk te hebben.

Ik bleef meestal lang in Fat's hangen, waar ik tot een uur
of drie, vier 's nachts zat te kaarten. Ik had een goede po-
kerface. Hoe meer ik dronk, hoe beter het ging. Wanneer ik
een leuk bedragje had gewonnen gaf ik er wat van aan Sissy
of kocht ik iets voor in ons huis. Op een keer kocht ik in
een meubelzaak in Greene Street een leunstoel die ik contant afrekende. Ik liet hem bij ons thuis bezorgen op een
tijd dat Sissy bij haar zuster was. Toen ze thuiskwam zag
ze me grijnzend en wel in die gloednieuwe leunstoel zitten.
Ze keek naar mij en naar de stoel en zei: 'Ik waardeer het
idee, maar niet de manier waarop je eraan bent gekomen.'
Ze heeft nooit in die stoel gezeten. Later, toen hij het huis
uit was, zei ze dat hij stonk naar de drank die er vanuit mijn
poriën in getrokken was. Ze zei dat die geur haar hart had
gebroken.

Ik werd zo goed dat er in Fat's nauwelijks nog mensen
waren die tegen me wilden spelen, zodat ik de hele stad
moest afreizen. Ik speelde tegen mannen die hele pakken
twintigjes in hun zak hadden en die een fles kapot sloegen en je ermee te lijf gingen als het ze niet aanstond dat
je er met hun geld vandoor ging. Ik heb er nooit over lopen
pochen. De meeste jongens mochten me wel omdat ik de
clown uithing en ze onder de tafel kon drinken. Zelfs als ik
geen gevoel meer in mijn handen had vanwege de whisky

kon ik er altijd nóg wel eentje op, en niemand heeft me ooit de bar uit hoeven dragen. Die partijen duurden tot een uur of vijf, zes in de morgen, tot er niks meer over was om in te zetten.

Op een keer zette een vent zijn zuster in. Wat is dit voor klotewereld, dacht ik, maar ik won wel het spelletje en incasseerde de prijs. Ik ben daarna dagenlang van huis weggebleven, om Sissy niet onder ogen te hoeven komen. Ik bleef tot in de kleine uurtjes doorspelen en wankelde daarna naar het bed van mijn prijs. Ik weet niet meer hoe ze heette. En ik geloof niet dat ze ooit mijn naam heeft geweten. Ik was te dronken om nog iets te kunnen uitrichten en viel meteen in slaap. 's Ochtends sloeg ik gelijk weer aan het drinken. Er zijn een hele hoop bars, meer dan ik had kunnen denken, die al om acht uur 's ochtends open zijn. Ik bezocht er een stuk of wat en had het gevoel dat ik in alle ellende van de wereld terechtkwam. Na een paar dagen kwam ik zonder geld te zitten, dus leende ik wat. Toen ik ook dat er had doorgedraaid ging ik terug naar mijn werk op de marinewerf. Toen ik me daar vertoonde zeiden ze dat ik mijn baan kwijt was. Toch duurde het nog twee dagen voor ik naar huis ging, gewoon omdat ik me te veel schaamde om Sissy onder ogen te komen.

Op de zesde dag kroop ik als een kakkerlak naar huis. Sissy was weg. Ik was te dronken om ergens achteraan te gaan, zodoende sliep ik een hele poos. Wel werd ik steeds op verschillende tijdstippen wakker: 's ochtends vroeg, halverwege de middag, toen het begon te schemeren, en weer halverwege de middag. De drank was uit mijn lijf verdwenen en ik zat recht overeind in bed te rillen en aan Sissy te denken. Mijn lever deed zeer. Dat hoort niet te gebeuren, maar het was wel zo. Ik had pijn aan mijn lever, en het enige wat ervoor zorgde dat mijn hart bleef kloppen was Sissy en de gedachte dat ik haar terug zou kunnen krijgen. Ik knapte mezelf wat op en trok een fatsoenlijk pak aan. Ik zag eruit als de jongens waar ik mee pokerde. Ik zag dat mijn gezicht er net zo opgeblazen uitzag als dat van oude zuipschuiten, met net zulke slappe hangwangen en net zo'n doffe huid. En bij die pafferigheid hoort dan een woeste blik. Wanneer iemand ergens een stuiver laat vallen rennen die gasten meteen naar buiten om hem op te rapen, zoals een hond achter afval aan gaat.

Ik sprenkelde een kwartfles eau de cologne over me heen en ging op zoek naar Sissy. Eerst ging ik bij haar moeder langs, daarna bij haar zuster. Ze behandelden me allebei als oud vuil en wilden me niet vertellen waar ze was. Ik kwam erachter dat ze bij een vriendin was ondergedoken, en de volgende ochtend zocht ik haar daar op. Het was koud, maar toch zat ze in haar mantel buiten op de veranda. Ze zag me voordat ik haar zag. Ze maakte me uit voor alles wat mooi en lelijk was. Ze vervloekte mijn moeder omdat die mij ter wereld had gebracht, en mijn zusters omdat die me hadden verafgood, en elke bar in de stad omdat ze me daar drank hadden gegeven.

'Is er dan voor jou niks heilig?' vroeg ze.

Ik zonk voor haar op de knieën. Dat was niet bedoeld om haar terug te winnen; ik zou gestrekt voor haar op de grond zijn gaan liggen als er voldoende ruimte op de veranda was geweest. Ik zei dat ik van haar hield en dat ik mijn leven zou beteren, en alles wat mannen nog meer zeggen wanneer ze het niet verdienen vergeven te worden. Ik meende ieder woord dat ik zei, maar ze had me niet terug moeten nemen. Je kunt iemand zoals ik er niet zo gemakkelijk mee weg laten komen. Ik weet niet wat mij mankeert. Het is niet zo dat ik niet weet dat ik in de fout ga, of dat ik mezelf niet zou kunnen beheersen. Ik doe gewoon wat ik ga doen, onverschillig wat het me gaat kosten. Na afloop heb ik werkelijk spijt. Ik heb spijt van zo'n beetje alles wat ik ooit gedaan heb, maar dat maakt natuurlijk niks uit.

Sissy's vader was een gokker en een zuiplap. Dus ze was vertrouwd met mijn zwakheden. Ik kreeg een baantje, vrachtwagens lossen bij een warenhuis, en ik gaf haar mijn loon. Ik zei dat ze het opzij moest leggen voor het huis, voor als ze weer thuis zou komen. Ik dronk geen druppel en heb geen speelkaart aangeraakt. Het duurde nog twee maanden voor ze het weer wilde proberen.

Op de dag dat Sissy weer thuiskwam kocht ik een bezem en een zwabber zodat ik het huis met nieuwe, ongebruikte spullen kon schoonmaken. Ik wilde niet dat zij zou hoeven koken, daarom ging ik naar Wayne Street en vroeg of moeder kip met rijst en groente voor ons wilde maken. Ze wist dat Sissy dol was op kippenlevertjes, daarom bakte ze daar ook nog wat van, hoewel ze nauwelijks een woord met me wisselde. Ze had vierduizend dollar gespaard voor een huis dat ze wilde kopen, vierduizend dollar door voor anderen de was te doen en als parttime kokkin in een schoolkantine te werken. Ik zou daar nog duizend bij leggen. Ik had flink moeten soebatten voordat ze dat aanbod accepteerde. Ze zei dat ze zich schaamde om geld aan te nemen van haar kinderen, maar ze wilde dat huis zo graag dat ze uiteindelijk overstag ging. Afijn, we wisten allebei wat er met dat geld gebeurd was. Toen ik in Wayne Street kwam schaamde ik me te veel om er tegen haar over te beginnen, al schaamde ik me er duidelijk niet voor om haar kip aan te nemen.

Ik dekte de tafel voor Sissy en mij. Ze kwam aarzelend de flat binnen, zoals je het ijs op stapt als je niet weet of het wel zal houden. Ze keek naar het eten en zei: 'Zo te zien ben je bij je moeder langs geweest.' Ze ging naar de slaapkamer en rook aan de lakens. In de woonkamer verschoof ze een bijzettafeltje en streek het gehaakte kleedje op de rugleuning van de bank glad. En al die tijd dat ze door de kamers liep en dingen rechtzette stond het eten koud te worden.

'Ik heb de bakolie liever hier in het kastje naast het fornuis,' zei ze.

En, terwijl ze een lege verpakking heen en weer schudde: 'Hoe kun je nou zonder suiker? Volgens mij heb je koffie gedronken in de cafetaria.'

En toen: 'Ik wil absoluut geen drank in huis.'

Ze pakte haar koffer uit en hing haar kleren in de kast. Het was een enorme opluchting om haar jurken weer naast mijn pakken te zien hangen. Ze legde een stukje toiletzeep in het bakje naast het bad en liet haar vingers over het donkere schimmellaagje op de voegen tussen de tegeltjes glijden.

'Dat heb ik zo weg met wat reinigingsmiddel.'

Nadat ze haar pantoffels had aangetrokken zei ze: 'Volgens mij kunnen we beter aan je moeders eten beginnen.'

We aten in vrijwel volkomen stilte, als zo'n rijk stel in de film. Ik wilde haar bij haar hand pakken, maar ze trok hem terug, dus wachtte ik een paar minuten voor ik het weer probeerde. Ik had het idee dat een rimpel op haar voorhoofd dieper was geworden, en ik zag dat ze rouge en lippenstift op had. Dat vond ik onprettig. Ik wilde dat we weer gewoon man en vrouw zouden zijn, zonder poespas, met niks geen gedoe. Sinds we verkering hadden had ze nooit make-up op gehad, en dit gaf me het gevoel dat ik een man was die ze niet kende en die haar niet kende. Ik wilde dat ze gewoon in haar slip door het huis liep zoals ze vroeger deed, met haar haar in de krul onder een strak zijden hoofddoekje.

'Ik heb je nooit voor een softie aangezien,' zei ik. 'Ik heb nooit gedacht dat je lief voor me was uit zwakte.'

Ze zuchtte. 'Goed, ik geloof ook niet dat je het met opzet gedaan hebt. Ik geloof ook niet dat mijn vader het mijn moeder allemaal met opzet heeft aangedaan. Maar hij heeft het wel allemaal gedaan.'

'Ik ben hem niet.'

'Veel scheelt het niet.'

'Ik ben hem niet,' zei ik nog eens.

Voor het eerst die avond keek Sissy me recht aan. 'Ik heb voor jou mijn gezond verstand opzijgezet. Dat heb ik gedaan toen je langskwam om te vragen of ik een avond met je wilde gaan kuieren, en dat doe ik nu weer. Ik hou mijn hart vast, maar ik doe het toch. Ik hoop dat je dat inziet.'

Ze liep naar mijn kant van de tafel om af te ruimen. De seringengeur van haar gezichtspoeder en de lucht van de straightener stegen me naar het hoofd. En het gefluister van haar langs elkaar schurende, in nylonkousen gestoken dijen deed mijn handen beven.

'Lieveling,' zei ik.

Ze zette de borden neer en nam me mee naar de slaapkamer. Toen ik om halfzeven wakker werd en opstond om naar mijn werk te gaan, sliep ze nog, maar de kamer was warm, zodat ik begreep dat ze nog voor zonsopgang was opgestaan om de verwarming voor mij aan te zetten.

'Ben jij wel goed bij je hoofd, godverdomme?' Dat is Mills. We staan tegen elkaar te schreeuwen. Mijn slapen bonzen en het zweet staat in mijn handen. 'Ben jij wel goed bij je hoofd, godverdomme?' brult hij nog eens.

'Daar drijft wat verdachts, man,' roep ik, terwijl ik naar het donkere ding vlak voor de kust wijs.

'Dat is verdomme een rots, Shep! En je hebt niet eens alleen op het water gemikt. De helft van je schoten heb je daarnet op een strand stikvol mijnen afgevuurd. Ben jij wel goed bij je hoofd, godverdomme?'

'Zie je dat dan niet? Ik hou het al urenlang in de gaten.' Ik breng mijn geweer weer in de aanslag en wankel een beetje van de inspanning.

Mills wordt nu echt woest.

'Leg neer dat ding! Leg neer!'

Ik leg het geweer in het zand en meteen springt Mills op me af, prikt met zijn vinger in mijn borst en begint tegen me te tieren. Ik duw hem opzij. Door de kracht die me dat kost val ik achterover in het zand. Meteen zit hij boven op me. Zijn vuisten molenwieken en zijn spuug vliegt in de rondte. Omdat hij zelf halfdronken is weet hij me alleen maar één keer op mijn schouder te raken voordat Pinky tussenbeide komt. Hij trekt me overeind en zegt dat ik er misschien maar eens een poosje tussenuit moet, dat we er alle drie een poosje tussenuit moeten. De andere jongens van de groep zijn gestopt met graven. Het is donker, maar toch zou ik zweren dat een van hen hoofdschuddend naar me staat te kijken.

'Ik hoef er niet tussenuit. Ik probeer jullie te beschermen, klootzakken. Er ligt daar een of andere duikboot. Dat moet ik toch doen, of niet soms?'

'En jij dacht dat je die duikboot kon doodschieten?' zegt Pinky.

'Daar, dik vijftig meter uit de kust, links.'

'Dat is niks. Dat is een rots.'

'Kijk dan beter,' zeg ik.

'Ook als ik beter kijk is het een rots,' zegt Pinky.

Mills staat een meter van ons af, maar ik zie dat hij nog altijd naar me wil uithalen. 'Ik zie het duidelijk,' zegt hij. 'Het is een rots.'

'Je moet je ontspannen,' zegt Pinky, en hij neemt me mee naar een bosje mangroves, waar we in het zand gaan zitten. Het duurt even voor het tot me doordringt dat hij me mijn geweer heeft afgenomen en het tegen de boomwortels heeft gezet. Ik geloof dat ik moet overgeven.

'Het was echt een duikboot,' zeg ik, hoewel ik niet meer zo zeker van mijn zaak ben. Pinky steekt een joint op en geeft die aan mij.

'Allright, man. Oké. Denk je niet dat als het een duikboot was, dat ze dan allang naar boven waren gekomen? We zitten hier al de hele nacht.' Pinky schiet in de lach. 'En jij wou een duikboot naar de kelder helpen met je geweer?'

We blijven daar zitten en geven de joint aan elkaar door. Mijn zenuwen komen tot bedaren. Ik weet niet of dat door de joint of door Pinky komt. Het is waar: als ze ons te grazen hadden willen nemen, zouden ze dat allang gedaan hebben.

Pinky roept naar Mills: 'Deze kroeskop hier denkt echt dat ie een duikboot heeft gezien.'

Mills zegt niks terug.

'Doe niet zo maf, man. We zijn niet opgeblazen. Doe niet zo maf en lach 's mee om deze halvegare.'

Mills loopt naar ons toe en komt erbij zitten. Zo gaat dat bij ons. Het ene moment ben je zo kwaad dat je bloed wilt zien en het volgende laat je een joint rondgaan. Ik heb zin in nog een biertje, maar denk niet dat ze me er een zullen geven.

Pinky heeft een tatoeage met 'Black Patti' op zijn arm. Hij zegt dat zij hem ontglipt is. Ik wil wel weer eens lekker lachen, daarom zeg ik: 'Vertel nog eens wat over Patti.' Pinky kent honderden verhalen over Black Patti.

'Nee man, nu even niet,' zegt Pinky.

'Hè, toe nou. Mills wil het ook graag horen,' zeg ik. Mills schiet in de lach.

'Yeah,' zegt hij. 'Voor de draad met Black Patti.'

'Wat heeft ze gedaan?' vraag ik.

'Wat heb je van d'r gekregen?' voegt Mills eraan toe.

Pinky moet grinniken. Hij zegt: 'Ik heb de zenuwen van die bitch gekregen.

Dan ging ik bij d'r langs omdat we samen hadden afgesproken en zo. En dan kwam ik daar aan en dan deed d'r moeder open en die zei dan dat Patti er niet was. Dus ik zeg: "Neemt u mij niet kwalijk, mevrouw, maar zou u me kunnen zeggen waar ze heen is?" En dan begon dat grote mens te steigeren en zei: "Ik geloof dat Patricia een andere afspraak had." Dus fuck dat bekakte wijf. Ze had het zo hoog in de bol dat ze het kon ruiken wanneer de vogels een scheet lieten. Ze dacht dat ze Leontyne Price, die operazangeres, was. En dan sloeg ze de deur voor m'n neus dicht. Daarna ging ik naar een feestje, en verdomd, daar had je Black Patti met een of andere knul.'

Mills haalt een blikje bier uit zijn achterzak. We laten het rondgaan.

'Jullie weten dat Patti knokige knieën had. Ze was niet echt moeders mooiste. Maar ze kon je zó om d'r vinger winden. Ik zweer je, ik was als was in d'r handen. Ze heeft me helemaal dolgedraaid.'

'Ze leek wel wat op een kip, toch?' zegt Mills. 'Met van die kippenpootjes.'

'En haar moeder had geen idee van wat ze allemaal uitvrat,' zegt Pinky. 'Ik weet nog dat ze me een keer 's middags langs liet komen. Haar moeder lag in een leunstoel te slapen, met de Ladies' Home Journal *op d'r schoot. En dat ze met d'r hoofd omlaag lag te snurken. Ze had zitten lezen hoe je citroenschuimgebak moet maken, maar nou zat ze te ronken als een vrachtwagen. Dus Black Patti en ik gaan naar haar kamer en beginnen te vrijen. Ik heb geen idee hoelang we bezig zijn geweest. Maar ik trok flink van leer. Patti deed graag alsof ze verlegen was, weet je. Zodat je d'r met lieve woordjes moest paaien. Zo van: "God, wat ben jij toch mooi!" en je moest schatje zeggen, en liefje en dat soort dingen. Maar ze had een mooie lach, dat moet ik wel zeggen. En ze rook verrukkelijk, naar zijde en rijke dames. Ze had een commode die vol stond met flesjes parfum die d'r moeder voor d'r gekocht had, zodat Patti de zwarte dokter die om de hoek woonde zou kunnen strikken. Maar goed, we zijn net lekker bezig als Leontyne met haar bekakte stem opeens begint te blèren: "Patricia, Patricia, dokter Nelson is er. Is dat geen leuke verrassing?"'*

'Dikke shit,' zegt Mills.

'En geloof het of niet, maar Patti duwde me van zich af. Ik probeerde haar nog vast te houden, want per slot van rekening waren we druk met iets bezig. Maar zij ligt daar met d'r beha los en begint tegen me tekeer te gaan. Ze mept me tegen m'n hoofd en m'n nek alsof ik een lastig kind ben. Dan sist ze fluisterend tegen me: "Dokter Nelson is er. Wegwezen, idioot. Dit maken we een ander keertje wel af." Ze duwt me zó op de grond, waar ik verbouwereerd blijf liggen. Ze was sterk als een beer, alsof ze jaren op de katoenplantages had gewerkt. Ik zag sterretjes. En Patti staat zichzelf in de spiegel te bekijken en spuit zo'n beetje elk luchtje op d'r lijf dat op de toilettafel staat. Ik lig nog steeds verstrikt in mijn broekspijpen op de grond. "Kom, vooruit, opzouten." En ze begint me weer te slaan. De bitch ranselt me naar het toilet en zó het raampje uit. Ik val uit dat raampje en het laatste wat ik hoor is Patti's moeder, die roept: "Patricia, laat dokter Nelson nou niet wachten!" Omdat ik halfnaakt ben kruip ik achter een struik, en verdomd als het niet waar is, maar Patti komt naar buiten met een glas fris op een zilveren blaadje. Ik zit achter die struik met gras aan mijn reet terwijl Patti doodgemoedereerd wat gaat zitten drinken op de veranda.'

Mills slaat zich op de dijen van plezier. 'En hoelang bleef dat zo doorgaan?'

'Een jaar. Een jaar lang ben ik uit ramen geklommen en steeds voor niks gekomen. Ik had een gebroken hart.'

Mills buldert van het lachen.

'Echt waar, man. Ik denk dat Patti me ergens heel diep wist te raken. Ik sjouwde zwaar opgefokt door de stad. Ik ging naar de ijzerhandel, waar ik boven de moersleutels in *snikken uitbarstte.' Pinky moet nu om zichzelf lachen.*

'Sommige vrouwen raken je in het diepst van je ziel,' zeg ik.

Mills en Pinky kijken me aan. 'Nou zó diep gaat het nou ook weer niet, man. Jezus,' zegt Mills. 'Wat gebeurde er na dat jaar?' vraagt hij, maar net op dat moment komt onze commandant aangelopen.

'Willen jullie soms ook nog een waaier, longdrinks en een parasol? Als de bliksem in de benen, werk afmaken en dan wegwezen.' Hij ziet het blikje bier dat Pinky achter zijn rug probeert te verstoppen. 'En gooi dat weg,' beveelt hij. Waarschijnlijk heeft hij er zelf ook een in zijn zak.

Ik pak mijn geweer en loop voorzichtig terug naar mijn post. Het klopt, dat zwarte ding is niet groot genoeg voor een duikboot. Maar het zou wel een mijn kunnen zijn. Het zou ook datgene kunnen zijn wat die visser in die sampan overboord heeft gezet. Het zou ook de rug van een duiker kunnen zijn, als hij een zwarte wetsuit aan heeft en hij hoofd en benen onder water houdt. Maar waarom zou hij zich op die manier laten drijven? Dat slaat nergens op. Pinky en Mills zeiden dat het een rots was, dus ís het een rots. De wiet is uitgewerkt. Ik ben zó moe dat ik geen gevoel meer heb in mijn benen, maar de angst trilt in me als een motor. Ik loop naar de rand van het water en kots in zee. Misschien dat mijn braaksel naar die dobberende duiker drijft. Hé. Daar zal hij dan lelijk van opkijken.

Sissy kocht een paar nieuwe kamerplanten en leende een vloerkleed van haar moeder. Het flatje zag er gezellig uit, veel huiselijker dan vroeger. Volgens mij omdat we het verdienden, omdat we een crisis hadden overleefd.

We waren net weer een maand bij elkaar toen er een paar gasten van een incassobureau voor de deur stonden. Ik had niet genoeg geld om mijn schuld af te betalen, en ik kon bidden en smeken wat ik wilde, maar ze namen de leunstoel die ik had gekocht mee, plus de bank, de tafel en het bed met de uitschuiflade.

Ik kan in ieder geval zeggen dat ik er die keer niet voor ben weggelopen. Toen Sissy thuiskwam, stond ik in een lege huiskamer en vertelde ik haar wat er was gebeurd. Ik weet nog dat ik mijn handen in mijn zakken had omdat ik niet kleinzielig wilde overkomen. Ik wilde niet zenuwachtig staan doen of mijn handen voor mijn gezicht slaan. Die gasten hadden de uitschuiflade onder het bed leeggehaald, dat wil zeggen, ze hadden de lade gewoon omgekieperd en de spullen die erin zaten op de grond gegooid. Sissy's spullen lagen op een hoopje midden in de kamer: een babydoll en een slipje, en haar muziekdoosje, waarvan het deksel was gebroken toen het op de grond viel. Op de opgevouwen zakdoek met daarin ons bloed en goud stond een schoenafdruk. Ik weet niet waarom ik er niet aan had gedacht die spullen van de grond te halen. Nog steeds wou ik dat ik dat gedaan had. Ik wou dat ze niet had hoeven zien dat haar privéspullen zomaar op de grond waren gekwakt.

Sissy keek me aan op de manier waarop haar moeder haar vader honderden keren moet hebben aangekeken, vol afschuw, gelatenheid en ontgoocheling. Ze staarde een hele tijd naar haar dierbare spulletjes, raapte ze vervolgens op en stopte ze in haar koffer. 'De rest kom ik later wel halen,' zei ze.

Toen barstte ik in tranen uit.

'Het spijt me,' zei ik. 'Het spijt me vreselijk. Ik zou die afbetalen zodra ik... Het is nog van daarvoor.'

Sissy sprong met gebalde vuisten op me af. Ze stompte me in mijn maag. Ze sloeg zo hard dat ik even geen adem kreeg. Weet je dat ik me opgelucht voelde? Sissy ging me met beide vuisten te lijf, en ik was zo opgelucht omdat er zich iets echts tussen ons afspeelde. Ze ging voor altijd bij me weg omdat ik haar ondergang betekende. Ik heb vaak naar mijn vader gekeken met in mijn achterhoofd de vraag hoe hij kon leven met het besef dat hij de ondergang van mijn moeder betekende. Hij was te zwak om bij haar weg te gaan. Moeder had hem eruit moeten gooien en zo hen tweeën moeten verlossen, zoals Sissy ons allebei verloste.

De jongens van mijn eenheid stoppen de laatste mijnen in de grond. Ze egaliseren de zandhoopjes op de plek waar de mijnen zijn begraven. Als de vijand komt, komt hij nu. Over twintig minuten zijn we pleite. Het dringt tot me door dat ik de laatste vierentwintig uur alleen maar heb lopen denken dat ik eraan zou gaan. Ze hebben nog maar twintig minuten om me te killen. Ik loop het strand op en neer met mijn geweer gericht op het donkere ding verderop. De twintig minuten worden er vijftien. Mijn benen trillen en er zit een klem op mijn borst, maar ik blijf in beweging. Ik wil mijn dochter zien. Ik wil aan Sissy uitleggen dat ik onmogelijk nog dezelfde idioot kan zijn na wat ik vannacht heb doorgemaakt. In de uren die ik op dit strand heb doorgebracht ben ik zo dicht bij de dood geweest dat ik zowat mijn eigen schim ben.

We zijn klaar met inpakken. Ik probeer nog een biertje te

bietsen, maar Mills weigert me er een te geven. Achter zijn rug gooit een van de andere jongens me er eentje toe. Mills ziet het en zegt: 'Wil jij dat hij zo meteen op onzichtbare helikopters gaat schieten?' De jongen haalt zijn schouders op. 'Het had erger kunnen zijn,' zegt hij. We lopen naar de jonk en het enige wat ik hoor is het aanzwellende kikkerkoor en het gesis waarmee mijn bierblikje opengaat.

Onze jonk is zwart en oud, en hij stinkt naar verrotting en vis, zoals alles in deze baai. Ik ga op mijn plaats zitten, achterin aan stuurboord, en we duwen ons af. De zwarte klomp in het water is nog net zichtbaar in het vizier van mijn geweer. 'Ik ben je een slag voor,' zeg ik. We verlaten het ondiepe water en twee van ons maken achter in het schip een luik open. Er wordt een optrekbare plank neergelaten en twee van de jongens duwen de zeemijnen de plank af. Die glijden met een kleine plons het zwarte water in. Ze zullen exploderen wanneer iets hun magnetisch veld verstoort. Ze hebben gezegd dat vissen niet groot genoeg zijn om dit te bewerkstelligen, en ook een eenzame zwemmer niet. We koersen richting open water.

Mills staat naast me. Ik fluister: 'Wees de dood te slim af en zet de duivel te kakken.'

'Je bent een geschifte nikker,' zegt hij.

'Maar ik leef nog,' zeg ik.

'Ja, vandaag in elk geval nog wel.'

Ik wil geen minuut langer naar dat eiland kijken. Ik ga rechtop bij de voorsteven staan en kijk naar de zee voorbij de baai. Ik moet een nieuwe brief schrijven. Ik oefen alvast om hem op verschillende manieren op te vouwen. Als hij er mooi uitziet, gooit Sissy hem misschien niet meteen weg. Mis-

schien laat ze hem Lucille dan wel vasthouden, een papieren
speeltje dat papa voor haar heeft gemaakt. Ik vouw het in de
vorm van een bootje, gewoon plat, met een driehoekig zeil,
maar ik ben bang dat kleine meisjes niet om bootjes geven,
daarom maak ik er een zwaan van.

Sissy leende geld om het bed terug te krijgen; de leunstoel
mochten ze wat haar betrof houden. Een paar maanden later nam ik dienst in het leger, en nadat ik was weggegaan
kreeg ze een relatie met iemand die het meubilair niet zou
vergokken. Alice vertelde het me in een PS'je in een van haar
brieven. Gewoon een PS'je waarin ze me liet weten dat mijn
vrouw met iemand anders was gaan samenwonen. Stel je
voor. Sissy's moeder moet zich hebben doodgeschaamd.
Toen ik verlof kreeg, ging ik meteen naar Philadelphia.

Ik ging halverwege de middag naar Sissy's flat. Zij en
die man hadden een klein optrekje in een straat ergens in
West-Philadelphia, waar geen van beiden ook maar iemand
kende. Ik ging in uitgaanstenue. De koperen knopen schit-
terden in de zon. Ik voelde me een koningszoon die zijn
bruid kwam opeisen. Ik had geen enkel recht me zo te voelen, maar dankzij mijn verbeelding kon ik met opgeheven
hoofd lopen. Terwijl ik de treden naar haar flat beklom, besefte ik hoe opmerkelijk het was dat Sissy niet veel eerder
een andere man had gevonden. Ik zal tegen haar zeggen,
dacht ik, dat ik kom met een voorstel om te scheiden. We
zouden nog diezelfde middag de zaak kunnen afhandelen.
Ik zou haar haar vrijheid teruggeven, zodat ze een eerzaam
leven zou kunnen beginnen met de man die ze had gevonden. Maar toen ze de deur opendeed was ze helemaal mijn

Sissy, met het moedervlekje op haar wang en haar staalharde blik.

'Ik kom je halen,' zei ik.

Ze stond op de drempel en keek me met snel knipperende ogen aan. Ik dacht dat ze zou gaan huilen, maar die eer gunde ze me niet.

'We zijn nog steeds getrouwd,' zei ik. 'En zó kun je toch niet leven?'

'Ik leef als een vrouw, Franklin,' zei ze. 'Mijn moeder en mijn zusjes willen niet meer met me praten, maar dat is het me waard om als een vrouw te kunnen leven. Sinds wanneer bekommer jij je om mijn opofferingen, trouwens?'

En toen zaten we midden in een film, met mij in de rol van de berouwvolle echtgenoot en Sissy in die van de tekortgedane vrouw. Ik zei mijn tekst en zij even braaf de hare. Ik weet niet waarom ik niet gelijk mijn snor drukte.

'Ik ben hier omdat ik van je houd,' zei ik.

'Ik geloof dat jij inderdaad denkt dat dat zo is,' zei Sissy.

Ze week geen seconde uit de deuropening. Haar handen hingen naast haar lichaam en ze balde haar vuisten en ontspande die dan weer, zoals ze altijd deed wanneer ze zenuwachtig was. Het zonlicht, dat door mijn koperen knopen weerkaatst werd, speelde in kleine gouden kringetjes over haar gezicht. Ik keek over haar schouder de woonkamer in. Die zag er prima uit, gezellig. Alles in de kamer was licht en luchtig, met gordijnen, een crèmekleurige bank, en op de vloer een wit tapijt.

'Ik ben in dienst een beter mens geworden.' Ik wist dat ik dat beter niet tegen haar kon zeggen, maar ik wist niks anders te bedenken. 'Ik heb in principe een vrachtwagen geregeld om je spulletjes op te halen. Ik hoef alleen maar even te bellen. Dan is ie binnen tien minuten hier.'

'Een vrachtwagen!' Sissy schoot haars ondanks in de lach.

Ze wist dat ik geen vrachtwagen had geregeld. Ik weet niet wat ik gedaan zou hebben als ze 'Doe maar' had gezegd.

'Een vrachtwagen!' herhaalde ze hoofdschuddend.

Ze liet me binnen in haar flatje. Ik ging op de crèmekleurige bank zitten. Zij ging tegenover me zitten op een stoel met een rechte rug en houten armleuningen. Zo'n stoel had ik destijds voor haar moeten kopen, in plaats van die leunstoel. Deze paste beter bij haar, ze was geen type om onderuitgezakt te zitten.

'Ik heb al weken geen druppel gedronken,' zei ik.

'Deze keer kan ik niet met je meegaan, Franklin.'

'Dus je blijft hier hokken met die kerel?'

'Hij geeft echt om me. Ik zeg niet dat het liefde is, maar hij is betrouwbaar en aardig. Ik voel me een dame op rustkuur. Je kent dat wel uit boeken, zo'n dame die de hele dag in een ligstoel naar de bloemetjes ligt te kijken. Dat is precies wat ik doe. Ik ga naar mijn werk en kom weer thuis, ik doe het huishouden en verder hoef ik nergens over na te denken. Na jou was ik aan het eind van mijn krachten, Franklin.'

Ik was al eens eerder met mijn smeekbedes bij Sissy aan komen zetten, en ze had me zowat alle hoeken van de kamer laten zien voor ze wegging. Ik was sindsdien geen spat veranderd, maar toch was ik zo arrogant te denken dat ik haar nog eens terug zou kunnen winnen. Ik dacht aan alle dingen die ik zou kunnen doen. Ik kon als een wildeman tekeergaan en haar eigenhandig meeslepen of ik kon voor haar op de knieën gaan en haar om genade smeken. Ik kon tegen haar zeggen dat ik totaal veranderd was. Maar dat had ik allemaal al eens gedaan. Ik had al mijn troeven uitgespeeld, en Sissy liet zich niet meer om de tuin leiden of met zich sollen. Ik zag mezelf weerspiegeld in het raam van de woonkamer. Ik leek wel behangen met klatergoud. Je moest je ogen dichtknijpen tegen alle schittering die van me af spatte. Van mijn knopen, mijn schoenen, mijn epauletten. Ik vroeg me af waarom ik haar zo graag terug wilde. Ik kon de vraag niet beantwoorden, maar ik kon die flat ook niet verlaten.

Ik stond op van de bank en ging midden in de kamer staan huilen.

'Ik hou van je,' snotterde ik.

'We moeten er een punt achter zetten, Franklin.'

Ze ging staan en nam me bij de hand. Ik begreep niet dat ze mijn hand zó kon vasthouden en toch nee kon zeggen. Ze ging met haar vingers strelend over mijn handpalm. Ik leunde tegen haar aan omdat ik steun nodig had om naar buiten te kunnen lopen, en zij was de enige van wie ik die steun kon krijgen. We stonden een hele tijd met de armen om elkaar heen geslagen, en toen kuste ik haar in haar hals en op haar schouders. Ik kuste haar op haar oogleden en in de holte tussen haar sleutelbeenderen, en daarna lieten we ons allebei op de crèmekleurige bank zakken.

Na afloop zei ze, terwijl ze haar blouse dichtknoopte, dat ze tot de hoek van de straat met me mee zou lopen, en weet je, we liepen hand in hand naar die straathoek, zoals toen we verkering hadden en ik nog niet alles verknald had.

'Pas goed op jezelf,' zei ze, waarna ze zich omdraaide en snel naar huis terugliep voordat ik iets had kunnen zeggen.

Dat was ruim een jaar geleden. En sindsdien had ik nooit meer iets van Sissy gehoord, tot ik dus die brief over Lucille kreeg.

We koersen met de jonk de baai in. Het gaat niet al te snel, maar we vorderen gestaag. De sterren en de mist verbleken, de dag staat op aanbreken. De hemel krijgt langzaam kleur. Achter ons tekent het in de verte verdwijnende eiland zich in zwarte, gekartelde contouren af. Bij de kust van het eiland glijdt een sampan over het wateroppervlak. Waarschijnlijk een vissersboot. Die gaan rond deze tijd het water op. De mensen in de boot, een jongen en een oude man, kijken in het water en vervolgens naar ons. De jongen wijst naar onze jonk, naar mij. Ik durf te zweren dat hij recht naar mij wijst. De oude man duwt de arm van het joch omlaag.

De sampan wordt door een lage golf opgetild, voorzichtig, zoals een balletdanser zijn partner optilt, en dichter naar het eiland geduwd. Er klinkt een daverende knal. De boot wordt nog hoger opgestuwd door een oprijzende waterzuil. Het geluid van de explosie blijft maar weergalmen. Het stuitert van het ene eilandje naar het andere. Het beukt in mijn hoofd en mijn borst. Ik houd mijn adem in, wat ik pas merk als het weer stil is. Dan haal ik een keer zo diep adem dat ik ervan moet hoesten en proesten. Mills fluit een keer zachtjes tussen zijn tanden en fluistert dan: 'Shit.'

Ik pak nog een biertje en sla het in één teug voor de helft achterover. Ik kijk in het water of ik ook losse lichaamsdelen zie drijven. Ik wil het hoofd van die jongen zien. Ik zou onder ogen moeten zien wat ik gedaan heb. De meeste missies voer ik 's nachts uit. Ik schiet in het donker en vaar weg voordat ik lijken hoef te tellen. Zo ging het ook met Sissy. Ik was de verwoestende kracht in haar leven en vertrok voordat ik met de door mij aangerichte schade werd geconfronteerd. Met Lucille zou er alleen maar sprake zijn van meer roekeloosheid, meer pijn, meer beloften die ik niet zou nakomen. Van meer verwoeste levens van mensen van wie ik houd.

Ik gooi het met mezelf op een akkoordje. Als ik ook maar een teennagel zie van de jongen die we om het leven hebben gebracht drink ik nooit meer een druppel. Ik zet het bierblikje op het dek en wacht. Ik speur het water af. Er komt iets lichtgekleurds en onherkenbaars op me af gedreven. Ik hang zo ver overboord dat ik bijna het water in kukel. Achter me roept Pinky: 'Zelfmoord lost niks op!' Ik hoor bulderend gelach. Ik ga nog verder naar voren hangen, mijn ogen toegeknepen tot spleetjes. Het drijvende dingetje lijkt een vinger, dan een blaadje en dan een weggegooid verband. Dan verandert de stroming van richting en wordt het ding van me weggevoerd. Ik pak het bierblikje weer op en drink het leeg. Als we straks weer aan boord van het schip zijn ga ik meteen slapen, en als ik dan weer wakker word heb ik de bibberaties en niet de wilskracht om in mijn kooi overeind te komen en net zo lang zwetend en wel over mijn nek te gaan tot alle drank mijn lijf uit is. Dan neem ik een slok van de whisky die ik in mijn opbergkist aan het voeteneinde van mijn kooi heb staan, en wordt het weer een dag als alle andere. Niet dat ik niet weet dat ik mijn vrouw en dochtertje heb ingezet tegen de lichaamsdelen van een jongen die we hebben opgeblazen. Dat *weet ik best. Ik weet ook wat dat zegt over het soort man dat ik ben geworden. Of misschien wel altijd ben geweest. Ik zou het niet meer kunnen zeggen. Het is bijna een opluchting te weten dat de mensen van wie ik houd van mij verlost zijn, dat ik mezelf niet meer hoef voor te liegen, dat ik niet meer hoef te doen alsof het voor Lucille beter zou zijn als ze me kende.*

Ik haal mijn brief aan Sissy uit mijn zak en gooi hem in de baai. Er zat ook nog een foto in de envelop, die naast de gevouwen papieren zwaan in het water belandt. Op de foto sta ik op de kade, met mijn schip achter me. Ik ben in uitgaanstenue en heb mijn witte pet diep over één oog getrokken. Achter op de foto staat: 'Voor jou en de kleine Lucille. Liefs, Franklin. Saigon, 1969.'

Bell

1975

Nadat Walter bij haar was weggegaan besloot Bell in bed te kruipen en er nooit meer uit te komen. Een maand lang lag ze uit het raam te kijken naar de straat beneden. De ruit was vuil. Als ze geweten had dat dit raam haar het laatste en enige uitzicht op de wereld zou bieden, zou ze het gelapt hebben toen ze daar nog de kracht en de wil toe had. In de flat van de buren bonkte harde muziek. Het basgeluid drong met zijn doffe gedreun door tot in haar botten en schedel, als een spijker die in zacht hout wordt gedreven. Steunend op haar ellebogen kwam Bell een stukje overeind. Ze was koortsig en de lakens deden zeer aan haar huid. Ze zwoer de pijn af, zoals ze een maand daarvoor haar leven had afgezworen. Het besluit om dood te gaan was verrassend gemakkelijk uit te voeren. Ze hield doodeenvoudig op met alle dingen die van haar verwacht werden, zoals op tijd haar medicijnen innemen, 's ochtends opstaan en naar haar werk gaan, of hopen dat Walter bij haar terug zou komen. Er was geen eten meer in de flat. Bell had honger. Het voelde alsof ze vanbinnen louter uit lucht bestond. Als ze zou opstaan zou ze licht als een ballon over de vloer stuiteren.

Als Bell zich niet bewoog had ze niet zoveel last van haar hoest. Overdag viel het wel mee, maar 's nachts was hij heel hardnekkig. Net als de meeste mannen die ik heb gekend, dacht ze. Pff! Er waren nachten dat ze tussen het hoesten en het opstaan om wat water te gaan drinken in nauwelijks sliep. Tijdens haar hoestbuien klapte Bell zowat dubbel en snakte ze naar adem. Toen Bell als kind kinkhoest had gehad, had ze net gedaan alsof haar piepende ademhaling werd veroorzaakt door vlindertjes die in haar borst rond-fladderden. Mijn vlindertjes zijn onrustig vandaag, zei ze dan, of: mijn vlindertjes slapen. Nu waren haar vlindertjes permanent onrustig en deed haar borst pijn, alsof hun vleu-gels scherpe mesjes waren waarmee ze tegen de wanden van haar longen sloegen. Ze was mager en werd steeds ma-gerder. Vlak nadat Walter was weggegaan, toen Bell nog iets van begeerte voelde, had ze zichzelf met haar hand onder de deken bevredigd en gevoeld dat haar heupbeenderen uitstaken als de harde hoeken van een tafel. Ze had altijd net zo slank willen zijn als haar zusters. Maar je moet uit-kijken met wat je wenst. Pff! Nu was haar maag bijna een holte. Bell wreef er met haar hand over en hoestte.

Als ze kon slapen droomde ze van haar vlinders. In de droom was ze een afgebroken tak, niet dikker dan een sprie-tig jong boompje. Haar armen en benen waren kale zijtak-jes die aan haar lichaamsboom ontsproten. Ze was bruin gepolijst, als de wandelstok die Walter altijd bij zich had. Boven op de bonenstaak van haar lijf prijkte haar hoofd, langgerekt en sierlijk als dat van de beelden die in de Afri-kaanse bazaar in West-Philadelphia verkocht werden. In haar dromen deed het hoesten nooit zeer, maar was het een trilling in haar borst die omhoogkwam via haar longen. Wanneer hij haar keel bereikte gooide ze haar hoofd achter-over en opende ze haar mond. Dan vlogen de vlinders naar buiten, legio vlinders, zilverkleurig als maanlicht.

Als ze maar lang genoeg in bed bleef liggen zou ze vanzelf verstarren tot een houten beeld van zichzelf, dacht Bell. Uiteindelijk zou er iemand de flat in komen, en die zou niet haar vlees en gebeente vinden, maar een bewerkte, glanzend gepoetste houten staak. Het zouden waarschijnlijk mensen van de politie zijn, en wat zouden ze raar staan te kijken als ze ontdekten dat ze een stok uit huis kwamen zetten. Er was een briefje onder de deur door geschoven waarop stond dat Bell dertig dagen de tijd kreeg om te vertrekken vanwege een opgelopen huurachterstand. Ze vroeg zich af sinds wanneer Walter de huur niet meer betaalde en wat hij had gedaan met het geld dat ze hem voor het betalen van de huur had gegeven.

Een paar maanden geleden had ze een jurk van hem gekregen, met een schelle, lelijke, fuchsiarode kleur, waarin ze eruitzag als een hoer. Er zaten geen merkjes meer in, dus waarschijnlijk had hij hem uit de kleerkast van een of andere vrouw mee gesnaaid. Misschien dat hij hem voor haar had meegenomen uit een soort schuldgevoel, gesteld dat hij over iets dergelijks beschikte. Maar waarschijnlijk had hij haar de jurk gegeven omdat hij graag wilde dat ze er ordinair uitzag. Bell was hem daarin graag ter wille geweest. De jurk had in principe de juiste maat gehad, maar toen ze hem van Walter kreeg was ze al gewicht aan het verliezen, zodat hij te ruim viel.

Walter had gezegd: 'Je verliest al je lekkers.'

'Ik verlies helemaal niks, schat,' was Bells reactie geweest. 'Al mijn lekkers zit er nog.'

En ze had haar heupen naar voren geduwd. Bij Walter

kon ze zich zo sletterig gedragen als ze wilde. Het interesseerde hem niet waar ze vandaan kwam of wie ze voor hem had gehad. Bell had hem verteld dat ze uit net zo'n buurt kwam als die waarin ze nu woonden, met straatvuil in de goten en brutale, op vrouwvlees beluste jongeren die voor de snackbar rondhingen. Ze deed alsof ze van huis uit net zo sprak en deed als hij, dat ze net zo was als hij, ook al was dat niet waar, ook al was ze Bell Shepherd uit Germantown, die haar middelbare school had afgemaakt en een jaar had gestudeerd. Maar dat lag allemaal zo ver achter haar dat het gegevens uit andermans leven leken. Ze wist nu dat ze altijd een vrouw met dierlijke instincten was geweest. Ze was van de ene man naar de andere gefladderd, onverschillig of ze welgesteld of armlastig waren, kansrijk of kansarm, tot ze bij Walter was uitgekomen, bij wie ze kon toegeven aan elke gril en aan wie ze in geen enkel opzicht rekenschap verschuldigd was.

Hij praatte niet veel over zijn verleden. Hij praatte überhaupt niet veel, en als hij al eens wat zei ging het meestal over iets wat de laatste paar uur was voorgevallen. Hij had in de loop van de tijd aan de kost proberen te komen als runner voor een goksyndicaat, pooier en drugsdealer, maar daar was hij nooit ver mee gekomen omdat zijn geheugen, zelfs als het om recente zaken ging, een zeef was. Daarom was hij dief geworden en de katvanger van de lokale woekeraar. Met de politie was hij zelden in aanraking gekomen. Het moest ervan komen, maar hij had steeds geluk en was best uitgekookt voor iemand die zich niet kon herinneren wat er eergisteren gebeurd was. En dat wist Bell wel aan hem te waarderen. Zelf had ze genoeg van alle plannenmakers en luchtkastelenbouwers die ze had meegemaakt. Al die luchtfietserij. Wanneer het tegenzat – en het zat altijd tegen – zaten ze ook altijd totaal aan de grond. Hondsmoe werd je van al die teleurstellingen. Walter was een rat, maar hij belastte haar niet op die manier. Hij was de ideale man voor Bell omdat ze geestelijk al was uitgeput.

In de twee jaar dat ze samen waren geweest had Walter nooit geprobeerd Bell iets wijs te maken. Hij had haar zelfs nooit aan het lachen proberen te maken. Nou had hij natuurlijk ook het gevoel voor humor van een pantserwagen. Ooit had hij haar een verhaal verteld terwijl ze in zijn auto op een van de in gebreke gebleven klanten van de woekeraar zaten te wachten.

'Dit is je reinste tijdverspilling. Die man heeft geen geld om te betalen,' had Walter gezegd.

'Wat ga je dan doen als hij zo meteen naar buiten komt?' had Bell gevraagd.

'Komt allemaal goed,' had Walter geantwoord. Waarna ze minutenlang zwijgend naast elkaar waren blijven zitten.

'Van het geld dat je meekrijgt wanneer je afzwaait bij het leger kun je nog geen rondje in de kroeg geven. Je kunt er nog geen paar schoenen voor kopen. Je kunt er helemaal niks voor kopen.'

'Schandalig,' zei Bell. 'Echt schandalig.'

Ze leunde achterover tegen de hoofdsteun en sloot haar ogen. Walter trommelde met zijn vingers op het stuur.

'Moet dat nou echt, schat?' vroeg Bell. 'Ik wou net even m'n ogen dichtdoen.'

Hij zweeg een hele tijd.

'Ik ben glazenwasser geweest op zo'n hoogwerker.' Hij

gaf Bell een por met zijn elleboog. 'Luister je wel?'

Bell, die in slaap was gesukkeld, schoot recht overeind. 'Hè? Ja, schat, uh, uhuh.'

'Ik zei dat ik ramen had schoongemaakt.'

'Dat hoorde ik, ja.'

'Mijn neef was een glazenwassersbedrijf begonnen, en op een dag kwam ie bij ons thuis langs en vroeg of ik dat wilde doen omdat ik nergens bang voor was.'

'Uh, uhuh,' zei Bell, die moeite had haar ogen open te houden.

'Ze hesen me naar boven. Dat ding beweegt alle kanten op. En d'r zitten tig van die dooie beestjes op die ramen. Je zou nooit denken dat ze zo hoog konden vliegen. Heb je ooit op een boot gezeten?'

Bell schudde van nee.

'Nou, het was net of je op een boot stond,' zei Walter.

'Uh-huh.'

'Dus ik sta vrolijk die ramen te lappen. Ze hadden me vastgebonden met een touw dat vanaf het dak van het gebouw omlaaghing. Toen gooide ik per ongeluk de emmer om zodat al het water d'r uit liep. Ik hoorde beneden op straat een vrouw krijsen. Hi hi. Maar je kunt beter niet omlaagkijken, want dan word je duizelig.'

'Snap ik,' zei Bell.

'Ik voelde me net een surfer daarboven. Een soort berggeit, die precies wist waar ie z'n poten moest neerzetten.'

'Ik dacht dat je zei dat je die emmer had omgegooid.'

'Ja, luister je nou nog, of hoe zit 't?' Walter stak een sigaret op.

'Al goed, schat. Je was daarboven net een klipgeit.'

'Die eerste week heb ik veertig gebouwen gedaan. De tweede week nog meer. Misschien wel zestig. En het verdiende goed, al die halsbrekende toeren.'

'Hoeveel?'

'Daar gaat het nou niet om,' zei Walter.

'O,' zei Bell.

'Zou best 's honderd dollar per gebouw geweest kunnen zijn.'

'Echt waar? Dat is niet misselijk.'

Walter keek haar vuil aan.

'Meestal stond ik in m'n dooie eentje daarboven. Ik heb er nooit geen hond gezien. Maar op een dag zag ik daar een stel blanke knakkers.'

'Waar?' vroeg Bell.

Walter slaakte een geërgerde zucht.

'In dat kantoor! Wel effe je hoofd d'r bij houwen, ja?'

'Dat doe ik, schat, maar jij zei...'

'Zaten daar keurig in het pak te praten. Ik probeerde professioneel te zijn en vriendelijk. Dus ik lachte naar ze en zwaaide even.'

Walters vriendelijke lachjes hadden meer weg van de grauw van een dier dat op het punt staat aan te vallen.

'Lieten die hufters de jaloezieën zakken. Zo, recht voor m'n snufferd. Ik dacht nog: dat is nou niet aardig, of professioneel, of vriendelijk. Toch?'

'Lijkt me niet, nee,' zei Bell.

'Hoezo "lijkt"? Als ik nou naar jou zou lachen, en in plaats van dat je teruglacht, start jij de auto en rijdt weg? Zo voelde het precies.'

'Ik snap wat je bedoelt,' zei Bell.

'Iedereen snapt wat ik bedoel. De stomste eikel snapt wat ik bedoel.'

'Oké.'

'Shit!'

'Oké.'

'Toen gaf ik dus een rottrap tegen dat kloteraam. Dwars d'r doorheen. Ik flikkerde zowat van die hoogwerker af. Voordat ik het wist hesen ze me omhoog naar het dak. Stond ik daar, stelden ze me gelijk allerhande vragen. Ik naar beneden, naar de straat, want daar stond m'n neef, met de politie. En die beweerde dat ik door het lint was gegaan vanwege de oorlog. Dus ik zei: "Wou jij soms een knal voor je kanis, nikker?" En hij weer tegen de politie: "Zien jullie wel? Ik zei het toch: hij heeft zichzelf niet in de hand."'

'En toen?' vroeg Bell.

'Toen heb ik nooit meer ramen gelapt.'

'Is dat alles?'

'Wat wou je dat er nog meer gebeurd was dan? Shit.'

Bell giechelde. Die Walter. Ze had ineens ontzettend veel zin in de soep die haar moeder altijd maakte toen ze nog klein was. Als ze nu in Wayne Street was geweest zou Hattie hete mosterdkompressen op haar borst gelegd hebben en haar siroop van gekookte uien en honing hebben gegeven. Ook al had Bell honderd keer tbc en ook al hielp die troep haar voor geen meter, Hattie zou het haar toch geven. Hoe vaak hadden zij en haar broertjes en zusjes dat spul niet kokhalzend moeten wegslikken. Het had in het verleden immers vaker wel dan niet geholpen. Hattie had hen allemaal puur op basis van wilskracht, kool en wat ouderwetse zuidelijke huismiddeltjes in leven gehouden. Maar ze bleef een lastig portret. Afijn, ze is nou een oude vrouw, dacht Bell. Ze had Hattie al bijna tien jaar niet meer gezien. En ze had ook geen enkele foto meer van haar, en ze zou sterven zonder haar gezicht nog eens te zien. Alice en Ruthie zeiden dat Hattie milder was geworden, dat ze zo nu en dan zelfs lachte en nog vaker glimlachte, en haar kleinkinderen op haar knieën liet paardjerijden. Je moet haar toch eens een keertje opzoeken, zeiden ze. Maar het was Háttie, die al die jaren nooit eens bij haar was langsgekomen, Háttie die maar niet vergeven kon. Niet dat Bell haar vergiffenis verdiende, maar toch.

Vanaf dat Bell met Walter was gaan hokken en naar Dauphin Street was verhuisd, waren haar zussen niet meer bij haar langsgekomen. Walter was een crimineel en Dauphin Street lag in een achterbuurt. Bell vroeg zich af of ze eigenlijk wel wisten in welk flatgebouw ze woonde, bij welke dwarsstraat. Ze was uit het gezin verstoten. Zo ging dat nu eenmaal bij de Shepherds. Als een van hen in ongenade viel werd ze weggesneden als een rotte plek uit een of andere groente. De kans bestond zelfs dat ze pas zouden horen dat ze dood was nadat ze al lang en breed was gekist en op het armenkerkhof begraven. Bestond dat trouwens nog, een armenkerkhof? Misschien dat de lijkschouwer haar gewoon zou laten verbranden en haar zou weggooien. Wat Bell betrof mochten ze haar lijk in de rivier dumpen. Misschien dat ze een briefje moest achterlaten voor degenen die haar zouden vinden: gooi me maar in de Schuylkill als voer voor de vissen. Het idee dat de mannen die op de rivier visten stukjes van haar zouden eten sprak haar wel aan.

Bell kreeg steeds meer trek in soep. Als ze zou kunnen opstaan kon ze bij de afhaalchinees om de hoek wontonsoep halen. Ze had in geen weken ergens zin in gehad. Het was een opwindend gevoel. Ze zwaaide haar benen over de rand van het bed, plantte haar voeten op de grond en zette haar handen aan weerszijden van haar heupen op de matras. Eén keer flink afzetten en ze zou staan. Bij de kerk halverwege de straat kon je op zaterdag gratis soep krijgen. Alsof mensen alleen op zaterdag hoefden te eten. Het was trouwens geen zaterdag. Anders had ze wel een hele rij hongerlijers vanaf de deur van de kerk tot aan de hoek van de straat zien staan. Het was altijd een zootje ongeregeld. Hoofdzakelijk mannen, maar er zaten ook vrouwen tussen. Pff! Soms herkende ze er een paar, kerels die ze wel eens in de Belmore Lounge had bediend, verlopen, dronken types die via haar goedkoop aan drank probeerden te komen. Fooien kreeg ze daar nauwelijks, maar zo nu en dan wapperde een of andere idioot wel eens met geld – stel je voor: iemand die in die baggertent met geld wapperde – in de hoop haar de koffer in te krijgen.

De Belmore was de beroerdste tent waar Bell ooit gewerkt had, en ook de smerigste. Ze plaste altijd in het steegje achter de bar, omdat dat schoner was dan de wc en je daar minder kans had dat er ineens een of andere dronkenlap voor je neus stond. De klanten deden voor het merendeel geen kwaad, al had Bells collegaatje Evelyn altijd wel een mes bij zich, dat in een schede tegen haar kuit zat, als bij een schurk uit een western. Ze trok het bij het minste of geringste. Dan bukte ze alsof ze een losse veter ging vastmaken en één tel later lag het mes als een zilveren tand te glinsteren in haar hand. De baas zei: 'Je moet niet de hele tijd onze vaste klanten bedreigen.'

'Hoe kan ik ze anders manieren bijbrengen?' reageerde Evelyn.

'Ik wil de politie hier niet over de vloer,' zei hij.

'Gebeurt ook niet, als zij zich gedragen.'

De eerste keer dat Walter naar de Belmore was gekomen had Bell hem aan Evelyn voorgesteld, waarna die twee de hele avond als wilde katten om elkaar heen hadden gedraaid. Hij speelde pool met een van de klanten en verloor vijfentwintig dollar. Daarna vroeg hij of de man zin had om met hem in de steeg een joint te gaan roken. Toen hij een kwartiertje later terugkwam propte hij met een hand met gekneusde knokkels geld in zijn zakken. Nadat hij was vertrokken had Evelyn tegen Bell gezegd: 'Als je met dat soort nikkers wilt omgaan moet je echt leren mijn mes te gebruiken.'

Toen Bell op een avond buiten achter de Belmore een enorme hoestbui kreeg, kwam Evelyn net naar buiten om even een luchtje te scheppen. 'Zo te horen kun jij wel een hoestdrankje gebruiken,' zei ze.

Bell had nog wel wat hoestsiroop. Het hielp niet tegen het hoesten, maar ze sliep er wel beter van. De fles was onder haar bed gerold. God, wat daar niet allemaal lag: laatste resten van boterhammen met pindakaas, vuistdikke stofnesten en dooie kakkerlakken. Ze zouden haar lijk vinden tussen vuile lakens, met al die vuiligheid onder het bed. Ze zou dood moeten gaan tussen kraakheldere lakens en met soep in haar maag. Even goed afzetten met haar handen en dan stond ze overeind. Fluitje van een cent. Ze haalde een keer diep adem, maar werd toen overvallen door een hoestbui. Haar ogen sprongen vol tranen. Ze was vergeten dat ze niet meer diep kon inademen. Dan namen die onrustige vlinders haar te pakken. Ze keek uit het raam en probeerde haar ademhaling tot bedaren te brengen. Ze dacht dat ze Evelyns auto bij het kruispunt op de hoek zag staan. Evelyn die haar kwam redden, als een sint-bernardshond. Pff! Alsof Bell ergens op een berg vastzat in de sneeuw, in afwachting van hulp. Ze zat nergens vast, ze had een keuze gemaakt. Bell zwaaide naar de auto beneden op straat.

Op een middag aan het begin van de zomer, maanden voordat Walter haar had verlaten, had Evelyn haar meegenomen naar een vriendin die haar iets kon geven tegen de hoest. Ze reden door Nineteenth Street en daarna door Morse Street. Bell keek uit het raam naar de mannen die in kluitjes bij de stoeprand rondhingen. Ze zagen Evelyns auto voorbijkomen met de scherpe blik van een troep leeuwen die op gazellejacht is. Een van de jongemannen stapte ineens de weg op. Toen Evelyn op de rem trapte, legde hij zijn handen op de motorkap en boog zich naar het raampje om naar binnen te kijken. Toen hij zag dat er twee vrouwen in de wagen zaten stapte hij terug op het trottoir.

Evelyn zei dat haar vriendin aan het eind van de straat woonde. Ze reden af op wat een doodlopende steeg leek. Bell wierp een snelle blik op Evelyn en besefte dat ze haar nog nooit eerder bij vol daglicht had gezien. De Belmore lag altijd in het schemerduister verzonken en door het matglas van de ramen drong zelfs overdag nauwelijks licht naar binnen. Evelyn had iets van de Belmores wasachtige grauwheid over zich – te veel sigarettenrook en te weinig zonlicht –

maar ze had hoge jukbeenderen en een kort afrokapsel dat schitterde in de zon. Ze droeg een mannenoverhemd met een open boord, een op maat gemaakte broek met wijd uitlopende pijpen en schoenen met dubbel gestrikte veters. Bell vond het mooi dat Evelyn haar veters zo goed strikte, zodat ze er niet over zou struikelen of er haar evenwicht door zou verliezen. Ze kon zich haar ook alleen maar als onwankelbaar voorstellen. En ze reed ook heel beheerst, ontspannen en vol zelfvertrouwen, met één hand aan het stuur en haar andere arm losjes op de rugleuning van Bells stoel. Bell leunde achterover, zodat haar hoofd net Evelyns onderarm raakte, waarop Evelyn zo ging zitten dat haar vingers net langs Bells schouder streken.

Aan het einde van de straat verdwenen de mensen ineens. Voor het laatste huis hing niemand meer rond, alsof iedereen door een onzichtbare barrière werd tegengehouden. De stoep en het trottoir waren aangeveegd en aan weerszijden van de deur stonden potten met bloemen. Ze liepen de veranda op en Evelyn klopte lichtjes met de deurklopper aan. Een oude vrouw deed open.

'Dit is die vriendin waar ik je over verteld heb,' zei Evelyn.

'Goedemiddag mevrouw,' zei Bell. Ze wist dat dat veel te correct klonk. Evelyn wierp haar een snelle blik toe. In de bar sprak Bell altijd een half octaaf lager en zette ze een zwaar accent op. Ze maakte zichzelf wijs dat haar collega's en klanten zich daardoor bij haar meer op hun gemak voelden, al deed ze het in werkelijkheid omdat ze zich naast hen geen toerist wilde voelen en omdat ze vond dat ze van een ander niveau was, wat zíj volgens haar ook vonden. Haar gekunstelde accent gaf haar het gevoel ruimhartig te zijn, als een koningin die van haar troon neerdaalt om een arm vrouwtje op de wang te kussen. Nu schaamde ze zich, omdat Evelyn haar op vals vertoon had betrapt.

In het huis van de oude vrouw was het koel en schemerig, en het rook er naar taartbodem en aarde. Evelyn en Bell volgden haar door een gang naar de keuken achter in het huis.

'O mevrouw, wat prachtig allemaal!' riep Bell uit terwijl ze om zich heen keek naar de botergele muren, de vitrage en het licht dat naar binnen stroomde alsof de zon citroenlimonade uit een kan schonk. De tafel was gedekt voor drie, en naast een kruik met ijsthee stond een grote taart.

'Mensen denken vaak dat het hier een soortement van grot is, omdat ik de voorkamer koel probeer te houden,' zei de vrouw met een diepe lach die leek op te borrelen uit haar buik. Ze rommelde wat in een la.

Ze moet wel haast honderd zijn, dacht Bell. Ze was donkerbruin en had wit haar dat heel kort geknipt was.

Ze nam Bell met half toegeknepen ogen op.

'Hoe zei je ook al weer dat dat meisje heette?' vroeg ze Evelyn. 'Hoe heet je, kind?'

'Bell, mevrouw.'

'Bell.'

'Ja, mevrouw.'

'En van wie ben je d'r eentje?'

'Mijn achternaam is Shepherd.'

'Ik wíst het! Ik zie familietrekken altijd gelijk. Je ben d'r eentje van Hattie, daarzo uit Wayne Street,' zei ze.

Ze nam Bell opnieuw op, met een kritische blik op haar kleren, schoenen en kapsel. En ze keek haar zo lang in de ogen dat Bell zich er ongemakkelijk bij ging voelen.

'En wat voer je zoal uit, kind?'

'Ik begrijp niet wat u bedoelt, mevrouw,' zei Bell.

'Om te beginnen, ik heet Willie. Ik heb d'r een pesthekel aan wanneer ze mevrouw tegen me zeggen. En ten tweede, je snapt best wat ik bedoel. Je werkt met Evelyn in die foute tent, hè?'

'Ja mevrouw. Willie.'

'En wanneer heb je je moeder voor het laatst gezien?'

'Ik...'

'Ik durf te wedden dat dat even geleden is.'

Willie had haar ontmaskerd. Bell was blij dat Evelyn zo kies was haar ogen op haar taartbordje gericht te houden. Wat zou Walter doen in zo'n geval? De tafel omvergooien waarschijnlijk, en verwensingen naar het hoofd van de vrouw slingeren. Bell stond op.

'Dank u wel voor de gastvrijheid, mevrouw, maar ik denk dat ik maar beter kan opstappen,' zei ze.

'Vooruit, ga zitten, kind!'

Bell voelde haar borst samentrekken. Ze hoestte lang en hard. Evelyn ging staan en legde een hand op Bells rug.

'Je kunt beter weer gaan zitten, kind,' herhaalde Willie.

De hoestaanval had Bell verzwakt. Ze had niet meer de energie om op te stappen. Door de keuken van Willie miste ze ineens haar moeder, ook al was de keuken in Wayne Street saai en wit en werd hij door Hattie bestierd alsof het een kazernemess was. Het was nooit een plek geweest waar je in de zon kon zitten en citroenlimonade kon drinken. Dat lag niet aan haar moeder, maar niettemin nam Bell het haar erg kwalijk. Ze had in Hattie altijd iemand gehad die

292

ze overal de schuld van kon geven. Willie schoof een glas thee naar haar toe.

'Hoelang heb je die hoest al?'

'O, af en toe,' antwoordde Bell.

'Hm, zo te horen meer toe dan af,' zei Willie. 'De Belmore is geen plek voor iemand met tbc.'

'Ik heb geen tbc! Die ziekte bestaat niet eens meer. Het is gewoon een hoestje.'

'Ben je bij de dokter geweest?'

'Nee.'

'Waar woon je?'

'In Dauphin Street.'

'Da's 'n eind van waar je vandaan komt.'

'Het is maar een halfuurtje met trolleybus 23.'

'Je weet best waar ik het over heb.'

'Ik heb het daar prima.'

'Nou, zo zie je d'r anders niet uit. Maar de enige die d'r wat aan kan doen ben je zelf,' zei Willie. Ze zuchtte. 'Ik heb zowat de helft van je broertjes en zusjes geboren zien worden, maar dat zul je wel niet meer weten. Ik woon al 'n hele tijd niet meer in Wayne Street. Maar ik herinner me de laatste jongen die je moeder kreeg nog heel goed. Hij had 'n groot hoofd. Alsof ie de helft van je moeders ingewanden meenam toen ie d'r uit kwam. Als souvenir.' Ze grinnikte. 'Uiteindelijk kwam alles goed met Hattie. Je moeder was zo sterk als een paard. Dat zijn de meeste donkergelen niet, heb ik gemerkt.'

Willie leunde naar voren en keek Bell strak aan.

'Jij bent niet zo sterk als zij. Jouw hart laat zich niet temmen. Eén keer heeft je moeder d'r hart willen volgen, maar die neiging heeft ze onderdrukt. Maar zo te zien heeft bij jou het hart het voor het zeggen.'

Bell drukte een servet tegen het zweet dat op haar voorhoofd en bovenlip parelde.

'Kom maar 's met me mee,' zei Willie.

Bell volgde haar door een deur aan het eind van de keuken en door een korte gang met een krakende houten vloer. De buitenluchtgeur werd sterker. Niet de stadse buitengeur van verpieterde bomen en heet asfalt, maar een frisse geur van ruigte en regen. Willie deed weer een andere deur open, en Bell stapte over de drempel in iets dichtbegroeids en veerkrachtigs. De hoge ramen in drie van de vier muren keken uit op de achterkant van andere rijtjeshuizen aan de overkant van een steeg. Het vertrek was licht en warm, en de vloer was bedekt met dennennaalden. Overal stonden potten van aardewerk, sommige niet groter dan een vuist, andere zo groot dat Bell erin had kunnen klimmen. Midden in de ruimte stond een picknicktafel met daarop een bonte verzameling flesjes, druppelaars en dunne glazen roerstaafjes, stenen vijzels en stampers, flacons met vloeistoffen in verschillende bruintinten, gedroogde planten die omgekeerd aan een klein rek van ijzerdraad hingen, en stopflessen die barstensvol poeder zaten. Willie haalde een tuinstoel uit de hoek en vouwde die open naast een houten bank. Bell verroerde geen vin.

'Ik vind dat je alles nu wel genoeg hebt staan aangapen,' zei Willie.

Lange groene hechtranken hingen neer langs de zijkanten van de bloembakken die met haken aan de zoldering waren bevestigd, waardoor het net leek of de ruimte vol hing met gerafelde groene gordijnen. Bell verwachtte half en half dat er vanuit een van de potten een vlucht kolibries zou opstijgen en boven haar hoofd zou blijven zweven.

'Wat veel mensen vandaag de dag missen is een plek waar ze naartoe kunnen gaan om tot rust te komen. Volgens mij heb jij ook niet zo'n plek.'

'Nee, dat klopt, mevrouw,' zei Bell.

'Ik voor mij zou niet zonder de geur van dennennaalden kunnen.'

Bell knikte en ging in de tuinstoel zitten. Willie vroeg haar nog eens hoelang ze al last had van die hoest, of het 's nachts erger werd, of ze ook moest zweten en hoe ze de laatste tijd had geslapen. Ze vroeg haar of haar dromen waren veranderd sinds ze ziek was en waarover ze daarvoor had gedroomd. Droomde Bell soms over bloed, vroeg Willie, of dat ze een droge rivierbedding overstak? Terwijl Willie naar Bells antwoorden luisterde bewogen haar handen heen en weer tussen de flacons en de flesjes. Ze zette er een paar voor zich neer en stelde weer een vraag. Afhankelijk van Bells antwoord goot ze iets in een mengkom of zette ze het flesje weg, om het vervolgens door een ander te vervangen.

'Wat is dat?' vroeg Bell terwijl ze naar een soort groene bolster in een stopfles wees.

'Bidsprinkhaan. Maar maak je maar geen zorgen, dat krijg jij niet.'

'Waar is dat voor?'

'Voor heel veel dingen. Bijvoorbeeld om 'n man te krijgen die je wilt hebben, maar niet voor lang wilt houden. Of om 'n man kwijt te raken die maar niet wil ophoepelen. Maar het is vooral voor de show. Mensen zien graag iets vreemds wanneer ze hier komen.'

Willie wreef de inhoud van de mengkom fijn tot een soort poeder. Daarna goot ze er een heldere vloeistof bij en maakte ze er siroop van.

'Wat is dat?' vroeg Bell.

'Water.'

Willie goot het mengsel door een trechter in een flesje van bruin glas.

'Zorg wel dat je wat in je maag hebt wanneer je dit inneemt. Geen koeienmelk of kaas en niks kouds, behalve eventueel wat fruit. Gewoon warme dingen, als het kan lekker kruidig.'

Ze gaf het flesje aan Bell. 'Viezer spul dan dit zul je nooit drinken. Twee eetlepels in een kopje heet water. Knijp je neus dicht en drink drie kopjes per dag. En als je 'n man bij je over de vloer hebt, moet je hem vertellen dat je tbc hebt.'

'Ik heb geen...'

Willie stond op van de tafel en liep het vertrek uit voordat Bell haar zin had kunnen afmaken. Ze volgde de oude vrouw, met haar ogen knipperend omdat ze moest wennen aan het schemerduister van de gang.

'Zijn jullie klaar?' vroeg Evelyn toen ze de keuken in kwamen.

'Voor zover dat kan, ja,' antwoordde Willie. Ze wendde zich tot Bell. 'Trots heeft al heel wat mensen de kop gekost. Je zult binnenkort toch 's achterom moeten kijken om te zien waar je zo hard voor wegloopt.'

Evelyn wilde Willie wat geld in de hand stoppen, maar dat weigerde de oude vrouw. Even later stonden ze buiten en zaten ze weer in de auto die tussen de mensen door manoeuvreerde. Nadat Evelyn haar had afgezet bleef Bell nog een hele tijd op de stoep voor haar flatgebouw zitten, waarna ze ten slotte het flesje dat ze van Willie had gekregen weggooide. Boven in haar flat zat Walter een joint te draaien en naar een plaat te luisteren, met het geluid zo hard dat haar ingewanden ervan trilden. Ze liep naar de slaapkamer, ging op het bed liggen met de tenorstem van Stevie Wonder in haar oren. Ze viel in slaap en werd pas weer wakker toen het donker en stil was. Bell ging nooit meer naar haar werk in de Belmore terug.

Er verschenen paarse en oranje strepen aan de horizon boven de gebouwen aan de andere kant van Dauphin Street. Bells honger was weer overgegaan, en haar armen waren stijf van het spannen en ontspannen van de spieren tijdens haar pogingen van die middag om op te staan. Ze zou haar soep niet krijgen, want ze was te zwak om te kunnen staan. Ze had weer een nacht voor de boeg waarin ze zou hoesten en dromen van haar vlinders, en misschien dat ze morgen weer wakker zou worden, maar misschien ook niet. Ze was te moe om naar de wc te gaan en de waterkruik die ze naast haar bed had staan opnieuw te vullen.

Walter, wat ben je toch een lafbek, dacht Bell. De scène die je getrapt hebt! En maar schoppen tegen de muur en schreeuwen dat je niet van plan bent het zorgzame blanke vrouwtje voor me te spelen. 'Dit is verdomme niet *Vader weet het beter*,' zei je. 'Zolang jij geen nieuw werk zoekt en de hele dag maar wat op je luie reet blijft zitten verdom ik het om de rekeningen te betalen.' O, het was een show van jewelste geweest. Hij had een stoel omvergegooid en haar op de vloer geduwd, en zijn vuist geheven alsof hij haar een optater wilde verkopen. En dat alleen maar omdat hij niet wilde toegeven dat hij bang was dat hij ook tbc zou krijgen of dat hij het al had opgelopen. Was dat even wat: Walter met zijn eeuwige 'Wie dan leeft, wie dan zorgt' bleek dus tóch over een instinct tot zelfbehoud te beschikken.

Bell had erover gefantaseerd dat Walter en zij heel romantisch en decadent samen in doffe ellende zouden sterven. Ze had echt geloofd dat hij leeg vanbinnen was, en gewetenloos, en dat hij enkel geringschatting voor zichzelf en anderen kende. Maar toen bleek Walter toch niet zo onverschrokken te zijn. En als de teugelloze, roekeloze Walter niet onverschrokken was, dan was niemand het. Misschien dat niemand apathisch kon blijven in het aangezicht van de dood, zelfs Bell niet. Ze was dan wel in bed gekropen en had geweigerd er weer uit te komen, maar dat was het tegenovergestelde van apathie. Het was zelfmoord. Ze had de hele tijd willen doodgaan en dat dan samen met iemand, en ze had gedacht dat Walter daarvoor de ideale persoon was, omdat het meeste menselijke er bij hem al af was toen ze hem leerde kennen. Oplichter, dacht ze. Na zijn enorme woede-uitbarsting was hij het huis uit gestormd en de volgende dag teruggekomen met een vriend die hem hielp zijn spullen weg te halen. Ze hadden alles meegenomen, op het bed na. Bell wist niet of dat nou een blijk van barmhartigheid was, of dat hij het gewoon niet nodig had waar hij naartoe ging.

Ze keek rond in de slaapkamer. De muren zaten onder de vieze vegen en de verf bladderde. De vloerbedekking was vaal en zat ook onder de vlekken. Ineens voelde ze een sterke aandrang om naar de keuken te lopen. Een laatste keer op de been, een laatste keer haar spieren voelen bewegen, en de vloer onder haar voeten voelen. Misschien dat er iets levends in de ijskast huist wat me een beetje gezelschap kan houden. Pff! Voordat haar krachten het begaven had ze een buurjongen ingeschakeld die tegen betaling voor haar naar de winkel was gegaan om een brood en een pot pindakaas te kopen. In een van de kastjes moest nog altijd een kapje liggen te verschimmelen. Toen Bell klein was, had Hattie zich geen pindakaas kunnen veroorloven. Zo ziek als ze was had Bell zich toch heel decadent gevoeld toen ze in bed gezeten haar boterham met pindakaas had opgepeuzeld. Ze wou dat ze die buurjongen nu langs magische weg kon oproepen om hem naar de winkel te sturen voor een blik kippensoep.

Wat een puinhoop had ze van alles gemaakt. Nu ze van zichzelf zin in soep mocht hebben dienden zich ineens honderden andere verlangens aan. Ze dreigden haar onder de voet te lopen, al die dingen die ze wilde. Wat had Marvin Gaye ook al weer gezegd? Er zijn drie dingen die je nooit kunt vermijden? *De belastingdienst, de dood en problemen*. Nou, ik ga dood en ik heb mijn portie problemen ook gehad, maar ik heb al vijf jaar lang geen belasting betaald. Nou jij weer, Marvin! Pff! Bell liet zich terugzakken in de kussens. Ze wist niet of het van de tbc kwam dat ze naar adem snakte of door de stormloop van al haar teleurstellingen en fouten, en haar eenzaamheid. Bell bracht een hand naar haar borst. Haar hart sloeg te snel. Ze dreef weg op een golf van ellende, en het zou niet lang meer duren of ze zou zo ver worden meegevoerd dat ze nooit meer terug zou komen.

Wanneer ze een hoestaanval had zwierven de ogen van Walter altijd de kamer door. Dan keek hij overal naar, behalve naar haar. De hufter. Ze had er een lief ding voor over als ze hem nog één keer zou kunnen zien. En haar moeder ook. Stel je voor: die twee, samen in één kamer. Hattie zou naar hem kijken alsof hij een kakkerlak was en hem verder straal negeren.

De soep die Hattie altijd maakte moest een soort groentesoep geweest zijn. Want geld voor vlees was er niet, toen Bell nog klein was. Hij was zout, en er zaten stukjes aardappel in. Bell dacht aan de soep van de afhaalchinees en voelde hoe de warme vloeistof door haar keel gleed en de wontonbuideltjes meegaven onder haar tanden. Ze wist nog in welke bakkerij ze vroeger altijd de kleverige buideltjes kocht. Ze herinnerde zich niet meer precies hoe ze smaakten, maar ze wist nog wel dat ze met Cassie door Henry Avenue liep met zo'n warm buideltje in haar hand, en dat ze het vetvrije papier dat eromheen zat opzijduwde zodat ze het niet in haar mond kreeg wanneer ze een hapje nam. Van Cassie moesten ze daarna altijd het hele stuk naar huis lopen om de calorieën te verbranden. Bells oudere zussen namen haar altijd mee naar dansgelegenheden. Ze was nooit de knapste van het bal, maar dat nam niet weg dat ze altijd jongens om zich heen had. Twee hadden er met haar willen trouwen, goeie, fatsoenlijke types die nu een eigen gezin hadden en in een mooi huis in Tulpehocken Street woonden. Bell had altijd op hen neergekeken. Ze vond hen goedkoop en gewoontjes. Ze had er genoegen in geschept hun aanzoek af te wijzen en hun hart te breken. Vrouwen die met dat soort mannen trouwden leidden een leven van enkel boodschappen doen en gingen zo ongeveer dood van verveling. Maar hier lig ik sowieso dood te gaan.

Bell herinnerde zich de keer dat ze met haar vriendin Rita in de schoolbus had gezeten. Ze waren een jaar of zestien, zeventien, en kwamen terug van een excursie. Voordat ze Germantown bereikten stopte de bus ergens voor rood licht. Waar waren ze met een excursie naartoe geweest? Bell had het zich jarenlang proberen te herinneren. Rita en zij waren in een ernstig gesprek verwikkeld geweest, dicht bij elkaar gezeten en naar elkaar toe gebogen, zoals meisjes dat doen. De bus was met een schok tot stilstand gekomen, waarna ze door het raam naar buiten hadden gekeken.

'Hé!' zei Bell. 'Daar heb je mijn moeder!'

Hattie was toen begin veertig, net zo oud als Bell nu was. Haar huid had de kleur van de binnenkant van amandelen, en haar kastanjebruine haar hing in krullen op haar rug. Ze zag eruit als een vrouw van vijfentwintig. Toen Bell haar zag, wilde ze schreeuwen: 'Is ze niet prachtig? Is ze niet geweldig?'

Verrast als ze was, had ze niet gezien dat Hattie niet alleen was.

'Is dat jouw vader?' vroeg Rita.

Hattie liep gearmd met een rijzige, slanke man. Ze hadden allebei dezelfde lange pas en bewogen zich ook in hetzelfde ritme voort, alsof ze ervoor gemaakt waren om hier samen over straat te lopen. De man keek naar Hattie en zei iets tegen haar. Ze voelden zich duidelijk vertrouwd, prettig en op hun gemak bij elkaar. Hattie gooide haar hoofd achterover en lachte. Het scheelde niet veel of Bell was in tranen uitgebarsten. Zó had ze haar moeder nog nooit zien lachen. Ze had haar sowieso nog nooit vrolijk gezien. Zolang als Bell zich kon herinneren was Hattie altijd streng en prikkelbaar geweest, en opeens realiseerde ze zich dat haar moeder waarschijnlijk meestal erg ongelukkig was. Ze wou dat ze haar moeder kende zoals ze op dat moment was, zo mooi en gelukkig dat de stralende middag erbij verbleekte. Deze man wist Hattie te laten stralen op een manier die Bell waarschijnlijk nooit zou zien.

'Nee,' zei Bell tegen Rita. 'Dat is niet mijn vader.'

Bell pulkte aan wat pluksel van het dekbed. Ze hoestte. Moeder was altijd zo onaangedaan en evenwichtig, maar ook zo'n ondoorgrondelijk vat vol emoties. Bells zussen zeiden altijd dat zij Hatties temperament had: ze was gesloten en snel aangebrand. Ze was voor niemand zo bang geweest als voor haar moeder, was nooit zo boos op iemand geweest als op haar moeder en had ook nooit zo sterk naar iemands liefde gehunkerd als naar de liefde van Hattie. Maar Hattie was altijd op een afstand, als de wijkende kust voor een uitvarend schip.

Bell hield vast aan haar teleurstelling in Hattie. Als ze haar jeugd in ogenschouw nam zag ze alleen maar momenten waarop Hattie haar kinderen er met de riem van langs gaf, woedend tekeerging of zich in een diep zwijgen hulde. Misschien dat ze haar kinderen voor het leven wilde harden of hun discipline en respect wilde bijbrengen, maar Bell kon zich nauwelijks een lief woord of een zoen herinneren.

Bell miste haar. Gek toch, dat ze vanaf dat ze haar moeder en de strenge regels thuis was ontvlucht, stukje bij beetje was ingestort. Ze had een vrije val gemaakt die haar in dit bed hier in Dauphin Street had doen belanden.

Bell had dorst. Gaat wel over, dacht ze. Mijn dorst gaat wel over en die golven van verlangens gaan wel over, en ik word straks gewoon moe. Ik zal te moe zijn om een vuist te maken, te moe om te denken, en dan ga ik slapen en dat is het dan. Dan lig ik hier en dan vliegen er zilveren vlinders uit mijn mond en dan... Als je de kerk mag geloven heb ik genoeg smerige dingen gedaan om me dubbel en dwars naar de hel te sturen. Ik zou doodsbang moeten zijn, dacht Bell. Maar het enige wat ze voelde was spijt.

Bells ogen brandden en ze trok met haar gezicht alsof ze huilde, maar haar lichaam kon geen tranen meer aanmaken. Ze was een lege huls, een oud, uitgedroogd, omgekruld blad.

Op dat moment kwam Lawrence haar weer in gedachten, zoals hij er had uitgezien op het moment dat Bell hem met Hattie over straat had zien lopen, al die jaren geleden. Hij droeg een grijs pak en een wit overhemd met open boord, zonder das of hoed. Hij had een soepele tred en was sterk als een sportman. Lawrence was niet knapper om te zien dan August, maar hij was een ander soort man. Hij had iets koninklijks over zich dat de aandacht trok. In haar herinnering was hij een soort filmster. Ze zag hem nog altijd voor zich zoals hij er toen had uitgezien, met een bordeauxrode pochet, terwijl de wind zijn jasje tegen zijn lijf drukte.

Bell had Lawrence ogenblikkelijk herkend, ondanks het feit dat er bijna twintig jaren waren verstreken sinds ze hem met haar moeder had zien lopen. Ze was toen nog gezond geweest, en had er nog geen flauw idee van gehad dat ze binnen tien jaar Walter en tbc zou krijgen. Ze had een hoed gekocht. Het meisje dat haar had geholpen deed hem net in een hoedendoos toen de winkelbel tingelde en Lawrence binnenkwam, in zijn eentje en in een pak dat veel weg had van het kostuum dat Bell zich nog herinnerde. Hij was grijzer geworden en zijn wangen waren wat ingevallen, maar hij zag er nog steeds fit en aantrekkelijk uit.

'Dat is een mooie,' zei ze, toen hij voor een rode, breedgerande hoed bleef staan.

'Vindt u? Ik heb geen verstand van dameshoeden,' zei hij.

'Hij is heel elegant.' Ze aarzelde. 'Al hangt het natuurlijk af van de leeftijd van de dame voor wie hij bedoeld is.'

'Ongeveer uw leeftijd. Te jong om hoeden voor volwassenen te dragen, als u het mij vraagt.'

'Ik weet zeker dat het iemand met smaak is. Er zijn tegenwoordig niet zoveel mensen meer die een hoed dragen.'

'Ik ben blij dat u zichzelf beschouwt als iemand met smaak,' zei hij grinnikend, met een knikje naar de hoedendoos in Bells handen.

Terwijl ze stonden te praten boog Lawrence zich naar Bell toe. Hij vertelde dat de hoed voor zijn dochter bestemd was. Bell kon zich voorstellen dat haar moeder in de ban was geraakt van een man die zoveel zelfvertrouwen en elegantie uitstraalde. Deze man zou elke vrouw om zijn vinger hebben gewonden. En hij wist het zelf ook. Hij moest een jaar of zestig zijn, maar hij had nog altijd een geweldige uitstraling.

'Ik ben Lawrence Bernard,' zei hij.

'En ik ben Caroline,' zei Bell. 'Caroline Jackson.'

Ze verlieten samen de winkel.

Toen ze elkaar ruim twee weken kenden nodigde Bell Lawrence uit voor een jazzconcert. Ze dronken brandy alexanders. Een ouwelullendrankje, dacht ze. Onder het dansen zei ze tegen hem dat ze erg benieuwd was hoe het er bij hem thuis uitzag. Na het concert zaten ze op de smalle veranda voor zijn huis en dronken citroenlimonade met rum. Het was een frisse aprilavond. Hij sloeg zijn arm om haar heen. Hij kuste haar op haar schouders en nam haar mee naar zijn bed. Ze gedroeg zich heel ingetogen onder het vrijen. Hoewel ze haar ogen stijf dicht hield, genoot ze er wel degelijk van, totdat ze ineens aan Hattie moest denken. Ze schudde woest met haar hoofd om het beeld van haar moeder kwijt te raken. Lawrence zag het aan voor seksuele extase. Na afloop viel hij al snel in slaap. Zij tilde het laken op en bekeek hem uitgebreid. Hij had nog altijd een strak lijf. En hij was ijdel. Zijn teennagels waren kortgeknipt en gladgevijld, en hij had het eelt van zijn hielen verwijderd. Hij zag er niet uit als een oude man, althans niet op de manier die ze verwacht had. Zijn buik werd wat week, maar was nog altijd plat. Ineens had ze zich beschaamd en schuldig gevoeld. Ze rolde naar de andere kant van het bed. Hier lag de minnaar van haar moeder naakt naast haar. Ze voelde opwinding en afkeer, en besloot dat ze die nacht bij hem zou blijven.

De volgende morgen maakte Bell Lawrence wakker en deed net alsof ze wilde vertrekken. Ze sloeg de sprei om zich heen alsof ze zich voor haar naaktheid schaamde. Hij wilde opnieuw met haar vrijen, zoals ze van tevoren had geweten.

De vorige avond had hem overmoedig gemaakt. Ze waren vergeten de jaloezieën dicht te doen, en in de kamer was het zo licht als op het strand wanneer de zon op z'n hoogst stond. Ze bood zich op zijn hondjes aan hem aan. Al haar terughoudendheid van de vorige avond was verdwenen. Hij ging haar bijna agressief te lijf en er kwamen allerlei oergeluiden diep uit zijn keel. Ze genoot van hem omdat ze hem, net als elke andere man, tot een kreunende, bronstige hengst had weten te reduceren. Even onderging Bell een gevoel van triomf. Ze had zich op haar moeder gewroken, ook al zou ze dat natuurlijk nooit aan Hattie vertellen. Ze deed iets vreselijks, maar door het te doen maakte ze zich tot Hatties gelijke. Gelijke wat betreft toegebrachte pijn en gevorderde straf. Sterker nog, op de een of andere manier was ze haar moeder gewórden. Niet de licht geprikkelde, vermoeide Hattie maar de lachende, mooie vrouw die Bell vanuit de schoolbus had gezien.

Bell besloot dat ze Lawrence niet de kans zou geven van de affaire een romance te maken, ook al vroeg hij haar nog regelmatig mee uit voor een etentje of voor een of ander concert. Als ik de touwtjes niet goed in handen houd zou ik hartstikke verliefd worden, bedacht ze. Ze weigerde om met hem uit te gaan. In plaats daarvan zaten ze in de schemering bij Lawrence op de veranda en aten ze sandwiches, gevolgd door te veel glazen citroenlimonade met een tic. Af en toe gingen ze met zijn auto naar de chinees een paar straten verderop om wat te eten te halen. Hij had het over the Black Panthers en dat hij hun aanpak te gewelddadig vond. 'Die Huey Newton wordt nog eens vermoord, let op mijn woorden,' zei hij. Hij kondigde aan dat hij misschien naar

Mississippi of Alabama zou gaan om campagne te voeren voor Robert Kennedy. De kerken deden volgens hem goed werk met hun kiezersregistratie. En bijna had Bell hem verteld dat haar broer Six daar in Alabama een kerk leidde. Die malloot is vijftien jaar getrouwd en heeft kinderen bij meer vrouwen dan je op de vingers van één hand kunt tellen, maar dat weerhoudt hem er niet van te verkondigen dat de Here ons ras zou verheffen als wij daarom zouden bidden en godvruchtig zouden leven. De kerk ten voeten uit! Maar Caroline had natuurlijk geen broers en daarom hield Bell er haar mond over.

'Ik ben te oud voor zo'n wollig afrokapsel en zo'n in de lucht gestoken vuist. Het ontroerde me toen ik daar heel gewone zwarte mensen, in heel gewone kleren en met gewone kapsels, achter de tafels zag zitten. Ik had nog nooit zoiets dappers gezien.'

Wanneer hij haar iets vroeg over Boston, antwoordde Bell met vage algemeenheden die de indruk wekten waar te zijn. Ze zou zijn opgegroeid in Roxbury en had een oom die fan van de Red Sox was, en ja, de winters waren er kouder. Dan keek hij haar aan en zei: 'Weet je wat zo gek is? Soms is het net alsof ik je ergens van ken.' Dan gaf hij haar een knipoog, lachte en zei: 'Ik zal je wel in mijn dromen gezien hebben.'

Het was niet moeilijk om Lawrence ervan te weerhouden door te vragen. Hij hoefde helemaal niet zoveel van haar te weten en was, op zijn charmante en goedhartige manier, even terughoudend over zijn eigen leven als zij was over het hare. Trouwens, ze wisten dat hun gesprekken enkel een voorspel vormden. Bell had graag hun Chinese maaltijd in bed gegeten, achteroverleunend tegen de kussens, en naakt en bezweet haar mieslierten uit het bakje geslurpt. Maar Lawrence wilde met alle geweld de kleine tafel op de veranda dekken. Hoe zal dat in de winter gaan, vroeg Bell zich af. Zouden ze dan in de woonkamer eten of in de keuken? Maar tegen die tijd zou hun verhouding ongetwijfeld voorbij zijn. Tegen die tijd zou Caroline vanwege een dringende familiekwestie naar Boston teruggeroepen worden en nooit meer naar Philadelphia terugkomen. Over een paar maanden, misschien zelfs eerder, zou Bell genoeg beginnen te krijgen van Lawrence. Het vel van zijn hals begon te hangen en zo nu en dan kreeg hij hem niet omhoog. Ze deed niks meer met andere mannen, maar dat was alleen maar, zo maakte ze zichzelf wijs, omdat ze daar geen tijd voor had. Ze kon niet ontkennen dat hij steeds meer de Lawrence Bernard was geworden die ze een paar maanden daarvoor in een hoedenwinkel had ontmoet, en steeds minder de man die ze zoveel jaren geleden met haar moeder had gezien. Maar dat was uiteraard een natuurlijke zaak en betekende niet dat haar gevoelens voor hem zich hadden verdiept.

Toen ze meer dan drie maanden een relatie hadden, sloeg het weer plotseling om. Op een vroege ochtend bleek de herfstlucht ineens fris en helder te zijn. Die avond stond ze na werktijd tot haar eigen verrassing zomaar in de hoek van een of andere tuin te dansen in een stapel bijeengeharkte bladeren. Gewoon op haar hakken en in haar kantooroutfit. Pff! Ze was glimlachend naar huis gelopen en had Lawrence gebeld.

'Misschien komt het doordat ik als meisje altijd opgewonden was vanwege het nieuwe schooljaar, maar in de herfst voel ik me altijd gelukkig. Dan voelt het net alsof alles opnieuw begint,' zei ze.

'Wou je met mij ook overnieuw beginnen?' vroeg hij.

'Schei toch uit,' zei ze.

'Schei jíj uit. Ik heb er genoeg van dat jij mij altijd in huis verstopt en me alleen maar gebruikt voor je eigen genot.' Hij lachte. 'Dat ik oud ben betekent niet dat ik mijn vriendinnetje nooit eens ergens mee naartoe wil nemen.'

'Je wát? Je vr...?'

'Dat zei ik, ja.'

'Nou, ik verstop anders niemand,' reageerde Bell.

'Goed. Dan spreken we af voor morgenavond om zes uur in Wanamaker's,' zei hij. 'Dan heb ik een verrassing voor je.'

De volgende avond om zes uur haastte Bell zich door het grote middenpad van het warenhuis naar het bronzen beeld van de adelaar, waar Lawrence en zij hadden afgesproken. Daar is hij, dacht ze toen ze hem zag staan. Ze versnelde haar pas. Hij had bloemen voor haar meegenomen; het boeket stak karmozijnrood af tegen het leisteengrijs van zijn pak. Aan zijn vingers hing losjes een klein, bruin tasje. Het was ontzettend druk. Het winkelpubliek krioelde om hem heen met dozen en tassen, of met kinderen die men achter zich aan sleepte. Prachtig zoals hij daar tussen de mensen stond, en wat was hij een knappe verschijning.

'Lawrence!' riep Bell. Pas toen zag ze dat hij met iemand stond te praten die door de adelaar aan het zicht werd onttrokken.

Toen ze dichterbij kwam riep ze nog eens: 'Lawrence!'

Hij draaide zich om. 'Daar is mijn vriendinnetje!!!' zei Lawrence, terwijl hij zijn hand uitstak om Bell te begroeten. De stof van haar jurk fladderde tegen haar benen. Ze was blij dat ze een nieuwe jurk gekocht had voor hun afspraak. Lawrence was het soort man dat er blij van werd als je iets nieuws aanhad.

De vrouw met wie Lawrence had staan praten stapte met een verwachtingsvolle glimlach het middenpad in. Hij hield haar vast bij de elleboog.

'Dit is mijn lieve vriendin Hattie,' zei hij.

Goeie god, dacht Bell, terwijl ze naar haar moeder keek, wat lijken wij op elkaar. Ze wist dat ze iets moest zeggen, of iets moest voelen, maar haar aandacht was enkel geconcentreerd op de platte leeuwinnenneus van Hattie, net zo'n neus als die van haarzelf. En onze buitenste ooghoeken staan ook wat schuin naar beneden. Moeder en dochter stonden tegenover elkaar, elk met een hand tegen de borst gedrukt, net onder het sleutelbeen. Ineens was Bell woedend op Lawrence. Zielige ouwe vent! Gewillig slachtoffer van seks, jeugd en wat vleierij. Als hij goed naar me had gekeken, dacht ze, als hij de moeite had genomen echt goed naar me te kijken, had hij in mijn gezicht het gezicht van mijn moeder herkend. Dan had hij de gelijkenis meteen gezien, zoals Bell die op dat moment zag. Maar toen bedacht ze dat ook zij blind was geweest voor de overeenkomsten. Die ze had genegeerd bij wijze van wraakoefening op Hattie. Alsof ze wilde zeggen: ik wil jou ook niet. Ik zie jou helemaal niet.

'Bell!' zei Hattie.

Lawrence keek van Bells gezicht naar dat van Hattie, en daarna weer naar dat van Bell. Zijn hand schoot naar zijn mond in een ronduit vrouwelijk gebaar.

Hattie deinsde achteruit. Ze botste tegen een man achter haar en verloor haar evenwicht. Lawrence schoot naar voren, wierp het boeket en het bruine tasje op de grond, en ving Hattie op in haar val. Gesteund door de hand van Lawrence richtte ze zich stuntelig op. Ze zag er ineens erg oud uit. Het kwam Bell voor dat het vel op haar gezicht slap was en rond haar kin wat lubberde. Hoe afschuwelijk het moment ook was, toch deed de lieve manier waarop Lawrence Hattie te hulp schoot Bell denken aan een oude man die zijn oude vrouw, van wie hij tientallen jaren had gehouden en die hij tientallen jaren had gesteund wanneer ze wankelde, te hulp schoot. Hattie had een boodschappentas bij zich die bij haar struikeling op de grond was gevallen. Lawrence raapte hem op en reikte hem haar aan. Ze pakte hem aan en drukte de bruine tas tegen haar borst. Ze huilde.

'Ik kan maar beter boodschappen gaan doen,' zei Hattie, terwijl ze de tas liet zakken. Ze probeerde de hengsels beet te pakken, maar haar handen trilden te veel.

'Ik ga de rest van de boodschappen doen,' herhaalde ze, maar ze kwam niet in beweging.

Lawrence praatte op haar in. Hij had de hele tijd al gepraat, besefte Bell, maar ze had hem niet gehoord omdat haar moeder, huilend en nerveus aan een ouwe boodschappentas plukkend, voor haar had gestaan.

'Ze zei dat ze Caroline heette,' zei Lawrence. 'Ze vertelde me dat ze uit Boston kwam. Ik wist het niet, Hattie. Ik zweer het je, ik wist het niet.'

Hattie schudde haar hoofd. Ze kon nog steeds geen voet verzetten. Er kwam een winkeljuffrouw op hen af gelopen om te vragen wat eraan scheelde. Ze was keurig gekleed en vertrouwde de zaak niet. Hattie draaide zich naar haar toe.

'Ik zoek gewoon...' Ze haalde een keer diep adem. 'Ik zoek gewoon de linnengoedafdeling.'

De winkeljuffrouw vertelde hoe ze moest lopen, maar Hattie liep bij haar vandaan naar de uitgang.

Bell bleef alleen met Lawrence achter. Er was niets wat ze tegen hem kon zeggen. Ze stak een hand naar hem uit. Even liet hij toe dat ze hem bij de arm nam, maar toen rende hij achter Hattie aan. Sindsdien had Bell van geen van tweeën meer iets gehoord.

Bells vlinders sloegen met hun mesvleugels tegen haar borst. De pijn was verbijsterend. Haar armen en benen werden slap, haar ogen sloten zich en opeens werd ze in een troebel, halfbewust duister geworpen waaruit ze, dat wist ze zeker, niet meer zou terugkeren. Ze droomde dat er iemand bij haar aanklopte. Ze was in eenzelfde soort huis als dat van Lawrence en haar lichaam was nog even krachtig als in de tijd dat ze met hem omging. Bell liep, zonder dat het haar enige inspanning kostte, van kamer naar kamer, haalde moeiteloos adem, voelde de zuurstof in haar bloed, voelde hoe de zuurstofmoleculen als visjes door haar bloed schoten. Ze deed de voordeur open. Het hagelde. De hagel sloeg tegen de balustrade van de veranda en tegen de dakrand. Iemand riep haar naam. Vanwege het noodweer kon ze niet horen waar de stem vandaan kwam.

'Bell!'

Ze wou dat die stemmen weggingen.

'Bell! Bell!'

Ze werd wakker. Maar de hallucinatie hield aan.

'Bell!'

Ze was te zwak om naar de deur te gaan. Ze kon haar ogen maar een paar tellen openhouden. 'Hou alsjeblieft op,' fluisterde ze. 'Hou alsjeblieft op.'

'Ik ben het, Willie. Ben je thuis, kind?'

Willie. Juju Willie met haar oerwoud in de achterkamer. Nu weet ik zeker dat ik droom, dacht Bell.

In de woonkamer brak iets. Ze hoorde hout versplinteren en vervolgens een stem.

'Is hier geen licht?' en 'Waar komt die stank vandaan?'

Toen klonken er voetstappen en iemand schudde haar bij de schouders.

'Bell! Lieve god. Bell?'

Ze hield haar ogen lang genoeg open om Hatties gezicht boven het hare te zien zweven, met Willie een stap daarachter.

'Ze leeft nog,' zei Hattie.

Even later was er allerlei drukte, met licht en handen, sirenes en straatrumoer. Ze kreeg een masker over haar gezicht. Er werd een naald in haar arm gestoken. Ze sliep.

Toen Bell weer wakker werd, had ze van allerlei dingen last. Haar wang jeukte op de plek waar het zuurstofmasker haar huid irriteerde, ze had een droge mond en haar hand deed zeer vanwege het infuus. Als ze haar vingers bewoog kon ze de naald onder haar huid zien bewegen. Wat zijn we toch broze wezens, dacht ze. Op een apparaat naast haar bed flitsten groene en rode lichtjes aan en uit, en er klonk een regelmatige pieptoon. Dat alles alleen maar om te zorgen dat een lichaam bleef functioneren.

De ziekenhuiskamer had geen raam naar buiten. Een van de muren bestond voor de helft uit een rechthoekig venster dat uitkeek op een drukke gang. Meteen aan de andere kant van dat raam zat Hattie in een stoel te slapen. Haar hoofd lag schuin achterover tegen de rugleuning. Iemand had een deken om haar heen geslagen, zodat alleen haar gezicht te zien was. Kijk, dacht Bell, net als toen ze als meisje haar moeder vanuit de schoolbus had gezien, daar heb je mijn moeder. Bell kon wel huilen van dankbaarheid. Hatties bril was van haar neus gegleden. Als ze straks wakker wordt zal ze flink last van haar nek hebben. Ze zou een kussen moeten hebben.

Bell wist niet of het dag was of nacht. Een klok boven het bureau van de zuster gaf simpelweg aan dat het elf uur was. Buiten haar kamer repten zich verpleegsters door de gang, maar daar viel niet uit af te leiden hoe laat het was. En Hattie sliep, maar ook daar viel niets uit op te maken. Bells vlinders hielden zich koest. Ze voelde hun gewicht op haar borst drukken. De duizenden wezentjes met hun messcherpe vleugels hingen in haar longen als slapende vleermuizen in een grot.

Een verpleegster met een mondkapje voor kwam naar de deur van Bells kamer toe gelopen. Hattie werd wakker en gebaarde naar Bell. De verpleegster schudde van nee en kwam alleen binnen. Hattie ging voor het raam staan, met een hand tegen het glas. Bell stak ter begroeting een hand op en haar moeder knikte naar haar. Er kwam nog een zuster binnen, die een arm om Hattie heen sloeg en haar een bekertje van piepschuim met iets warms gaf. Het was een schok Hattie als voorwerp van genegenheid te zien.

De zuster zei tegen Bell dat ze al drie dagen in het ziekenhuis lag. Ze lag in quarantaine en dat moest zo blijven tot de tbc niet langer besmettelijk was, ten minste drie weken, misschien langer. Ze zou medicijnen krijgen die de ziekte veroorzakende bacteriën moesten doden en andere medicijnen die de verstopping in haar borst ongedaan moesten maken. Ze zou nog steeds veel hoesten, maar niet zoals eerder. Zolang haar longfunctie nog niet was verbeterd, moest ze niet proberen te praten. Ze zouden haar een leitje en een notitieboekje geven. Ze had geluk gehad. Het had niet veel gescheeld of ze was dood geweest. De verpleegster diende haar iets toe via het infuus, waarna de slaap zich boven Bell sloot als het water boven iemand die verdrinkt.

Walter kwam haar bezoeken. Hij zag er angstaanjagend uit. Zijn ogen waren rood en hij ijsbeerde voor Bells kamer heen en weer als een gekooide luipaard. Had hij er altijd zo eng uitgezien? Hij zag eruit alsof hij elk moment een zuster bij de keel kon grijpen. Toen ze zwaaide kwam hij haar kamer binnen.

'Walter!' zei ze. 'Je mag hier niet binnenkomen. Dan krijg jij ook tbc.'

'Die heb je me al bezorgd. Kijk maar naar mijn ogen. Zie je hoe rood ze zijn? En mijn tanden.'

Hij deed zijn mond open. Al zijn tanden waren verdwenen. Op zijn tong lag een zwart balletje, niet groter dan een knikker. 'Wat is dat?' vroeg ze. Hij zei dat het haar ziekte was, dat hij die met zoveel geweld uit haar had gezogen dat al zijn tanden eruit geslagen waren. Daarna slikte hij het balletje door en verliet de kamer. 'Walter!' riep ze hem na.

Een verpleegster schudde haar wakker. 'Mevrouw Shepherd! Rustig maar, rustig maar.' Hattie keek door het raam toe, haar beide handen tegen het glas gedrukt.

Bell spuwde in een zilverkleurig spuugbakje dat de zuster haar voorhield. Naarmate de dag verstreek spuugde ze steeds meer. Eerst waren de fluimen schuimig en rood als aardbeienlimonade. Haar keel deed zeer van het hoesten, maar haar borst woog niet meer zo zwaar en haar ademhaling ging minder moeizaam. Met haar leitje vroeg ze de zusters hoe laat het was, of naar andere praktische dingen, zoals op welke dag ze weer röntgenfoto's gingen maken. Ze kon niks anders bedenken om te schrijven. Ze was van plan geweest dood te gaan en nu lag ze hier levend en wel. Nu strekte haar leven zich weer in sombere eindeloosheid voor haar uit. Ze zou het infuus uit haar hand moeten trekken.

Op een middag kwam de zuster binnen met wat pillen in een klein kartonnen bekertje op een blad. Bell schreef: 'Nee.' Ze schudde haar hoofd toen de zuster het zuurstofmasker optilde en haar de pillen toestak. 'Mevrouw Shepherd,' zei de verpleegster, 'niet moeilijk doen.' Bell schudde opnieuw haar hoofd. Vanuit haar ooghoeken zag ze Hattie opstaan uit haar stoel voor de grote ruit. Toen Bell als klein meisje een keer ziek was geweest, had Hattie haar bij de kin genomen en haar gedwongen de medicijnen te slikken. Toentertijd had Bell dat niet als een blijk van liefde herkend. Nu had haar moeder, terwijl ze met vooruitgestoken hand op de kamer af stevende, alsof ze zo de deurknop wilde omdraaien en naar binnen gaan, dezelfde strenge blik in de ogen. Bell zag de liefde in die ogen, Hatties vorm van liefde, die altijd streng was. Ze slikte snel de pillen van de verpleegster door.

Hattie bezocht haar elke dag. Hun interactie bestond uit zwaaien naar elkaar. Op de zesde dag schreef Bell: 'Wat is het voor weer' op haar leitje, dat ze daarna voor Hattie omhooghield. Meteen voelde ze zich belachelijk. Ze had het waarschijnlijk te klein geschreven, zodat haar moeder het niet zou kunnen lezen, en bovendien zou ze haar antwoord toch niet hebben kunnen horen. Hattie zou haar wel onnozel en oppervlakkig vinden. Er waren zoveel andere dingen die ze wilde zeggen, maar ze had alleen maar haar leitje en ze had de moed niet. De tranen sprongen haar in de ogen. Hattie viste een stuk papier en een pen uit haar tas. Ze krabbelde iets op het papier en hield dat tegen het raam. Het was een tekening van een grote donkere wolk waaruit een stortvloed van schuine strepen viel. 'Het regent,' articuleerde ze geluidloos.

Van toen af aan begonnen Hatties bezoekjes altijd met een tekening van het weer. Ze bracht een kluwen garen mee en ging in de stoel bij het raam zitten haken. Hattie was nog altijd even ondoorgrondelijk, maar wat Bells zussen hadden gezegd klopte: ze was kalmer, de woede van vroeger was weg. Er heerste een ongedwongenheid tussen hen die er daarvoor nooit was geweest. Al lang voordat Bell een relatie met Lawrence kreeg, was er iets ongemakkelijks geweest in hun omgang. Wanneer Bell op feestdagen naar Wayne Street kwam of de doodenkele keer dat ze op zondag bij haar moeder ging eten, vermeden Hattie en zij elkaars blik, en gedroegen ze zich stijf en formeel als ze met hun tweeën alleen in de kamer waren. Misschien, dacht Bell, dat Hattie haar haatte omdat ze wist dat Bell haar als tiener met Lawrence had gezien. Maar dat is niet zo, dacht Bell. Ik ben degene die haar haatte, omdat ze bij Lawrence zo vrolijk was, terwijl ik thuis altijd alleen maar een treurige vrouw kende die voor de kinderen straf op straf stapelde: voor rennen op de trap, voor de kleinste ongehoorzaamheid, of omdat ze dingen wilden waarvan zij vond dat ze die onmogelijk konden krijgen.

Eenmaal volwassen had Bell zich ergens bevrijd gevoeld, maar niet opgelucht. Op een of andere cruciale manier had ze het gevoel gehad dat ze tekortschoot, dat ze niet in staat was het juiste te doen. Ze was voortdurend bang geweest dat een of andere macht haar vanwege haar tekortkomingen zou treffen. Ze had haar broers en zussen willen vragen of zij dat ook zo voelden. Maar die hadden zich jaren geleden met Hattie verzoend, misschien omdat ze beseften dat de macht die hen zou treffen niet hun moeder zou zijn, maar iets van eigen makelij. Op een bepaald moment in hun leven waren Bells zussen ermee gestopt Hattie de schuld te geven van hun problemen. Misschien wist moeder wel niet dat ze eigenlijk van ons moest houden, dacht Bell. Maar nu is ze oud, en hoeft ze niet meer zo meedogenloos te zijn.

Op de ochtend dat de quarantaine werd opgeheven verplaatste een broeder Hatties stoel naar Bells kamer en zette hem naast haar bed. Verpleegsters hadden Bell meegenomen naar de röntgenafdeling, maar toen ze in haar kamer terugkeerde, zat Hattie daar op haar stoel te haken.

'Het ontroert me om jullie hier samen in één kamer te zien,' zei de zuster. 'Weet u wel dat uw moeder hier dag en nacht heeft gezeten? Echt dag en nacht.'

Bell en Hattie glimlachten. De oude ongemakkelijkheid kwam terug. Zolang er een glazen wand tussen hen in had gestaan, was het niet moeilijk geweest ongedwongen met elkaar om te gaan. Ze zal het me nooit vergeven, dacht Bell. De verpleegster verliet de kamer.

'De zuster zei dat je morgen even naar buiten mag,' zei Hattie. Ze wachtte even terwijl ze een steek ophaalde van haar haakwerkje. 'Het is heerlijk weer. Zonnig.'

Bell knikte.

'Achter het ziekenhuis is een parkje. Je hoeft er niet eens de straat voor over te steken. Ik zou je er zo in je rolstoel naartoe kunnen rijden.'

Bell pakte haar leitje, maar bedacht toen dat de dokters hadden gezegd dat ze weer mocht praten. Ze haalde een keer diep adem en zei: 'Aaaah.' Het was een probeersel, zoals wanneer je voorzichtig steunt op een been waar zojuist het gips van af is gehaald.

'Aaaah,' zei Bell nog eens. 'Ik klink net als een kikker.' Haar stem klonk knarsend en krakend.

'Ik zou nog maar niet te veel praten, als ik jou was,' zei Hattie.

'Nee hè?' zei Bell.

Hatties haaknaald schitterde tussen de lussen van het garen. Bell wou dat er een raam was met uitzicht op buiten, op de hemel of op een wolk, op iets waar ze haar aandacht op kon richten dat zich buiten haar kamer bevond. Ze concentreerde zich op haar ademhaling. Wanneer ze inademde klonk er een licht ratelend geluid, en wanneer ze uitademde voelde ze een lichte hoestprikkel.

'Hoe wist u dat u me moest weghalen?' vroeg Bell na een tijdje.

'Van Willie.'

'En hoe wist zij het?'

'Van een meisje met wie je vroeger werkte. Een man die je kent had tegen haar gezegd dat het niet goed met je ging.'

'Walter.'

Bell vroeg zich af of hij ook ziek was geworden, of hij nu ergens bij een of andere vrouw in bed hoestend lag weg te kwijnen. Walter, de hufter. Ze hoopte dat het hem goed ging. Ze balde haar vuisten om te voorkomen dat ze bij de gedachte aan hem zou gaan huilen.

'Toen je hier net lag, kwam er op een dag een donkere jongeman langs. Hij zei geen woord tegen me, bleef een tijdlang met een duivelse blik door het raam naar je staan kijken en ging toen weer weg.'

'Walter.'

'Ik had het idee dat hij niet helemaal goed bij zijn hoofd was.'

Bell haalde haar schouders op.

'Willie zei dat je al een hele tijd ziek was. Ze zei dat je maanden geleden bij haar langs was geweest.'

Hattie legde haar haakwerk in de schoot.

'Toen we je kwamen halen zei je dat we moesten weggaan. Je zei alsmaar: "Hou op! Laat me hier liggen." Ik dacht dat het van de koorts kwam, maar later begreep ik dat je...'

Ze nam haar haaknaald weer op.

'Je beseft denk ik wel dat je niet naar dat flatje terug kunt. Ik neem aan dat niemand je nog verteld heeft dat papa en ik een huisje in Jersey gaan kopen? Daar zou jij best nog bij in kunnen.'

'Dus het is u eindelijk gelukt dan?'

'Het heeft maar vijftig jaar geduurd,' zei Hattie verbitterd.

'Het is maar een klein huisje, met maar drie kamers, maar je vader vindt het prima als je komt.'

'En u vindt het ook prima?' vroeg Bell. Ze was niet van plan geweest het te vragen.

'Ze zeiden dat de zware, vochtige lucht niet goed voor je is. Dus we zullen een airconditioner moeten nemen. Ook al heb ik het niet zo op die dingen. Ik krijg er hoofdpijn van.'

Bell hoestte. Hattie goot wat ijswater in een kop en gaf het aan haar.

'Ze zeiden ook dat je veel water moet drinken.'

Een zuster stak haar hoofd om de hoek van de deur. 'Alles oké?' vroeg ze monter. De twee vrouwen knikten. 'Over een uurtje de medicijnen!' zei ze en vertrok weer. Hattie zag haar in de gang verdwijnen.

'Alleen al de gedachte dat je daar lag dood te gaan alsof je niemand meer had,' zei Hattie. 'Je was vastbesloten jezelf naar de andere wereld te helpen, en wij zouden van niks hebben geweten. Misschien dat een paar maanden later de politie langs zou zijn gekomen om het te vertellen. Maar misschien ook wel helemaal niet. En dan zou je van de aardbodem verdwenen zijn alsof je er nooit was geweest,' zei Hattie.

Ze gaf een ruk aan de draad van de bol haakgaren op haar schoot.

'Ik snap niet hoe je zo diep kon zinken. Ik had het kunnen weten. Ik zag je niet veel, maar als ik je 's zag, was het altijd net of d'r iets aan je vrat. Ik heb nooit goed geweten wat ik aan moest met de geest van mijn kinderen. Ik heb nooit geweten hoe ik iemand wat dat betreft moest helpen.'

'Ik wilde gewoon helemaal niks meer,' zei Bell. Hattie

keek haar aan en schudde haar hoofd. 'Dat heeft iedereen wel eens. Iedereen die ik ken. Maar je kunt niet zomaar... Dat heb ik toch ook niet gedaan toen ik me zo voelde.'

Bell zei zacht: 'Dat was mijn schuld.'

'Je bedoelt dat met Lawrence?' Hattie zuchtte. 'Nee. Dat heeft me verschrikkelijk veel pijn gedaan, maar ik heb ergere dingen meegemaakt. Mijn kinderen gingen dood. Iets ergers bestaat niet, behalve misschien wanneer een ander kind probeert zelfmoord te plegen.'

'Het was geen zelfmoord.'

'O nee?'

In gedachten had Bell al vaak gerepeteerd wat ze op dit moment bij wijze van uitleg tegen haar moeder zou zeggen, maar nu het zover was kon ze zich alleen maar verontschuldigen.

'Het spijt me,' zei ze.

'Er zijn dingen waarvoor je je niet kunt verontschuldigen, die moet je gewoon proberen te laten rusten,' zei Hattie. 'Ook voor je eigen bestwil, anders houdt het nooit op.'

'Bent u niet boos?'

'Natuurlijk ben ik boos!' Ze keek Bell aan alsof ze haar het liefst flink door elkaar had gerammeld. 'En dat zal ik wel altijd blijven ook. Maar ik ben mijn hele leven al kwaad, en ik ben er eindelijk achter gekomen dat ik dat allemaal niet met me mee kan blijven slepen. Het is te zwaar en ik ben er te moe voor. Uiteindelijk slijt het wel. Alles slijt altijd.'

'Weet u dat Willie een heel oerwoud in haar achterkamer heeft?' vroeg Bell.

'Dat had ze al toen ze nog bij ons aan de overkant woonde, dus dat zal ze nog wel hebben.'

'Ze heeft een drankje voor me gemaakt van wat van die planten van haar. Ik... Ik heb het weggegooid.'

'In Georgia kende ik een juju-vrouw. Die kon een blinde laten zien. Iedereen dacht dat ze gek was.'

Ze zaten zwijgend bij elkaar. Bell zag dat de hartmonitor was verdwenen. Ze probeerde zich te herinneren wanneer het ding was weggehaald. Lawrence had haar waarschijnlijk die avond voor de ingang van Wanamaker's tegenover Hattie staan vervloeken. Hij moet haar hebben ingehaald en haar hebben verteld hoe Bell hem had voorgelogen en gemanipuleerd. Bell sloot haar ogen om de herinnering buiten te sluiten. Ze hoopte dat ze hem nooit meer terug zou zien. Hij had Hattie een vriendin genoemd, maar Bell ging ervan uit dat hij nog altijd van haar hield. Ze wilde weten hoe hun verhouding was afgelopen. Ze stelde zich voor dat ze allebei verbitterd waren geweest en dat ze elkaar jarenlang niet hadden gezien, maar dat ze elkaar kort daarvoor toevallig weer waren tegengekomen. De gedachte dat Lawrence haar moeders enige vriend was geweest in haar tientallen eenzame jaren en dat Bell ook dat kapot had gemaakt, was te pijnlijk. Ze wilde haar moeder vertellen dat er behalve Lawrence nog nooit een fatsoenlijke man van haar had gehouden, en dat haar relatie met hem na de eerste maand niks meer met Hattie had uit te staan. Bell was met hem blijven omgaan omdat hij een goed mens was en omdat hij om haar gaf. Wat Bell en haar moeder gemeen hadden was dat ze allebei het geluk hadden gesmaakt na jaren van teleurstelling de liefde te leren kennen.

'Als meisje heb ik Lawrence en u een keer op straat zien lopen. Ik ben hem nooit vergeten. Ik ben wat met hem begonnen uit wrok, en dat spijt me vreselijk, ook al verandert dat ik dat zeg niks aan de zaak,' zei Bell. Ze knipperde de traan weg die zich in haar ooghoek had gevormd. 'Ik wilde ook wat van het geluk dat u uitstraalde toen ik u met hem zag lopen. Ik wilde kijken of hij mij dat gevoel van vreugde ook kon geven.'

'Maar god, wat maak jij het mensen moeilijk om van je te houden,' zei Hattie.

'Met ons lachte u nooit zoals u toen met hem lachte.'

'Blijf van m'n herinneringen af. Die zijn van mij. Hoe het al die jaren geleden was tussen Lawrence en mij, dat is van mij, dat mag jij niet hebben.'

'U zult het me nooit vergeven, hè?' zei Bell.

'Ik heb het de afgelopen acht jaar geprobeerd, maar verder dan dit zal ik niet komen,' zei Hattie. Ze wond het garen weer om de bol. 'Dat nieuwe huis heeft een mooie voortuin, daar ga ik bloemperken in aanleggen. Het wordt maar een klein tuintje, maar nu kan ik tenminste mijn vleugels wat uitslaan. Ik heb nooit het gevoel gehad dat ik mijn vleugels kon uitslaan.'

'Pff! Ik heb juist het gevoel dat ik nooit iets anders gedaan heb.'

'Ja, jij was altijd een en al geklapwiek. Jij hebt nooit geleerd dat je gevoel van eigenwaarde en je zelfbeheersing soms het enige zijn wat je nog hebt.'

Ruthie had ooit gezegd dat Bell en Hattie qua karakter zo op elkaar leken. Maar dat was niet waar. Hattie was veel sterker dan Bell ooit zou kunnen zijn. Ze wist dan wel niet hoe ze voor de ziel van haar kinderen moest zorgen, ze had wél gevochten om hen in leven te houden en om zichzelf in leven te houden. Dat kon Bell niet van zichzelf zeggen. Allemaal – Hattie, Willie, Evelyn en zelfs de kapotgegane, geschifte Walter – waren ze kleine lichtpuntjes, vonken die in het donker opstegen en hun uiterste best deden te blijven branden, ook al waren ze gedoemd tot as te vergaan. Het ene moment doofden ze bijna uit, het volgende lichtten ze weer oranje op. Wie was Bell dat ze, als je het met hun kracht vergeleek, had gemeend er een eind aan te mogen maken? Misschien was het minstens zozeer aan haar lafheid als aan haar bedrog te wijten dat Hattie haar niet kon vergeven.

Hattie stak de naald in de kluwen garen. 'Ik zal morgen wat soep voor je meenemen,' zei ze.

'Oké,' zei Bell.

Hattie zocht haar spullen bij elkaar en stopte haar haakwerk en haar trui in een linnen tas. Bell herinnerde zich dat ze haar moeder lang geleden ook eens kleren in een linnen tas had zien doen, misschien een jaar nadat ze Hattie en Lawrence vanuit de schoolbus had zien lopen. Bells maag kromp samen. Die herinnering wilde ze niet.

Bell was destijds een tiener. Ze had in de woonkamer zitten lezen toen ze Hattie en August ergens achter in het huis tegen elkaar tekeer hoorde gaan. Er klonk een dreun, gevolgd door het geluid van brekend pleisterwerk. August kwam in zijn badjas uit de keuken gerend en terwijl de deur achter hem dicht zwaaide ving Bell een glimp op van haar moeder. Hattie stond met gebogen hoofd tegen het aanrecht geleund. Ze drukte de baby veel te stijf tegen zich aan, vertwijfeld, alsof Ruthie alles was wat ze nog had. August vloog in een flits de trap op, en was een paar minuten later weer beneden. Hij stormde het huis uit en sloeg de voordeur met een klap achter zich dicht, waarna Hattie zo furieus de keuken uit kwam gevlogen dat Bell achter de bank wegdook. Hattie stuurde alle kinderen naar buiten. Ze huilde. 'Schiet op! Allemaal naar het park!' schreeuwde ze. Ze zwaaide met haar armen en dreef hen het huis uit. Daarna ging ze naar boven en kwam weer terug met Ruthie en een reistas. Er viel een blouse uit de tas, en Hattie legde de baby op de bank en stopte het kledingstuk er weer in. Ze nam Ruthie – haar uitverkorene – weer op, deed de voordeur open en stapte zo gedecideerd naar buiten dat Bell uit haar schuilplaats kwam gekropen.

'Mama? Mama, waar gaat u heen?' riep Bell.

De tas viel uit Hatties handen toen ze zich met een ruk naar Bell omdraaide. 'Allemaal naar het park, had ik gezegd!'

'Komt u ons later halen?'

Hattie gaf Bell een klap die zo hard was dat het meisje achteruitwankelde.

'Vraag me niks! Vraag me nooit meer iets over mijn zaken!' schreeuwde Hattie, waarna ze zich de veranda af haastte.

'Mama!' riep Bell terwijl haar moeder zich weg haastte. 'Mama! Kom terug!'

Hattie bleef even staan op het trottoir. Bell wist zeker dat ze zich zou omkeren, maar na een paar tellen liep ze door, weg van Wayne Street, weg van Bell.

'Mama,' zei ze nog eens, fluisterend. 'Mama. Alstublieft.'

Hattie liep naar de deur van de ziekenhuiskamer met haar rug naar Bell gekeerd.

'Moeder!' riep Bell.

Hattie draaide zich om.

'U komt morgen toch weer, hè?'

'Ja, kind. Ik zei toch dat ik soep voor je zou meenemen?' zei Hattie.

'Goed.'

'Oké.'

Ze wou weer roepen: 'Moeder! Kom terug!' maar Hattie was de kamer al uit.

Cassie

1980

Ik zou eigenlijk mijn haar willen wassen, maar als ik de badkamer in ga, bedenk ik hoe het water, vervuild met allerlei dooie huidcellen en restjes poep, van mijn lichaam zal stromen, en móét ik gewoon weer terug naar mijn kamer. Ik kan niet tegen de aanblik van water dat ronddraait boven een afvoerputje. Zelfs als ik er nu, op de droge, warme achterbank van papa's stationcar, aan denk wriemel ik in mijn schoenen. Mijn tenen krullen samen om de fijne plooitjes op de plek waar de vlezige kussentjes en de bal van mijn voet samenkomen. Mijn Sala, mijn lieve meisje, is het enige schone wat ik ken.

Vanochtend opperde moeder dat ik zou douchen voor we naar de dokter gingen. Ze nam me mee naar de badkamer, zette de kraan aan en voelde of het water goed op temperatuur was, alsof ze een badje voor een baby klaarmaakte. Ik heb me snel gewassen en daarbij mijn haar en mijn intieme delen niet aangeraakt. Toen het water over me heen spoelde wilde ik me tegen de deur van de douchecabine drukken. Toen ik uit de doucheruimte stapte, had ik het gevoel dat ik stonk, alsof ik door een moeras had gewaad. Toen ik klaar was zei moeder: 'Kleed je aan.' En voor de vierde keer die ochtend zei ze: 'Vandaag is je afspraak.'

Ik ging op mijn bed zitten en keek toe hoe ze de kleren

die ze voor me had uitgezocht klaarlegde: de rok en de trui, mijn slip en gordeltje. Toen ik klein was deed ze dat nooit. Er was nooit tijd genoeg om voor negen kinderen de kleren klaar te leggen. Ik vraag me af of ze het wél had gedaan als we met minder waren geweest. Je moet er iets teders voor hebben, denk ik, wil je de kleren voor een klein iemand klaar kunnen leggen. En moeder was nooit teder. Dat is ze nog steeds niet. Ze legde de kleren voor me op het bed alsof het de ingrediënten voor gebraden kip waren. Alsof ik moest worden opgemaakt voor de braadslee. Moeder heeft altijd gedaan wat gedaan moest worden. Volgens mij denkt ze dat ze dat nu ook doet door me ergens naartoe te brengen, ook al deugt het voor geen meter. Ik heb voor haar gebeden. Ik vraag me af of ze weet wat ze me aandoet, of ze het bewust doet en er genoegen in schept, of dat ze het zomaar doet, als een behekst iemand die de opdrachten van iemand anders uitvoert. Ik heb met haar te doen. Ik weet hoe moeilijk het is om een bepaalde aandrang te weerstaan. Bij mij is zo'n aandrang afschuwelijk. Die heeft dan een stem en fluistert me zijn suggesties zo natuurlijk, zo rustig in, dat ik, als ik niet heel goed uitkeek, zou denken dat het mijn eigen gedachten waren. Kijk eens naar het kruis van die man, zeggen ze. En stel je voor hoe hij er zonder broek uitziet. Weet je nog? Weet je nog hoe het was met mannen? Natuurlijk weet ik dat dit niet mijn eigen gedachten zijn. Ik weet dat ze afkomstig zijn van wat het is dat deze hele boel aanstuurt, welke kwade geest dat dan ook mag zijn. Ik weet niet in hoeverre dat ook voor papa en moeder geldt. Ik heb geen idee of ze in de gaten hebben dat ze zelf ook behoorlijk besmet zijn. Ik zou graag willen geloven dat ze niks door hebben, maar ik ben bang van wel. Maar ik heb niks tegen Sala gezegd want ik wil niet dat ze bang wordt voor haar grootouders.

'En dit,' zei moeder. Ze stak me mijn borstprothese toe. Hij lag als een zachtgekookt ei te trillen in haar hand. Haar hand trilde ook. Ze knipperde snel met haar ogen. En haar keel bewoog alsof ze iets hards moest doorslikken. Misschien was dat ook zo. Moeder loopt altijd met van die harde gele snoepjes in de zakken van haar jurk. Precies op dat moment zag ik iets indrukwekkends en vreselijks aan haar, een gezichtsuitdrukking die ik me herinnerde van jaren geleden.

Ik zag ineens moeder met een schort voor in onze oude keuken van vroeger staan. Ik stond in de deuropening. Zij trok de bladeren van een kool en waste ze in de dubbele gootsteen. Er lagen varkenskluiven te sudderen op het vuur en het gas siste op de hoogste stand onder de pan. Zo nu en dan bleef ze even staan, staarde met een druipende hand op haar heup uit het raam en zuchtte. Zonlicht viel op de zijkant van haar gezicht. Haar gelaatsuitdrukking was zacht en rusteloos tegelijk. De middag had iets wilds over zich. Ik zweefde door de keuken als de muziek waar papa altijd naar luisterde wanneer moeder ons, kinderen, naar bed had gestuurd. Jazzmuziek die de trap op kroop en onze kamers binnendrong. Die zich om ons heen slingerde en zich als een spinnende kat zacht trillend tegen onze lijven aan vlijde. Die muziek gaf ons een vage notie van dingen waarvan we niets hoorden te weten. Mijn ouders spraken nauwelijks met elkaar en haatten elkaar, voor zover ik kon nagaan, maar elke zaterdagavond gingen ze, nadat ze eerst flink ruzie hadden gemaakt, naar boven en deden ze de slaapkamerdeur op slot. Ik moest ook aan die muziek denken toen op een avond een vrouw in een nauwsluitende jurk voor onze veranda liep te heupwiegen. Een en al deinende heupen. Papa hield van dat soort vrouwen. Als tiener zag ik hem ooit samen met zo'n vrouw. Ze zaten helemaal in elkaar verstrengeld in een geparkeerde auto terwijl moeder thuis bezig was te doen wat gedaan moest worden. Ik kan het haar niet kwalijk nemen dat ze altijd zo kwaad was, al heb ik me wel eens afgevraagd of ze ons eigenlijk wel had willen hebben. Toen die vrouw daar voor ons huis rondparadeerde, klakte iedereen behalve moeder en ik met de tong. Tante Marion zei dat die heupwiegende vrouw een snol was, maar mij leek het een vrijbuiter.

Moeder stond de groente te wassen met een gezicht alsof ze zelf haar strakke jurk wilde aantrekken en dan naar buiten wilde lopen om nooit meer terug te komen. In plaats daarvan zei ze: 'Haal de likeur eens uit het dressoir.' Ze schonk zichzelf een glas in, zette zich aan de keukentafel en begon ervan te nippen. Toen het glas leeg was hield ze het ondersteboven boven haar mond en liet de laatste druppels op haar tong vallen. Moeder was een knappe jonge vrouw. Het huis was te gewoontjes en te beperkt voor haar. Ik keek naar haar en voor het eerst besefte ik dat zij een innerlijk leven had dat niets te maken had met mij, of met mijn broers en zussen. Ze glimlachte en knikte alsof ze zich een melodie herinnerde.

Vannacht kwam de Stem. Hij is er nog altijd, als een zachte trilling tegen mijn ribbenkast, een rimpeling in het water, warm als de adem van Sala tegen mijn oor toen ze nog een baby'tje was. Hij zegt: 'Werk maar mee.' Hij zegt: 'Verzet je niet.' Ik ken de Bijbel. God zei tegen Jezus dat de soldaten eraan kwamen. Hij hoorde de zilverlingen rinkelen in hun zak en hij bleef gewoon op hen wachten. Wanneer de Stem er is, kom ik tot rust. Te vaak hoor ik alleen maar de furies als hyena's tegen me tekeergaan. Soms klinken ze zo luid dat ik denk dat anderen ze ook kunnen horen, ook al weet ik dat dat niet zo is. Ze zijn mijn doem, mijn kwelgeesten, al heb ik geen idee wat ik ze heb misdaan. Dagenlang zeiden ze tegen mij dat ik Sala geen eten mocht geven. 'Het eten is vergiftigd,' zeiden ze. 'Het water is vergiftigd.' Ik heb mij het eten uit de mond gespaard zodat Sala in elk geval kon eten. Wanneer ze zien dat ik niet eet, vergiftigen ze in elk geval het eten niet. Mij kan het niks schelen. Ik ben aan het hongergevoel gewend.

De furies krijsten: 'Alles houdt jou in de gaten, alles heeft oren, alles brengt verslag uit.'

Sommige van de kruiden in moeders tuintje vormden een tegengif. Ik heb geprobeerd ze te pakken te krijgen, maar kon de goeie niet vinden. Ik accepteer het allemaal maar, alleen maar om te zorgen dat Sala niks overkomt. Ik ben ontzettend moe, maar nog steeds zeggen de furies: 'Je schiet tekort. Je bent te klein. Jij en dat kind zijn vervloekt.' Het lijkt wel alsof mijn leven me ontglipt als een vlieger die wordt meegesleurd door een rukwind. Ik bid om leiding en verlossing. Maar wanneer ik aan het einde van mijn krachten ben, wanneer ik op het punt sta in te storten, komt de Stem die me zegt dat ik moet uitrusten. Vandaag nemen moeder en papa me ergens mee naartoe. Ik geloof niet dat het een afspraak met een dokter is, ook al zeggen ze van wel.

Ik probeer het aantrekkelijke te ontdekken dat er misschien in de dingen schuilt, zelfs toen ik vanmiddag in de auto stapte, papa de motor startte en moeder steeds stiekem even naar me keek in de achteruitkijkspiegel.

Ik probeer de schoonheid in de dingen te ontdekken. Soms word ik erdoor overweldigd. Ik heb wel eens het gevoel gehad dat ik één enkele muzieknoot was, een hoge c die trillend aan de keel van de zangeres ontsteeg, een en al flikkering en wiekslag. Het is echt geweldig muziek te voelen, het gevoel te hebben dat je muziek geworden bent. Tegenwoordig voel ik dat niet vaak meer, maar ik kan me de verrukking nog goed herinneren.

Moeder en papa vertellen me halve waarheden. Ik kan ze niet aankijken, daarom concentreer ik me op de weg en de wegstervende dag. Er bestaat een soort namiddaglicht dat je alleen maar in de herfst hebt. Dan legt zich een gouden licht over de wereld van dat moment. Het valt door de middaghemel, fijn en flets als opkringelende sigarettenrook die door de wind wordt verspreid, haast doorzichtig. Heerlijk licht is het, als van goud, dat zacht tegen de ramen dringt.

Ik probeer de schoonheid in de dingen te ontdekken. Op grijze dagen zit ik in mijn leunstoel naar de wolken te kijken. Dan denk ik aan de damp die opstijgt van de meren en rivieren, en van de vieze plassen op straathoeken, en hoe de wolken de waterdeeltjes opnemen en uitregenen tot er enkel nog wat laatste sliertjes van ze over zijn. Die wolken, die offeren zich op. Ik heb het idee dat alles bezig is iets anders te worden, dat het zichzelf prijsgeeft ten dienste van een ander. Nog even en dan valt de schemer in. Dan verschijnen de laatste muggen, die vervolgens door de nachtdiertjes worden opgegeten. Ik heb geen idee waar ik dan zal zijn.

Voorin zit papa wat te friemelen aan de knoppen van de radio. Op dit moment staat hij even op een christelijke zender. Moeder zegt: 'Zo laten, August. Dit is dat programma van dominee Bill. En ik kan niet tegen dat gefriemel van jou aan die knoppen. Ik spring zowat uit mijn vel van al dat geruis en geknetter.'

Hij zegt: 'Maar ik wil wat leuks, Hattie.'

Hij zegt: 'Ik wil dat leuke liedje horen dat Cassie me op de piano heeft geleerd toen ze klein was. Dat wil ik. Herinner je je dat liedje nog, Cassie?'

Hij kijkt me aan in de achteruitkijkspiegel. Ik reageer niet. Gisteren vroeg Sala me ook al zoiets raars. Ze vroeg me of ik van mijn moeder hield toen ik zo oud was als zij. Ik weet niet meer wie ik op mijn tiende was, alleen nog dat ik mijn best deed lief te zijn omdat ik de toorn van moeder niet over me wilde afroepen. Wat ik voor Sala voel heeft alles in de schaduw gesteld waarvan ik tot haar geboorte had gedacht dat het liefde was. Daardoor ben ik me gaan afvragen of ik vóór haar ooit wel van iets heb gehouden. En wat moeder betreft, ik denk wel dat ik van haar heb gehouden. Ik denk dat ik nog steeds van haar houd. Dat is wat ik tegen Sala heb gezegd.

'Dat liedje vind je tóch nooit, August. Laat nou maar zitten. Alsjeblieft, laat nou maar zitten.'

Op de radio reageert dominee Bill op telefoontjes van luisteraars die een vraag hebben over de Bijbel. Een man belt uit South Carolina. Hij stelt een interessante vraag, over iets wat ik me zelf ook wel eens had afgevraagd. Ik wacht, terwijl dominee Bill even de tijd neemt om zijn gedachten te ordenen voor hij antwoord geeft. Ik wacht zo lang dat ik me afvraag of mijn vader soms de radio heeft uitgezet. Ik wacht zowat een eeuwigheid. Wanneer de dominee eindelijk begint te praten ben ik de vraag al weer vergeten, en zijn woorden klinken traag en vervormd, als van een plaat die op de verkeerde snelheid wordt afgespeeld. Hoe meer ik me erop concentreer, hoe meer de woorden de indruk wekken dat ze niets met elkaar te maken hebben. Ik richt me helemaal op de stem van de predikant. Ik stem mijn gehoor af op zijn spreektempo, zodat de woorden een eenheid vormen: apostel, Paulus, Damascus. Ik probeer ze als kralen aaneen te rijgen. Ze ontglippen me. Moeder en papa knikken instemmend naar aanleiding van wat de dominee blijkbaar zegt. Ik weet dat ik het ook zou moeten snappen. Help me alsjeblieft, God. Al die hoeken in mijn hoofd. Als ik er weer een omsla staat daar opeens een tijger. Die op me af springt.

De Stem wordt zwakker. De furies dringen zich op. Ze maken zich van elk stukje prijsgegeven terrein meester en slaan daar ogenblikkelijk hun schreeuwerige, vreselijke tenten op. Ze beginnen met hun gemompel. Ik weet hoe dit verdergaat. Ik wacht op hun afschuwelijke crescendo. Er springt iets donkers naar de rand van mijn blikveld. Het zijn de furies, alle drie even zwart en angstaanjagend. Of misschien zijn het alleen maar grote insecten achter het autoraam. Ik kan de dingen maar moeilijk meer uit elkaar houden. De middag verdiept zich en er springen aapjes op mijn schouder. Ze ontbloten hun tanden en slaken allerlei kreten. Mijn hart slaat te snel. Ik leg mijn hand tegen mijn borst om het te kalmeren. 'Waar gaan we heen? Waar gaan we heen?' scanderen ze. Voorin zit moeder stijf rechtop als een tandenstoker. Tussen de stof van haar kraag en de plek waar haar grijze haar omkrult kan ik een stukje van haar nek zien. Ik kijk naar het plekje blote huid. Ik word er rustig van.

'Hoor je de zilverlingen rinkelen?' vragen de furies. 'Kijk naar die vreselijke moeder van je. Ze heeft nog nooit van iemand gehouden. Zeg tegen haar dat ze nog nooit van iemand heeft gehouden.'

Ik schud van nee. Ik ga het niet zeggen. Voorin verstrakt moeder, maar ze draait zich niet om. Papa pakt haar bij de hand.

'Goed zo, meisje,' zeggen de furies.

'Laat je nu uit de auto vallen. Doe het portier open en laat je gewoon naar buiten vallen,' zeggen ze.

Er zit een bruin moedervlekje op de donkere, ivoorkleurige huid van moeders nek.

'De auto uit, de auto uit,' scanderen de furies. Ik steek mijn hand uit naar de portierhendel. Ik grijp hem vast, mijn hand trekt samen.

Papa mindert vaart voor de afslag. Onze auto maakt deel uit van een rij auto's die op de afslag af stevent. Dit is het moment. Ik zou uit de auto kunnen springen en me in de berm laten rollen. Dan haal ik Sala van school en smeren we hem. We gaan naar Californië of naar New Hampshire. Daar ben ik al eens geweest. Het was de enige keer dat ik in een vliegtuig heb gezeten. Het was een grijze dag. We stegen op, steeds hoger, en een hele tijd zag ik niks anders dan dikke mist. Opeens braken we door het wolkendek en toen was er niets, alleen het geronk van de motor en de blauwe lucht, en de zon die schitterde op de vleugels van het vliegtuig.

Ik voelde me gewichtloos. Ik stelde me voor dat ik alleen, zonder toestel, vloog, zonder motor of metalen omhulsel, zelfs zonder mijn lichaam, alleen het beste deel van mezelf – mijn ziel? – gedragen door de luchtstroom. Zou dat niet heerlijk zijn? Zou dat niet geweldig zijn?

Ik doe het autoportier open. Ik tuimel naar buiten. Eén kant van mijn gezicht brandt als vuur. Kiezelsteentjes snijden in mijn handpalmen. Ik proef de smaak van ijzer en mijn mond loopt vol vocht. Ik ga staan en hol weg. Ik sla de stukjes weg niet van mijn jas. Mijn schoenen vertragen mijn gang, daarom schop ik ze uit en ren door. Aan de weg grenst een bos. Ik ren nu heel snel. Mijn benen zijn wel drie meter lang. Met elke stap leg ik een enorme afstand af. De furies zijn heel tevreden over me, ze klapperen triomfantelijk met hun tanden. Ik zou eindeloos door kunnen rennen. Ik zuig mijn longen elke keer vol lucht. Atoom voor atoom dringt de zuurstof mijn bloed binnen en wordt in golven door mijn aderen gepompt. Het komt als eb en vloed, dat pompende bloed. Mijn hart slaat als een razende. Als ik nog sneller zou rennen zouden mijn voeten de lucht in peddelen. Dan zou ik boven de weg zweven, en de auto's zouden net rijen snelle kevers lijken, een en al chroomglans en wieldopgeschitter. Achter mij klinken piepende banden en toeterende claxons. Iemand roept mijn naam: Cassie, Cassie, Cassie. Ik hoef niet achterom te kijken, achter mij is niets van belang. De furies zeggen: 'Laat ze doodvallen.' Ik ren de verkoperende middag in. Ik ga in één ruk doorrennen naar Sala.

Ze zal nu wel in de schoolbus zitten, op weg naar huis. Ze weet niet dat ik niet thuis ben. Ze zal onze kamer in rennen en zien dat er niemand is, dat het bed niet is opgemaakt. Ze zal het hele huis door lopen, op zoek naar mij, en dan voor op de veranda gaan zitten en wat met een stok in de grond prikken. De schaduwen zullen lengen en haar wangen zullen koud worden, en nog zal ze wachten. Ze zal weten dat ik kom, omdat ik altijd kom. Mijn lieve kind zal doodsbang zijn, maar ze zal wachten. Ik heb het nog nooit laten afweten en dit gaat niet de eerste keer worden.

Ik struikel over een kapotte autoband. Een vrachtwagen rijdt de berm in en komt luid toeterend langzaam op me af. Als hij langs me rijdt leunt een man uit het raampje: 'Heb je je bezeerd, schat?' Ik geloof dat ik gelach hoor. Mijn borst brandt als vuur. Ik neem de richting van het bos. Tussen de berm van de weg en het bos loopt een droge sloot. Hij ligt vol met afval van automobilisten: bierblikjes, chipszakken, sigarettenpeuken. Ik stap de droge sloot in. Een meter verderop sist iets, iets dat leeft en gewond is, een kat die hier door iemand is achtergelaten. Een van haar poten staat in een onnatuurlijke hoek en haar vacht is dof en zit strak om haar ribbenkast. 'Hier, poes,' zeg ik. 'Hier, poes.' Het dier sist als ik dichterbij kom. Het stakkertje. 'Het is goed, poes,' zeg ik. 'Het is goed.' Met een van haar goeie poten krabt ze in de lucht. Ze heeft de kracht niet meer om haar kop op te tillen als ze sist, maar haar ogen schieten heen en weer. 'Stil maar, stil maar,' zeg ik. 'Shh.' Ik trek mijn zakken binnenstebuiten om te zien of ik iets bij me heb wat ik haar kan geven. Ik kijk naar het afval in de sloot. Ik wil dat vuil niet aanraken, maar toch ga ik er met mijn handen doorheen. 'Ik kom eraan, schatje,' zeg ik. 'Alles komt goed.' Ik wil haar niet bang maken, daarom doe ik kleine stapjes in de richting van haar krachteloze lijf. De modder in de sloot zuigt aan mijn voeten, slijkerig, klonterig en koud. Ik kniel neer naast de arme, gewonde kat. Ze tilt haar kop op uit het slijk, steekt het puntje van haar tong uit en krabt, met een laatste krachtsinspanning, over mijn pols. Bloeddruppels wellen op uit de kapotte huid. Het stakkertje. Ik ga op mijn hurken naast haar zitten. 'Shhh, shhh, stil maar, stil maar,' zeg ik. De furies zeggen dat ik verder moet. 'Vooruit,' zeggen ze. 'Opschieten, je moet opschieten.' Maar ik vind dat niets alleen mag sterven, daarom blijf ik op mijn knieën naast de kat zitten en wacht tot ze haar laatste adem uitblaast. Ik fluister net zo lang tegen haar tot ze me haar over haar doffe vacht laat aaien. Ze mauwt.

Boven aan de sloot verschijnen twee paar schoenen. Twee agenten kijken op me neer. De ene zegt: 'M'vrouw, komt u daar alstublieft uit. U hebt uw ouders lelijk laten schrikken. Komt u daar alstublieft uit.'

'Wie heeft jullie gestuurd?' vraag ik.

De furies zijn des duivels. Ze schreeuwen zich de keel schor. 'We zeiden het toch? Kijk nou eens, kijk nou eens wat je gedaan hebt, stom wijf. Achterlijke trut.'

Ik hoor nu alles: de zwakke ademhaling van het poesje, de mannen die zich over de sloot buigen, de auto's die voorbijzoeven, de krakende boomtakken in het bos, de banden op de weg, de vogels die kwetteren, het schurende geluid van de lucht die langs mijn huid strijkt, het wuivende gras, mijn zwoegende ademhaling. Het jaagt me allemaal op, met afschuwelijke nadruk. Ik steek mijn hand uit om mezelf schrap te zetten tegen de aanval. De agenten zeggen weer wat. Ik kan ze onmogelijk verstaan met die kakofonie.

Ik concentreer me. Ik kijk strak naar hun lippen. Een van hen steekt me zijn hand toe en ik word de sloot uit getrokken.

Langs de weg is het één groot circus van politiewagens en zwaailichten. Sommige automobilisten willen stoppen, maar moeten van een agent doorrijden. De auto van papa staat langs de kant. Het portier aan de kant van mijn moeder is open. Zijzelf staat met een van de agenten te praten. Ik word naar haar toe gebracht. De furies schreeuwen dat ik weg moet rennen, maar ik schud mijn hoofd. 'Nee,' zeg ik. 'Neeneeneeneenee.' Ik dacht dat ik het heel zachtjes had gezegd, met de stem waarmee ik altijd tegen ze praat in mijn hoofd, maar ik moet het hardop gezegd hebben, want moeder en de agent draaien zich om en staren me aan. Papa leunt tegen de auto met zijn hoofd in zijn handen.

Een vrouwelijke agent neemt me bij de elleboog en leidt me naar een patrouilleauto. Ze doet het portier open en ik ga op het puntje van de stoel zitten terwijl zij voor me neerhurkt. Ik ben zo moe. Ik ben te moe om iets te kunnen horen of begrijpen. Als die furies nou eens hun bek hielden, maar die gunnen me geen enkele rust. Moeder gebaart naar me, en daarna naar zichzelf en papa's auto. De agent schudt van nee.

Er komen broeders aan. Zij nemen me mee naar de ambulance, waar ik rustig in stap. Vanochtend zei de Stem dat ik mee moest werken. Mijn ouders gaan in hun auto zitten. Blauwe en rode zwaailichten flakkeren op hun voorruit. De broeders snoeren de banden van de stretcher niet aan en de zuster heeft me een deken gegeven, waar ik haar dankbaar voor ben. Ik probeer de schoonheid in de dingen te zien.

Moeder met haar schort voor, jaren geleden, de amberkleurige twinkeling van de likeur in haar glas, en dat liedje dat alleen zij en ik konden horen.

Sala

1980

Sala werd wakker rond zonsondergang. Door het raam naast haar bed sijpelde kou naar binnen. De lakens zaten te strak. Sala's oma had haar goed ingestopt en de lakens zo strak aangetrokken dat ze haar armen niet kon bewegen en moeite had haar voeten te strekken. Ze had geen idee hoelang ze had geslapen. Buiten tekenden de bomen en de huizen, de elektriciteitsdraden en de telefoonpalen zich zwart af tegen de oranjerode zonsondergang. Een paar bladeren hingen als slapende vleermuizen slap omlaag aan de kale, zwarte takken van een eik.

Sala's moeder was de vorige week weggebracht. Verdwenen waren Cassies koffer en haarspeldjes, haar kam met de wijd uitstaande tanden, haar kastanjebruine trui en de tube met amandelkleurige camouflerende crème, waarmee ze de huid onder haar ogen altijd aanstipte.

In de achtertuin ging het licht uit in het schuurtje van Sala's opa. Hij liep het gazon op en bleef daar even staan, met zijn gezicht naar Sala's raam gekeerd. 'August!' riep Hattie vanuit de keuken. 'August, eten!' Augusts gezicht ging schuil in de schaduw. Hij boog wat naar voren, alsof hij iets in Sala's kamer probeerde te onderscheiden. Hij stond de laatste tijd niet meer zo stevig op zijn benen. Sala was bang dat hij zou vallen. De achterdeur ging piepend open en een uitgerekte rechthoek van licht viel op het gras. Hattie kwam met haar schort voor het tuintje in gelopen. August liep met uitgestoken hand naar haar toe. Ze pakte hem beet en hielp hem de treden naar de achterdeur op. De deur viel achter hen dicht en de tuin was weer in duister gehuld.

Het bos achter het huis was zwart en stil. Welterusten, bomen, dacht Sala. Ze wachtte tot haar oma zou komen en het licht in haar kamer aan zou doen. Ze trok aan de lakens en wrong zich in bochten in haar keurslijf. Ze was bang dat ze zou moeten overgeven. Sala was die dag vroeg van school naar huis gestuurd. Halverwege de ochtend had ze zich opeens duizelig gevoeld. Haar maag was in opstand gekomen en het lokaal was veranderd in een stralende kubus van licht dat zo wit en ontregelend was dat haar lichaam er ondanks al haar wilskracht niet in was geslaagd op de stoel te blijven zitten. Ze was op de grond gegleden. Consternatie alom. Er was zelfs over een ambulance gesproken. Sala was naar een stretcher in de EHBO-kamer gedragen, waar de volwassenen over haar hadden gepraat alsof ze er niet bij was. 'Ik denk dat er thuis iets aan de hand is,' hadden ze gezegd. 'Ze is er de laatste tijd niet met haar hoofd bij,' hadden ze gezegd. Het gezicht van de EHBO-mevrouw was boven haar verschenen. 'We bellen je moeder om te vragen of ze je komt halen.' Twintig minuten later was August gekomen.

Er sloeg een deksel op een pan. Hattie was in de keuken bezig; ze stond te koken en was geprikkeld. Sala wurmde zich uit de lakens en ging rechtop in bed zitten, vastbesloten er blakend uit te zien wanneer haar oma kwam kijken hoe ze het maakte. Ze zou binnenkomen en zien dat Sala weer helemaal was opgeknapt, en ze zou beseffen dat mensen zichzelf op basis van wilskracht beter konden maken, en dan zou ze Sala's moeder terughalen. Sala's ogen voelden zanderig aan, alsof er stof onder de oogleden zat. Ze pakte een kussen en drukte het tegen haar borst. Het rook naar haar moeders haarolie. Ze dommelde weer in en schrok opnieuw wakker. Een tijdje later schoven twee handen haar omlaag en werd het dek weer tot haar kin opgetrokken. Een vereelte hand streek over haar wang. 'Ze slaapt,' fluisterde August tegen Hattie. Hij liep zachtjes een wijsje fluitend de kamer uit.

Twee dagen voordat ze haar hadden weggebracht had Cassie midden op de dag de voortuin staan omspitten. Toen Sala van school thuiskwam zaten er overal gaten in het grasveld en lagen er overal zoden met vergeeld gras en hopen grijze, stakerige wortels. Er was aarde neergekwakt op het leistenen pad naar de voordeur, er lag een hoop aarde op het grind van de oprit en er zat aarde in Cassies haar. Hatties winterbloemen, paarse gevallen met dikke bladeren die op open kolen leken, waren in stukken gehakt en lagen met de wortels omhoog heen en weer te wiegen in het vernielde bloembed. Cassie zat op haar knieën naast de esdoorn. Ze hield de spade met beide handen bij het blad vast en probeerde hem zo de grond in te rammen.

'Mama?' riep Sala. 'Mama?'

Cassie hief haar armen boven haar hoofd en dreef de schop de aarde in. Haar leren handschoenen waren gescheurd waar het blad van de spade erdoorheen was gegaan. Aan weerszijden van het huis stonden de buren vanaf

hun veranda toe te kijken. Sala's oma stond in de deuropening, met beide handen plat tegen de hordeur, alsof ze het
tafereel op die manier zou kunnen wegdrukken.

'Sala,' zei Cassie hijgend. 'Help eens om deze wortel eruit
te trekken.'

Sala bleef stokstijf staan.

'Vooruit! Help eens een handje.'

'Wat bent u aan het doen?' vroeg Sala.

Cassie legde de schop opzij en groef met haar handen
verder in het gat dat ze gemaakt had.

'Kunnen we niet naar binnen gaan? Zullen we naar binnen gaan?' opperde Sala.

Ze boog zich naar haar toe en begon met beide handen
aan het rugpand van haar moeders jas te trekken. Ze begon
te huilen.

'Kom nou, mama, laten we naar binnen gaan.'

'Naar binnen?' zei Cassie. 'Nu?'

Ze wierp een snelle blik op Hattie in de deuropening. Ze
boog zich naar Sala toe en fluisterde: 'We moeten uitkijken
voor oma en opa. Die doen iets door ons eten. Maar,' zei
ze terwijl ze een kluit onkruid bestudeerde, 'er staan hier
planten waarmee ik ons beter kan maken.'

'Er staan mensen te kijken,' zei Sala.

'Niet op ze letten. Die zitten allemaal ook in het complot.'
Cassie keek naar een van de buurvrouwen op haar veranda.
'Ik heb jullie wel door!' riep ze.

Hattie kwam naar buiten gerend. 'Cassie! Cassie, kom
naar binnen. Zo is het mooi geweest.'

Cassie ging met haar handen door de aarde.

'Laat me dan tenminste Sala mee naar binnen nemen.

Die wil je hier toch niet zo laten staan?'

Sala trok opnieuw aan de jas van haar moeder, maar Cassie was weer begonnen met graven en sloeg haar hand weg alsof ze een vlieg verjoeg. Hattie nam Sala mee naar binnen en samen bleven ze in de deuropening staan kijken hoe Cassie door de tuin banjerde en her en der kluiten aarde in papieren zakken schepte. Ze huiverden in de kille namiddaglucht die door de hordeur naar binnen kwam. Sala vroeg zich af of ze wel zo dicht naast haar oma mocht staan, of Hattie niet iets giftigs door haar kleren heen uitstraalde. Ze vroeg zich af of er werkelijk van gif sprake was, om zich vervolgens bezorgd af te vragen of ze met haar twijfel haar moeder niet afviel. Cassie had alleen Sala maar, terwijl oma en opa elkaar hadden, plus Sala's ooms en tantes. Sala hield zorgvuldig alle betrekkingen bij om de mate van weerloosheid en behoefte uit te rekenen. En altijd kwam ze tot de conclusie dat haar moeder haar meer nodig had dan wie ook. Ze deed een stapje opzij. Ze besloot dat ze wel naast haar oma kon staan zolang er een decimeter afstand tussen hen was. Op die manier kon ze alle betrokkenen tevreden houden. Zo zou ze niemands liefde verspelen.

Tegen zonsondergang was Cassie binnengekomen. Ze nam Sala snel mee naar de slaapkamer die ze samen deelden en deed de deur achter hen op slot. Ze legde een pak scheermesjes en een paar gele rubberen handschoenen op het nachtkastje. Vervolgens leegde ze de zakken met uitgerukte plantenwortels op een paar kranten en sneed de wortels met behulp van de mesjes aan stukken. Sala keek vanaf het bed toe.

'Niet huilen!' zei Cassie. 'Ken je dat lied nog over het leger van de Heer? Dat zijn wij, die christenstrijders. Hij zorgt voor ons.'

Sala had niet het gevoel dat er voor haar gezorgd werd. Cassie had zich niet omgekleed. Haar broek zat onder de gras- en moddervlekken, er zaten vegen aarde op haar gezicht en haar nagels waren zwart. Ze keek nauwelijks naar Sala terwijl ze aan het snijden was. Ze sneed zich in de vinger, en het bloed droop op de krant. Cassie zong met fluisterstem: '*Voorwaarts, christenstrijhij-hij-hijders, Volgt uw Heer en God. Draagt het kruis van Jezus...* Vooruit, Sala, zing eens mee. *Vreest geen hoon of spot.*'

Er zat voor Sala niets anders op dan meezingen. Als ze zo was, was Cassie onvermoeibaar. Ze kon zo de hele nacht door zingen en snijden. Soms werd Sala 's ochtends heel vroeg wakker en dan lag haar moeder met haar armen en benen wijd dwars over het bed, of zomaar op de vloer, of soms, en dat was veel erger, zat ze klaarwakker in de leunstoel bij het raam te bidden. Nu zong Sala mee om haar moeder gerust te stellen, zodat ze zich niet zo van haar gescheiden zou voelen, niet zo alleen.

Bij de derde keer schreeuwden Sala en Cassie het uit. Misschien, dacht Sala, zat er echt tegengif in de wortels die haar moeder uit de tuin had getrokken. Mama had van veel dingen verstand. Ik ben pas tien, wat weet ik er nou van?

'Let maar niet op al dat lawaai,' zei Cassie. Sala's opa en oma stonden op de deur van de kamer te bonzen. Ze wilden dat ze ophielden met zingen, dat ze naar buiten zouden komen en zouden praten. 'Laat Sala dan tenminste eerst eten,' zei August. Cassie deed of ze er niet waren. Sala durfde niet te zeggen dat ze graag met haar opa en oma wilde eten.

Naarmate het later werd, rinkelde de telefoon in de keuken steeds vaker. Lang na het uur waarop het in huis doorgaans stil werd, hoorde Sala nog de stemmen van haar oma en opa en het geluid van hun slepende voetstappen over het tapijt.

Cassie legde overal op de vloer reclamefolders van de supermarkt met stapeltjes gehakte plantenwortels erop. Sala zat midden op het bed met de gewatteerde deken om haar schouders. 'Bent u ooit op een boot geweest?' vroeg ze aan haar moeder. 'Dit bed is een boot en die folders zijn de oceaan. Ziet u wel?' zei Sala, terwijl ze op het bed op en neer wipte om de golfslag na te bootsen. Ze trok haar knieën op tegen haar borst.

'Mama,' zei ze. 'Mama, ik voel me niet zo lekker.'

Wat ze bedoelde was: wat gebeurt er? Wat ze bedoelde was: hou hier alsjeblieft mee op.

'Mama?' riep ze nog eens.

'Zing nog maar eens,' zei Cassie zonder op te kijken van de wortels die ze aan het snijden was.

'Wil ik niet.' Sala had genoeg van het zingen. Ze wilde dat haar moeder haar gezicht waste en haar haar kamde. Als Cassie weer zichzelf werd konden ze beneden in de woonkamer televisie gaan zitten kijken en tosti's eten, maar die andere, onberekenbare vrouw wilde haar niet laten gaan.

'Ik heb honger,' zei ze. 'Mam? Heb je me gehoord? Ik heb buikpijn van de honger.' Cassie legde haar scheermesje neer. Ze liep door de kamer en ging op het voeteneinde van het bed zitten. Sala schopte naar haar hand.

'Ga weg. Ik ken u niet,' zei Sala.

Cassie kroop naar voren over het bed en probeerde een of ander lichaamsdeel van haar dochter te pakken te krijgen, maar Sala sloeg om zich heen en dook weg. Cassie greep Sala bij beide voeten en liet, met het hoofd omlaag, niet los, terwijl het meisje haar met de vuisten op de schouders timmerde. 'Laat los! Laat me los!' schreeuwde Sala. Ze raakte haar moeder met haar knieën en haar molenwiekende armen. Ze sloeg naar Cassies gezicht en hals. Cassie ging boven op haar liggen en drukte Sala tegen het bed. Sala wrong zich onder haar in allerlei bochten en kreeg haast geen adem vanwege het gewicht van haar moeder. Cassie kuste Sala's voorhoofd, haar wangen en haar tranen. 'Ik ben het, Sala. Ik ben het, ik ben het,' zei Cassie. Het waren de eerste woorden die ze had gesproken zonder het schrille dat haar stem altijd kreeg wanneer ze zo'n aanval had. Uitgeput liet Sala zich bij haar op schoot trekken en wiegen.

Toen Sala de volgende ochtend wakker werd had Cassie de kamer opgeruimd. De fijngehakte stukjes boomwortel stonden in papieren zakken op de vensterbank. Het was nog heel vroeg, er zat een vleugje oranje in de hemel. In de loop van de nacht had Cassie Sala uitgekleed en haar haar pyjama aangetrokken. Cassies haar was keurig gekamd en de grassprieten waren verdwenen. Ze had rode lippenstift op gedaan, maar die was wat uitgelopen, waardoor haar mond er bebloed uitzag, alsof ze er net een klap op had gekregen. Maar toch, ze had haar best gedaan, en toen Sala tegelijk met de zon wakker werd en zag dat haar moeder zich gefatsoeneerd had, kon ze proberen de afgelopen nacht te vergeten. Er waren veel dingen die Sala probeerde te vergeten. Soms lukte haar dat ook, voor een uur of een dag. Maar vaker putte Cassie haar uit en bracht ze haar in totale verwarring. Het was onmogelijk geworden te weten wat waar en wat niet waar was, en Sala was de hele tijd bang. Ze had geleerd dingen die te verwarrend of te pijnlijk waren naast zich neer te leggen. En daarom legde ze de voorbije nacht naast zich neer, sprong uit bed en vroeg aan haar moeder of ze die dag haar paarse corduroybroek aan mocht naar school.

Sala werd in het holst van de nacht wakker, de tijd waarop de wriemelende, wroetende dagdieren in hun hol of leger liggen te slapen en de nachtelijke jagers zich zat gegeten hebben of de jacht hebben opgegeven. Hattie zat in de leunstoel naast het bed. Ze had een nachtlampje aangedaan. Door de spleet tussen het rolgordijn en de vensterbank was nog net een stukje van de donkere tuin te zien. Sala wilde naar buiten, naar de stilte onder de sterren. Ze wilde iets betoverends.

'Zullen we naar buiten gaan om de uilen te zien?' zei Sala, half in een droom.

Haar grootmoeder pakte de thermometer en sloeg hem met twee snelle polsbewegingen af.

'Mond open,' zei ze.

'Er zitten uilen in het bos, hè, oma?' zei Sala.

Hattie zuchtte.

'Dat weet ik niet. Ik weet alleen dat je op school bent flauwgevallen en nu midden in de nacht onzin ligt uit te kramen. Mond open.'

'Wilt u nooit eens 's nachts naar buiten?'

'Ik ben vaak genoeg 's nachts buiten geweest. Het is net als overdag, alleen donkerder.'

'Hebt u wel eens een uil gezien?'

'Ja hoor.'

'Wanneer?'

'Jeetje, Sala, dat weet ik niet meer, hoor.'

'Was ie mooi?'

'Dit is geen spelletje, meisje. Doe je mond open.'

'Waar is mijn moeder?' vroeg Sala zacht.

Hatties hand viel terug in haar schoot. Ze liet zich achterover zakken in haar stoel.

'Ze heeft het goed. Ze heeft het daar goed.'

'Zijn ze daar lief voor haar?'

Hattie zei niets.

'Zijn ze daar lief voor haar?' herhaalde Sala.

'Dat geloof ik wel. Ik wou het beste en heb overal geïnformeerd... Ik hoop het.'

Ze zaten met hun tweeën in het donker zwijgend bij elkaar. Toen Sala begon te huilen trok Hattie haar niet tegen zich aan, nam ze het meisje niet bij de hand en wreef ze haar niet over de schouder. Maar ze zei ook niet dat ze moest ophouden met huilen. Na een poosje zei Hattie: 'Bij maanlicht lijken ze wel van zilver. Er waren veel uilen in Georgia toen ik klein was. Op een keer zag ik er eentje met een konijntje in zijn snavel.'

Nou ben ik eenenzeventig, dacht Hattie, en nou zit ik nog altijd met zieke kinderen. Nu dit weer, en wie zou zich straks om dit kleintje bekommeren als Cassie niet beter werd? God sta d'r bij.

Toen Hatties kinderen klein waren noemden ze haar de Generaal. Ze dachten dat ze het niet wist, maar ze wist alles van elk van hen. Ze voelde de trillingen van hun ziel. Als jochie had Franklin bij wijze van grap gezegd dat Hattie over

superkrachten beschikte, omdat ze altijd wist welke kinderen boven en welke buiten op de veranda waren, en welke
kinderen naar de buurtwinkel waren gegaan. Dan was ze in
de keuken en dan kreeg ze ineens een raar gevoel achter in
haar nek, alsof iemand haar daar een tikje gaf. En dan keek
ze op van wat ze aan het doen was en riep naar een van de
meisjes: 'Zeg tegen je broer dat hij onmiddellijk met dat ge-
donderjaag op zolder moet ophouden.' En reken maar dat
hij daar dan zat en op het punt stond door het luik te vallen
en een doodsmak op de eerste verdieping te maken.

Sala was weer in slaap gevallen. Arme ziel, dacht Hattie
terwijl ze naar haar kleinkind keek. Ze had gezien dat Sala
achter de auto aan was gerend, die middag dat ze Cassie
naar de kliniek hadden gebracht. Maar ze had niks tegen
August gezegd. Hij zou hebben willen stoppen om het haar
uit te leggen. Maar wat hadden ze kunnen zeggen? Hattie
had in de achteruitkijkspiegel gezien hoe Sala zwaaiend
achter hen aan was gerend. En ze had snel even naar Cassie
gekeken, die zo in beslag genomen was door de dingen in
haar hoofd dat ze niets zag van wat er zich om haar heen
afspeelde. Alles aan Cassie trilde krampachtig. Haar oogleden trilden, haar handen trilden, en haar geest, ja zelfs haar
ziel trilde. Het liefst had Hattie naast haar op de achterbank
gezeten en haar hand vastgehouden totdat ze zou ophouden met trillen. In Hatties jeugd in Georgia zouden ze Cassie naar een gebedsgenezer gebracht hebben, en als ze daar
niet door genas zouden ze haar gevoed en gekleed hebben
en haar maar gewoon haar gang hebben laten gaan. Hattie snoof minachtend. We konden ons al geen ziekenhuis
veroorloven als we onder het bloed zaten en op sterven na

dood waren, laat staan wanneer er bij iemand een steekje los zat. Toegegeven, voor een deel weet Hattie Cassies afwijking aan karakterzwakte, een voortwoekerende zwakte die haar er ten slotte onder had gekregen. Maar toen ze Sala achter de auto aan had zien rennen, wist ze dat Cassie niet had gewild dat haar kind haar op zo'n pijnlijk moment zag. Dat was Hatties vorm van mededogen geweest. Dat ze haar dochter en kleindochter die pijn bespaard had.

Hattie wist dat haar kinderen haar geen aardige vrouw vonden. En misschien was ze dat ook wel niet. Maar toen ze jong waren was er geen tijd geweest voor liefdoenerigheid. Ze was op wezenlijke punten in gebreke gebleven, maar wat zouden ze ermee zijn opgeschoten als ze de hele dag hadden zitten knuffelen en zoenen, en er niks te eten was geweest? Ze begrepen niet dat al haar liefde op was gegaan aan zorgen dat ze wat te eten hadden, en kleren aan hun lijf, en aan hen voorbereiden op het leven in de grote wereld. Die wereld zou niet van hen houden, het leven zou niet aardig voor hen zijn.

Ze was kwaad geweest op haar kinderen, en op August, die haar niets dan teleurstellingen had bezorgd. Het lot had Hattie uit Georgia geplukt om haar elders elf kinderen te laten baren en hen hun plekje in het Noorden te laten vinden, maar ze was zelf nog maar een kind geweest, en totaal niet opgewassen tegen de haar opgelegde taak. Niemand kon haar uitleggen waarom alles was gelopen zoals het gelopen was, August niet, de voorganger niet, en zelfs God zelf niet. Hattie geloofde in Gods almacht, maar ze geloofde niet in Zijn bemoeienis met de wereld. In het gunstigste geval liet de hele zaak Hem onverschillig. Met God had ze niks te schaften en God had niks te schaften met haar. Als ze 's zondags in de kerk wel eens om zich heen keek, vroeg ze zich af of er anderen waren die hetzelfde gevoel hadden als zij en daar ook alleen maar waren omdat ze geloofden in het ritueel, in het zingen van liederen en in een goeie preek, en niet zozeer omdat ze geloofden in een ontvankelijke, meelevende God.

Hattie was al behoorlijk op leeftijd toen August ineens regelmatig naar de kerk begon te gaan. Ook had hij de gewoonte aangenomen tegen haar te zeggen dat hij van haar hield. En Hattie zei er niets van, omdat hij beweerde dat het kwam vanwege zijn hervonden geloof in Jezus. Bovendien, na zesenvijftig jaar hadden ze eigenlijk alleen nog maar elkaars gezelschap, en het zei toch ook wel wat dat ze, naarmate haar lichaam zijn vitaliteit verloor, steeds minder de behoefte voelde om bij hem weg te gaan en opnieuw te beginnen. August was nu vierenzeventig en in toenemende mate ziekelijk. Het was typisch iets voor hem om zich in de armen van God te werpen nu hij te veel last van zijn hart had om zich nog in de armen van een of andere vrouw te kunnen werpen. Hij had Hattie overgehaald met hem mee te gaan naar de kerk in de buurt, waar ze tot haar verrassing ontdekte dat die haar vertroosting en schoonheid bood. De kerk schonk haar een groot gevoel van vrede, en ook al veinsde ze alleen maar dat ze geloofde en moest ze voortdurend de schijn ophouden, dat was dan de prijs die ze moest betalen voor troost en gemeenschapszin.

Hattie streek een haarsliert van het voorhoofd van haar kleindochter. Het had geen zin het kind wakker te maken om het te temperaturen, en trouwens, Hattie zag het met-

354

een wanneer een kind koorts had, en dat had Sala niet. Ze zou haar bed eens moeten opzoeken, maar ze was te moe om uit haar stoel op te staan. Zieke kinderen putten haar uit.

In de auto, op weg naar de kliniek, had Cassie ineens gezegd – hoe had ze dat toch kunnen zeggen? – dat Hattie nog nooit van iets had gehouden. Het was een gefluister geweest, nauwelijks hoorbaar. 'U hebt nog nooit van iets gehouden,' had Cassie gezegd. Hattie had gedaan wat ze kon. Ze had genoeg van alle spijt en zelfbeschuldiging, daar schoot je als oude vrouw geen draad mee op. Er waren zoveel kindjes geweest, huilende kindjes en lopende kindjes, kindjes die eten moesten krijgen en kindjes die een schone luier om moesten. Zieke kindjes, kindjes met hoge koorts. Hatties eerste kindjes. Die werden ziek op 12 januari en waren tien dagen later dood. Penicilline. Meer was er niet nodig geweest om haar kindjes te redden. Zesenvijftig zouden ze nu geweest zijn, grijs of in elk geval grijzend, met een zwemband rond de taille en lachrimpels om de mond. Misschien zouden ze kleinkinderen gehad hebben. De levens die voor hen klaarlagen waren oningevuld gebleven. Dat wil zeggen, de mensen van wie ze gehouden zouden hebben, de huizen waarin ze hadden kunnen wonen, de banen die ze hadden kunnen hebben, waren stuk voor stuk onbenut gebleven. Er ging geen dag voorbij waarin Hattie zich niet bewust was van hun afwezigheid in dit leven, van de leegte op de plek waar de levens van haar kinderen hadden moeten zijn.

Sala deed maar alsof ze sliep. Ze gluurde stiekem tussen haar wimpers door naar haar oma. Hattie zat naar het plafond te staren, en Sala vroeg zich af waar ze aan dacht. Ze durfde het niet te vragen. Hattie was net een meer onder een gladde, zilverkleurige ijslaag, waardoorheen je niks kon zien. Je had geen idee wat eronder zat. Wanneer ze kwaad was, kraakte en kreunde het ijs. Dan dreigde het te breken zodat iedereen eronder zou verdwijnen, zoals Cassie eronder was verdwenen. Cassie zou hebben gezegd dat er niks met haar aan de hand was, dat haar bloedeigen moeder haar op zó spectaculaire wijze had verraden dat het niet te bevatten viel. August zou zeggen dat Cassie was weggestuurd om beter gemaakt te worden. En Hattie, dacht Sala, zou helemaal niks zeggen.

Die zondag was Sala weer voldoende opgeknapt om met haar grootouders naar de kerk te gaan. De gemeenteleden waren nog vriendelijker dan anders. Ze bogen voorover om haar gedag te zeggen en namen haar hand in de hunne. Broeder Merrill, de voorganger, ging op zijn knieën voor haar zitten om wat tegen haar te zeggen. 'We hebben voor je gebeden,' zei hij. 'Wat ben jij een dapper meisje,' zei zijn vrouw. Hattie wist niet goed waar ze moest kijken.

De kerk was een vierkant, bruin gebouw niet ver van de snelweg. Het was een armzalig geheel, met een parkeerplaats die bezaaid lag met vuil, en een groot, wit kruis dat betere dagen gekend had. Binnen was het schemerig en rook het naar boenwas, maar er stond een echte houten preekstoel en de banken glommen als een spiegel. Broeder Merrill was geld aan het inzamelen voor een glas-in-loodraam. Daarvoor legde Sala elke keer vijftig cent op de collecteschaal. In haar zak zaten de twee kwartjes die August haar die ochtend had gegeven. Ze wreef er met haar vingers over terwijl ze met haar grootouders naar een van de voorste banken liep. 'En, juffertje,' zei een van de gemeenteleden, 'ga je ons vanmorgen nog verrassen met een lied?' Op sommige zondagen zong Sala na de gemeentezang en voorafgaand aan de preek 'Waarheen leidt de weg' of 'Zelfs vindt de mus een huis, o Heer'. Ze zong a capella, haar handen samengevouwen voor zich, en met knikkende knieën. Tijdens haar solo's was het doodstil in de kerk, en wanneer ze klaar was riepen de gemeenteleden: 'Prijs de Heer!' En dat bleven ze zelfs doen nadat ze weer was gaan zitten. Broeder Merrill had tegen haar gezegd dat zingen op zichzelf een vorm van aanbidden was, ook al was wat Sala voelde eerder trots dan eerbied. Maar die zondag zou er niet gezongen worden.

Na de afkondigingen en de openingsliederen begon broeder Merrill met zijn preek. ' "Maar de mens wordt tot moeite geboren, gelijk de vonken omhoog vliegen." Broeders en zusters, vandaag wil ik het met jullie hebben over het boek Job. Daar zegt de Here, in hoofdstuk vijf vers zeven, dat de mens en der mensen zonen voor het lijden geboren zijn. Job nu was een rechtschapen man, maar de Here besloot hem te beproeven. Zodoende verloor hij zijn huis, zijn kamelen, zijn schapen en zijn ossen. En net toen hij dacht dat dit zijn allerdonkerste uur was, verloor hij ook nog zijn zonen en zijn dochters. Hij raakte van hoofd tot voeten overdekt met boze zweren. En hij zat neer in de as en krabde zich met een potscherf. Toen zei zijn vrouw: "Job," zei ze, "zeg God vaarwel en sterf!" '

Sala's opa en oma zaten in vervoering te luisteren. Hatties gezicht vertoonde geen enkele uitdrukking – kalm meer, zilveren ijslaag – maar haar hand kneep zo hard in de bovenkant van de bank voor haar, dat haar knokkels wit wegtrokken en je de pezen onder haar huid kon zien zitten. Augusts vinger lag op het Bijbelvers dat broeder Merrill had voorgelezen. Sala had het ook gelezen. Zeg God vaarwel. Vervloek God, betekende dat eigenlijk. Ze had de snelle, lelijke vloekwoorden gehoord die sommige kinderen op het schoolplein gebruikten. Ze vormden zich nu in haar hoofd. Verdomme betekende eigenlijk: verdoem mij. Hoe kon mijn moeder zich willoos laten wegvoeren, dacht Sala. En als ze nou maar normaal had willen doen, gewoon normaal, dan was er niks van dit alles gebeurd. Zíj heeft het ons aangedaan. Sala wilde de woorden samenbrengen: verdomme en God, verdomme en mama, maar toen ze het probeerde, stond een innerlijke angst haar dat niet toe.

Sala had gezien dat ze Cassie wegbrachten. Ze was die middag vroeger naar huis gekomen. Niemand had eraan gedacht dat ze 's middags vrij had. Ze was vanaf de bushalte door het schrale sparrenbos gelopen langs de berm van de snelweg. Ze kon tussen de bomen door haar huis al zien. Ze dacht aan wat haar moeder twee dagen daarvoor met de tuin had gedaan. De meeste gaten waren weer gedicht, maar de witte afrastering van ijzerdraad om Hatties bloemperken was nog steeds verbogen. Als ze niet naar die afrastering had gekeken zou Sala haar moeder met haar opa en oma naar de oprit hebben zien lopen. Dan had ze gezien hoe August moeizaam met Cassies koffertje liep te zeulen. Dat zou ze allemaal gezien hebben, maar ze zag het niet omdat ze naar die stomme afrastering keek, en tegen de tijd dat ze haar opa Cassies koffertje in de achterbak zag

358

leggen was het te laat. Cassie schrok toen August de kofferbak dichtsloeg. Hattie stond naast het autoportier en boog
zich naar Cassie toe alsof ze klaarstond om haar te bespringen zoals je een dier bespringt dat probeert te ontsnappen.
'Mama!' schreeuwde Sala en rende naar de auto. Maar op
dat moment opende Cassie het achterportier en stapte in.
August reed de oprit af, de straat op, en weg waren ze.

Broeder Merrill vervolgde: 'Job wilde God niet vaarwel
zeggen. Hij herinnerde zich zijn kinderen, zijn huis en zijn
schuur. De Here had hem in zoveel gezegend, amen, zo lang
achtereen ook, amen, en zo rijkelijk – amen! – dat Hij hem,
ook als hij besloot Job nooit meer met iets te zegenen, al
meer dan genoeg had geschonken voor duizend levens.
Ook wij, broeders en zusters, kennen onze worsteling, onze strijd. Ook wij kennen onze beproevingen en bezoekingen, maar wij zijn gezegend. Wij mogen 's avonds naar bed
gaan, God zij geloofd, en 's ochtends weer opstaan. En als
dat geen zegen is dan weet ik het niet meer.

En alsof dat nog niet genoeg is, geeft de Here ons nog veel
meer. Hij gaf Job ook veel meer. O ja. "Want hij verwondt,"
maar moet u nu horen: "en Hij verbindt. Hij slaat." Maar
ik zeg u vandaag: "En zijn handen helen." Geprezen zij de
Heer!'

De voorganger had zijn handen tot vuisten gebald. Augusts bijbel gleed van zijn schoot. Hattie riep: 'Amen!' De
preek nam zozeer toe in volume, dat Sala tot haar eigen
verrassing merkte dat ze op het ritme van de woorden van
de voorganger met haar voet zat mee te tikken. De voorganger stroopte een van zijn mouwen op, en voordat die weer
omlaagzakte, ving Sala een glimp op van een verbleekte ta-

359

toeage op zijn onderarm. Opa had gezegd dat broeder Merrill vroeger een zondig leven had geleid, maar dat de Here hem voor iets vreselijks had behoed, en dat hij daarom nu zo'n goeie voorganger was. Sala keek naar hem op vanaf haar bank en zag dat haar opa gelijk had. De ogen van de man stonden wild in hun kassen en donkere zweetplekken breidden zich uit onder zijn armen en op zijn rug. Hij sloeg met zijn vuist op het spreekgestoelte.

Als Cassie hier nu bij Sala had gezeten zou ze lichtjes met haar hoofd hebben geknikt en met glinsterende ogen hebben geglimlacht. Sala luisterde zo goed als ze kon en probeerde de woorden van broeder Merrill in haar geheugen op te slaan, zodat ze ze zou kunnen herhalen als haar moeder belde.

De kreun- en steuntijd was aangebroken. De gemeente stond heen en weer te wiegen.

'Hij wacht altijd met open armen. Zijn genade komt altijd precies op tijd,' zei broeder Merrill. 'We hoeven alleen maar "Ja" tegen Hem te zeggen. Ja tegen Zijn glorie. Ja tegen Zijn vreugde.'

De geest van de Heer daalde neer, de gemeenteleden sloten hun ogen en hieven hun handen ten hemel. Hattie boog haar hoofd, maar ze sloot haar ogen niet. Ze keek naar de gemeente. Sala dacht dat haar oma en zij de enige waren die niet buiten zichzelf waren getreden.

'Is hier vanmiddag iemand die zijn ziel aan Jezus zou willen geven?'

Ooit had Sala een keer aan haar opa gevraagd hoe groot God eigenlijk was, en hij had gezegd dat hij kleiner was dan een zoutkorrel en groter dan de oceaan. Wanneer opa bad hoorde hij Zijn stem als die van een zacht, wit vogeltje in zijn oor koeren. 'Ik hoop dat jij hem op een dag ook zult horen,' had hij tegen Sala gezegd. Maar Sala hoorde enkel het gebrom van het orgel en iemand die zachtjes zat te huilen in de bank achter haar. Tranen schrijnden in haar keel. Ze stak haar hand omhoog zoals ze de vrouwelijke gemeenteleden had zien doen, gewoon om te zien hoe het zou voelen, gewoon om te zien of er iets goddelijks in haar zou stromen.

'Het maakt de Here niet uit wat u gedaan hebt,' zei broeder Merrill. 'Hij neemt je verdriet en je lijden weg en wast ze rein. Aanvaardt Hem als je Heiland. Treedt nader. Treedt nader tot Zijn genadetroon.'

Een man begaf zich naar het altaar. Broeder Merrill zei: 'Geprezen zij Jezus. Broeder, treed nader.' De man nam kleine, wankele stapjes, alsof hij net had leren lopen. De voorganger daalde af van het preekgestoelte en sloeg zijn arm om de schouders van de snikkende man. Zondag op zondag had Sala mensen huilend door het middenpad naar voren zien lopen. Ze had hen op hun knieën zien zinken. Sala's moeder en grootouders waren op dezelfde wijze tot God gekomen, en zij waren gered.

'Is er nog iemand?'

Sala voelde zo'n sterke steek van verlangen naar haar moeder dat het haar de adem benam. Ze stapte het middenpad op. De voorganger strekte zijn hand naar haar uit. Iemand zei: 'Prijs de Heer, Hij voert zijn kinderen terug naar de kudde.' Sala werd naar voren gestuwd door de stroom van geestdrift van de gemeente. De vrouwen in de banken achter haar barstten in snikken uit. Sala ging een kind van

God worden, en al die vrouwen zouden haar moeder in Christus worden. Ze kwam aan bij het altaar en de voorganger nam haar bij de hand.

'Begrijp je wat het betekent om Jezus in je hart te ontvangen?' vroeg hij.

Sala begreep niets. Wat zij voelde was heel wat anders dan wat de andere gemeenteleden zo te zien voelden. Ze had maar een vaag idee van wat hun godsvrucht inhield, alsof ze er enkel een glimp van had opgevangen door een half openstaande deur. Toch knikte ze in antwoord op de vraag van broeder Merrill, omdat het gedreun van het orgel er haar toe dwong en de voorganger haar liefde in het vooruitzicht had gesteld.

'Aanvaard je Jezus als je Heer en Heiland?' vroeg broeder Merrill.

De gelovigen begonnen te neuriën. Dat deden ze elke zondag wanneer mensen werden opgewekt om naar het altaar te komen. Sala stond elke keer weer versteld dat ze precies wisten wanneer ze moesten beginnen en welk lied ze moesten neuriën. Nu neurieden ze voor haar. Haar kruin tintelde. Ze gaf zich ontspannen over aan de armen van de voorganger.

'Aanvaard je Jezus als je Heiland?' vroeg broeder Merrill nogmaals.

'Ja,' zei Sala.

Ze sloot haar ogen en wachtte tot de geest zou neerdalen. Die zou haar omringen, haar in zijn armen sluiten. Ze voelde een hand op haar schouder, warm, dringend en klemmend. Ze opende haar ogen. Haar oma stond naast haar.

'Nee,' zei Hattie.

'Zuster Shepherd?' zei de voorganger. 'Wat is er, zuster?'

'Nee,' zei Hattie nog eens terwijl ze Sala bij hem wegtrok.

Het gedreun van het orgel stopte. Net als het geneurie van de gemeente. De hele kerk viel stil. Hattie trok haar kleindochter mee door het middenpad. Ze kon dit niet toestaan. Ze had Six ook al aan het altaar verloren. Ze had hem met niets dan een bijbeltje naar Alabama gestuurd, en hij was een rokkenjager en een charlatan geworden. Tegen de tijd dat ze begreep hoe diep ongelukkig hij zich voelde, was het te laat geweest om hem nog te redden. Haar tweelingen waren dood. Ella had ze aan Georgia teruggegeven. En ook voor Cassie, die ook door Hattie was weggestuurd, was het te laat. En het was te laat voor Hattie, die bedriegster in Jezus, die Sala had geleerd hoe je de zaak kon bedriegen. De gedachte dat het kind nu al zo gebroken was dat ze naar de genadetroon werd gedreven, was onverdraaglijk voor haar. Sala had nog alle tijd. Hattie wist niet hoe ze haar kleinkind moest redden. Ze voelde zich net zo overweldigd en onvoorbereid als toen ze een jonge moeder van zeventien was. Ik ben nu zestig jaar weg uit Georgia, dacht ze, er is een hele nieuwe generatie geboren, en nog altijd zijn er dezelfde wonden en dezelfde pijn. Ik kan het niet toestaan. Ze schudde haar hoofd. Ik kan het niet toestaan.

Ze kwamen bij de bank waar August hen zat op te wachten. 'Ik begrijp niet waarom je dat hebt gedaan, Hattie,' fluisterde hij. Natuurlijk begreep hij het niet. Het geloof van August was simpel en absoluut. Hij was een ziekelijke oude man geworden die veel bad en van de Heer hield. En als hij er al meer van begreep dan hij liet doorschemeren, als hij al verstandiger was dan hij deed voorkomen, wist hij dat goed verborgen te houden. Het is het gemakkelijkst om je van de domme te houden, dacht Hattie, en August deed altijd wat het gemakkelijkst was. Even voelde ze haar oude woede oplaaien. Maar dat was een gepasseerd station; het had haar niets geholpen toen ze jong was, en het zou haar ook nu niets helpen.

Hattie keek om zich heen naar de afkeurende gezichten van de gelovigen. Hun verontwaardiging zou weer overgaan – alles ging op den duur over – en mocht het niet overgaan dan zou ze de kerk, die bron van troost op haar oude dag, eraan geven. Ze was niet te oud om nog eens een offer te brengen. Hattie sloeg een arm om Sala heen en trok haar tegen zich aan. Ze klopte ietwat hardhandig op de rug van haar kleindochter, want tederheid was niet iets waarmee ze vertrouwd was.

Dankbetuigingen

Het is mij een grote eer mijn dank te mogen betuigen aan degenen die, direct en indirect, hebben bijgedragen aan de totstandkoming van dit boek.

Mijn dank gaat allereerst uit naar de James Michener and Copernicus Society of America, de Maytag Fellowship en de Flannery O'Connor Fellowship. Naar de Iowa Writers' Workshop, waaraan ik veel verschuldigd ben. Naar de Philadelphia High School for Girls, omdat die een lichtpunt vormde in het donkerste deel van mijn leven en mij op het leven heeft voorbereid op manieren die ik nog steeds bezig ben te ontdekken.

Naar mijn agente Ellen Levine, de beste pleitbezorgster en leidsvrouw die ik me maar kon wensen.

Naar mijn redactrice Jordan Pavlin, voor haar verfijnde scherpzinnigheid, voor haar onwankelbare geloof in deze roman, en voor het feit dat zij alles zag wat ik niet kon zien.

Naar de docenten die de hoogste eisen stelden en verlangden dat ik daaraan zou voldoen: mijn lerares Engels Sandra Johnson, die weigerde me hoe dan ook ooit te laten zakken. Jackson Taylor, die me heeft gestimuleerd en uitgedaagd, en dat net zo lang is blijven doen tot ik vond wat ik vreesde voorgoed verloren te hebben. Bedankt Edward Carey, Alexander Chee en Allan Gurganus, die steeds het goede voorbeeld geeft. En ook Michelle Huneven. En Paul Harding voor zijn steun en voortdurende aanmoediging.

Naar Lan Samantha Chang en Connie Brothers; naar de eerste omdat zij een geweldige lerares is, en naar de laatste vanwege haar wijze raadgevingen, en naar beide omdat ze het met me hebben aangedurfd.

Naar Marilynne Robinson voor haar vriendschap, voor het voorbeeld dat zij mij met haar levenswijze en geloof heeft gegeven, en voor de hoge eisen die zij stelt, waardoor ik gedwongen word door te gaan, ook als ik mijn grenzen heb bereikt.

Naar de romans en essays van Toni Morrison, wier woorden zowel lichtbaken als anker zijn, en wier werk voor ons allemaal wegbereidend is geweest. En ook naar de schitterende bundel verhalende gedichten *Thomas and Beulah* van Rita Dove, over het leven van haar grootouders van moederskant. Het boek blijft voor mij een leerzame bron van verwondering. En naar *The Warmth of Other Suns*, het boek van Isabel Wilkerson over de grote migratiestroom van Afro-Amerikanen die in het begin van de vorige eeuw op gang kwam en het aanzien van Amerika ingrijpend heeft veranderd. Een onontbeerlijker boek kan ik mij niet voorstellen.

Naar het gedicht 'Those Winter Sundays' van Robert Haydon, dat in de roman wordt aangehaald. En naar Emily Dickinsons gedicht 'After Great Pain, A Formal Feeling Comes', dat eveneens wordt aangehaald.

Dank ook aan Sally Dorst, Ames Giganous, Jill Herzig, mijn roodharige vriendin Jenna Johnson, William Johnson, Tanya McKinnon, Cassandra Richmond, Victoria Sanders en A Public Space. Dank ook aan Emma Borges-Scott, Angela Flournoy en Alexander Maksik omdat zij inzichtelijke lezers zijn en er een prachtig, groot brein op nahouden.

Jarenlange steun door dik en dun kreeg ik van Ayana Byrd, Karin Kissiah en Laurence Vagassky.

Dank aan mijn allerbeste Justin Torres, zonder wie dit boek er niet zou zijn en zonder wiens vriendschap ik nooit had kunnen doen wat gedaan moest worden. Mijn dank en liefde, voor alles en altijd.

Liefdevolle dank aan Nikki Terry, voor haar immens grote en genereuze hart, en voor haar geduld en haar onvermoeibare levenslust.

Ten slotte en in het bijzonder dank aan mijn grootouders Leroy en Lucille Hundley, aan wie dit boek eerbiedig is opgedragen. En aan mijn moeder, Norma Hundley, een vrouw die over uitzonderlijke gaven beschikt, uitzonderlijk veel strijd heeft moeten leveren en uitzonderlijk veel liefde schenkt.

Bij de productie van dit boek is gebruikgemaakt van papier dat het keurmerk Forest Stewardship Council (FSC) draagt. Bij dit papier is het zeker dat de productie niet tot bosvernietiging heeft geleid. Ook is het papier 100% chloor- en zwavelvrij gebleekt.